LES HÉROS, ÇA S'TROMPE JAMAIS

TOME 1

de Marie Potvin

Roman

MARIE POTVIN

Les héros, ça s'trompe jamais

Tome 1

De la même auteure, chez Numerik:)livres :

- *Le retour de Manon Lachance*, roman, 2011
- *L'Aventurière des causes perdues*, roman, 2011
- *Suzie et l'Homme des bois*, roman, 2012
- *La Naufragée urbaine*, roman, 2012
- *Les héros, ça s'trompe jamais – saison 1*, roman, 2012
- *Les héros, ça s'trompe jamais – saison 2*, roman, 2013

De la même auteure, aux Éditions Goélette :

- *Il était trois fois... Manon, Suzie, Flavie*, roman, 2013

Graphisme : Sophie Binette, Jeanne Côté et Marie-Pier S.Viger
Révision : Corinne De Vailly
Correction : Élaine Parisien
Photographie de l'auteure : Patrick Lemay

www.editionsgoelette.com
www.mariepotvin.com
Twitter: @Marie_Potvin
www.facebook.com/EditionsGoelette
www.facebook.com/MariePotvinAuteure

Dépôt légal : 3e trimestre 2013
Bibliothèque et Archives nationales du Québec
Bibliothèque et Archives Canada

Les Éditions Goélette bénéficient du soutien financier de la SODEC pour son programme d'aide à l'édition et à la promotion.

Nous remercions le gouvernement du Québec de l'aide financière accordée par l'entremise du Programme de crédit d'impôt pour l'édition de livres, administré par la SODEC.

Patrimoine canadien Canadian Heritage

Nous reconnaissons l'aide financière du gouvernement du Canada par l'entremise du Fonds du livre du Canada pour nos activités d'édition.

Membre de l'Association nationale des éditeurs de livres

Imprimé au Canada

ISBN : 978-2-89690-585-0

À nos histoires d'amour démodées

Liste des personnages

Max Grondin (Cavalier34)
L'aîné des trois frères Grondin, célibataire en vue, il est aussi le président de Grondin Transport. Il habite à L'Île-Bizard.

Philippe Grondin
Le cadet des trois frères Grondin, veuf, il est le vice-président de Grondin Transport. Il habite à L'Île-Bizard.

Sylvain Grondin
Le benjamin des trois frères Grondin, marié à Jeannette Plouffe, il est l'homme à tout faire de Grondin Transport. Il habite à Outremont.

Tom Turner
Ami d'adolescence de Max Grondin. Tom est l'avocat principal de Grondin Transport. Marié à Chantal Perrin, il est l'amant de Julia Fiore. Il habite à Laval.

Bernise Tousignant
Traductrice à son compte, célibataire, Bernise est la meilleure amie et colocataire de Julia Fiore. Elle habite à Montréal.

Julia Fiore
D'origine péruvienne, Julia vit au Québec depuis l'enfance. Maîtresse de Tom Turner et sœur aînée d'Erick Fiore, elle est l'amie et la colocataire de Bernise Tousignant. Julia travaille pour Jeannette Plouffe. Elle habite à Montréal.

Jeannette Plouffe
Femme de Sylvain Grondin. Jeannette est la meilleure amie d'Annie Simard et de Maïté Roy. Elle est aussi la patronne de Julia Fiore. Elle est directrice d'une maison d'édition. Elle habite à Outremont.

Annie Simard
Meilleure amie de Jeannette Plouffe et de Maïté Roy depuis l'adolescence, Annie est l'ex-petite amie de Max Grondin. Ingénieure électrique, elle habite un condo près du Vieux-Montréal.

Sophie Bertrand (Coraline)
Correspondante virtuelle de Max Grondin, célibataire, artiste de la scène qui a abandonné sa carrière, Sophie est la meilleure amie de Guillaume Landry. Sophie est la sœur cadette de Suzie Bertrand (*Il était trois fois... Manon, Suzie, Flavie*). Elle habite à Pointe-Saint-Charles.

Guillaume Landry
Ami fidèle de Sophie Bertrand, barman dans un bar gay. Célibataire. Il vit dans le quartier gay de Montréal.

Erick Fiore
Frère cadet de Julia Fiore, Erick est agent d'artistes. Il habite Toronto.

Maïté Roy
Meilleure amie de Jeannette Plouffe et d'Annie Simard, Maïté habite à Sainte-Catherine. Chômeuse et entrepreneure qui n'arrive à rien.

Chantal Perrin
Femme de Tom Turner. Elle habite à Laval.

Dorothée Grondin
Fille de Philippe Grondin.

Anna Grondin
Mère de Max, Philippe et Sylvain. Elle habite aussi à L'Île-Bizard, dans la maison qui a vu grandir les trois frères.

Robert Tardif
Voisin de palier d'Annie Simard.

Dominique de La Durantaye
Amoureux à temps partiel de Maïté Roy.

Étienne Grondin
Cousin de Max, Philippe et Sylvain. Il a été le premier amoureux de Jeannette Plouffe. Cascadeur faisant carrière à Toronto, il a quitté le Québec depuis presque dix ans.

Prologue

Les héros, les zéros et autres problèmes de riches

Dix-huit heures, le 11 juillet. Maxime Grondin dénoue sa cravate d'un geste las. À quelques mètres de lui, par-delà la longue table de la salle de conférences, son frère, Philippe, amorce le même mouvement. Les deux hommes se toisent en silence. L'adrénaline baissera bien assez vite, la fatigue les frappera de plein fouet dans quelques minutes. Pour l'instant, ils savourent la victoire de cette fin de journée épuisante, mais fertile en émotions.

Les gros bonnets viennent de quitter les lieux, il ne reste qu'eux. Un contrat jamais égalé, qui sera sous peu annoncé dans la presse : leur entreprise de trains routiers s'accroîtra bientôt de façon spectaculaire. L'aboutissement de dix ans d'efforts soutenus. Les Grondin ont réussi. Les prochaines années de Grondin Transport seront florissantes. Des défis de taille les attendent. « Des problèmes de riches ! » dit souvent Max.

Dans le couloir, des pas rapides s'approchent, un bruit sourd de verre. Quelques secondes plus tard, Sylvain Grondin arrive, le regard bleu fébrile dans son visage rond couvert de sueur. De ses aînés, il a un vague air de famille, comme cette fossette au menton qui les caractérise. Autrement, il est plus court, plus trapu, moins remarquable. Sylvain n'est toutefois pas sans charme, il fait tout de même partie du clan Grondin ! Toutefois, il s'efface lorsque ses frères apparaissent.

– Vous la voulez où ? grince-t-il entre ses dents, le cou rougi sous l'effort.

Les mèches de sa chevelure châtaine tombant devant ses yeux sombres, Max étire un demi-sourire en direction de Philippe. Puis, il tend le bras vers Sylvain, saisissant d'une main vigoureuse la boîte rouge marquée du logo « Rickard's Red ».

– Appelle les autres, on l'a eu ! annonce-t-il au benjamin, qui tente de reprendre son souffle.

– Vous l'avez eu ? Vous l'avez eu ? s'enquiert Sylvain, tout à coup enthousiaste.

– Nous avons signé pour cinq ans. Nous obtiendrons d'autres contrats ; ça veut dire d'autres camions, plus d'employés…

La voix de Max ne reflète pas l'excitation qui devrait l'habiter. Curieusement, il est vide de toute émotion.

– Plus de travail pour moi, ajoute Sylvain, soudain apeuré.

– T'en fais pas Ti-cul, tu auras de l'aide, fait Philippe, de son timbre calme habituel.

Sylvain, dont un pli soucieux au front trahit la nervosité, bat des cils, le regard au plancher.

– Il me faut une secrétaire, ça presse. Est-ce que Maïté veut toujours le poste ?

Max se cale tranquillement dans sa chaise coussinée de cuir, laissant sa nuque reposer sur le dossier, une main derrière son cou, l'autre sur une bouteille de bière qu'il vient de décapsuler.

– Relaxe un peu, Sylvain. Je ne sais pas pour Maïté, elle est un peu…

– Irresponsable, termine Philippe.

– Sans parler du potinage qu'elle alimentera, je ne suis pas certain que ce soit souhaitable !

Sylvain considère ses frères, découragé.

– C'est que…, j'ai promis à ma femme… Jeannette va me tuer si je manque encore à ma parole. Maïté est sa meilleure amie… eh merde !

Max éclate d'un rire fort.

– Ton problème. T'avais qu'à ne pas faire de promesses qui ne sont pas de ton ressort !

Alors que Sylvain s'en va en maugréant des mots inaudibles, les épaules affaissées, Philippe considère son frère qui sirote sa bière bien méritée, à l'autre bout de la pièce. De deux ans son aîné, Max est devenu un homme d'affaires qui ne s'en laisse pas imposer. Comme il vient de le faire à l'instant. Ils étaient devant des individus aguerris. Max a usé d'un peu de bluff, une technique apprise par des années de poker le vendredi soir, et voilà ! Les signatures très attendues se sont étalées sur le papier à en-tête de leur entreprise de transport.

Philippe est fier de lui. À eux deux, ils forment une équipe solide. Max pour négocier, lui pour calculer, réfléchir, établir les stratégies. Leur jeune frère Sylvain, devenu par la force des choses un employé aux tâches imprécises, vogue de défi en défi sans jamais en mener un seul à terme. Ah ! s'il n'était pas de la famille…

Un type de stature moyenne, aux cheveux bruns et au sourire ravageur, se matérialise sous le chambranle. Philippe le suit du regard alors qu'il serre d'une poigne solide et enthousiaste la main de Max.

– Félicitations, les gars ! Désolé, je n'ai pas pu arriver à temps, j'ai été retenu !

Le nouveau venu, Tom Turner, est leur avocat attitré depuis des années. Vieil ami de Max, davantage que de Philippe, il n'est jamais à l'heure. Max insiste pour le garder parce qu'il est excellent, qu'il les a sortis de situations rocambolesques plus souvent qu'à son tour. Philippe n'est pas du même avis. Pour ce dernier, Tom est un délinquant en cravate. Ce débat entre les frères dure depuis des années.

– Évidemment…, murmure Philippe, pour lui-même.

Même si Tom ne remarque rien, Max lit entre les lignes, Philippe est désabusé. Tom court à sa perte, et rapidement. Il se fera un devoir de lui parler, de mettre les points sur les *i* et les barres sur les *t*. *Tu t'enlignes ou tu dégages !* dira-t-il à son copain.

Malgré le calme apparent de son frère, Max le connaît et sait qu'il s'agit d'un masque. Philippe n'a rien à camoufler, mais il est comme ça, placide. Il semble imperturbable, toujours d'humeur égale, pourtant, Max a la certitude que, dans son for intérieur, il en va tout autrement. À part sa fille Dorothée pour laquelle il se lève chaque matin, Philippe n'a que le deuil de son épouse comme fidèle compagnon. Cette foutue tristesse qui ne le quitte pas !

Max Grondin n'est d'ailleurs lui-même pas tellement différent. Si sa vie n'était pas aussi vide de sens, peut-être aurait-il déployé moins d'énergie pour leur entreprise au cours des dernières années. Peut-être n'aurait-il pas risqué de tout perdre pour tout rafler.

De quoi pourrait-il se faire déposséder, en réalité ? Il pourrait coucher dans son bureau, sur le sofa décoratif que Denise, leur réceptionniste, lui a suggéré d'acheter pour donner un peu de vie à son décor, et personne ne s'en soucierait. Nul ne l'attend, ni femme ni enfant. Pas même un chien.

Leur réussite en affaires est excitante, ça oui, pourtant, lorsqu'on gratte un peu, l'un et l'autre échangeraient bien un peu de leurs gains pour une parcelle de bonheur.

Heureux au jeu, malheureux en amour…

Chapitre 1
L'art de faire tapisserie avec éclat

Le 12 juillet, rue Saint-Denis, Montréal
– La croisée des chemins

Pour Bernise Tousignant, cette soirée est interminable. Comme la nuit sur la terrasse commence à se faire fraîche, elle est secouée d'un long frisson. Elle scrute sa montre discrètement toutes les trente secondes depuis la dernière heure. Julia, sa colocataire et meilleure amie, l'a encore laissée seule à une table bondée de gens dont elle ne connaît ni les visages ni les noms. Les verres se remplissent et se vident au rythme des conversations auxquelles elle ne participe pas.

Tout ce qu'elle sait, c'est qu'elle doit parler à une certaine Jeannette Plouffe, une femme dont la réputation la précède pour son sens inné des affaires dans le monde littéraire. Bernise souhaite lui offrir ses services de traductrice. À la seule idée de l'approcher, ses mains tremblent.

Laquelle est Jeannette ? Celle qui défend son point de vue sur la politique mondiale à l'autre bout de la table ? Ou l'autre, plus réservée, qui vient justement de se lever pour partir ? S'il s'agit de cette dernière, Bernise se dit que c'est bien fait pour elle, qu'elle n'avait qu'à foncer plus rapidement. Sa timidité aura un jour raison de ses ambitions ! Elle doit sortir de sa coquille, devenir plus visible, si elle veut travailler sur autre chose que des produits alimentaires pour une chaîne américaine. Malgré ses bonnes intentions, tout ce qu'elle trouve à faire, c'est se tenir sur le bout de son siège, prête à bondir dès que Julia reviendra.

Sacrée Julia! Pourquoi avoir négligé de la présenter aux autres? Bernise secoue la tête. Dès leur arrivée à cette table, la belle Péruvienne s'est élancée dans les bras de tout un chacun, offrant sans parcimonie baisers et accolades accompagnés de son rire sonore. Bernise en a profité pour prendre place, stratégiquement en retrait.

Bernise regrette maintenant sa position prudente. Elle aurait dû attacher Julia à sa chaise, et cela, pour son propre bien autant que le sien! Il a suffi d'un appel de Tom Turner, son amant marié, pour la faire dériver vers un coin tranquille en oubliant tout le reste, y compris elle, l'oreille collée à son cellulaire.

Agacée, Bernise laisse errer son regard vers la rue. Le pavé frémit d'étudiants un peu ivres qui déambulent bras dessus, bras dessous, en quête d'un prochain arrêt pour un autre verre ou, mieux, un autre flirt. Elle les observe avec envie, se demandant si elle a déjà flirté. Cherchant dans sa mémoire, elle doit admettre qu'elle ne sait même pas comment faire.

Bernise rumine. Julia lui a promis qu'elles ne resteraient que pour une sangria, le temps de rencontrer la fameuse Jeannette Plouffe, sa collègue de travail. Voilà que sa boisson commence à prendre du vieux, tellement elle la sirote. Faire semblant d'être gaie, décontractée, au-dessus de tout, c'est éreintant. Faire la belle tout en s'assurant de passer inaperçue, c'est un exercice d'endurance.

Elle ne veut qu'une chose: prendre contact avec cette dame, puis s'en aller.

Elle sent soudain une énorme main froide sur son épaule, une peau rugueuse et étrangère qui frôle, celle plus fragile, de la naissance de son cou. Une haleine d'alcool souffle près de sa joue. Ça empeste le scotch de mauvaise qualité. Se retournant, elle voit une figure basanée, des pupilles noires qui couvent de convoitise son visage délicat. Les yeux de l'intrus sont vitreux, sondeurs, mal famés…

– Salut, t'es bien jolie…

Prise d'une lente convulsion de dégoût, elle recule d'instinct, attrapant à tout hasard la première chose que ses doigts rencontrent, le bras solide de son voisin. Elle sent sa veste angora rose glisser vers le sol, malgré un geste nerveux pour la retenir. Tentant d'ignorer l'importun, elle regarde à ses pieds. L'homme à ses côtés, qui ne lui a pas adressé un mot de la soirée, se lève brusquement, poussant derrière lui la chaise de bois qu'il occupait, dominant l'étranger de toute sa hauteur. Ce dernier plisse ses yeux obscurs, se hasardant à le provoquer. Il resserre son étreinte sur l'épaule de la jeune femme

Pour la première fois depuis son arrivée discrète, l'un des convives lui accorde son entière attention. Elle apprendra plus tard que son héros de fortune n'est autre que le fameux Maxime Grondin, dont Julia lui a beaucoup parlé.

Désormais entièrement concentré sur sa voisine, il la consulte du regard. Elle secoue vivement la tête: «Non, je ne le connais pas», semble-t-elle dire. L'envahisseur n'a pas le temps d'insister, il est déjà refoulé jusqu'à la rue par la seule volonté de son adversaire improvisé, celui-ci incontestablement plus robuste.

Le nouvel allié de Bernise est un homme vigoureux, sûr de lui. Ses cheveux bruns, son nez droit, ses yeux dont l'iris est pailleté d'ambre clair lui donnent pourtant un «je-ne-sais-quoi» de dur. Elle ne saurait dire avec exactitude le détail qui crée une impression de déjà-vu. Elle le connaît de nom. Julia lui a un jour placé sa photo sous le nez. «Regarde comme il est magnifique! C'est l'ami de Tom!» Il s'agissait d'une coupure de presse titrée «*Grondin Transport a amassé dix mille dollars pour les enfants atteints du cancer*». On y voyait deux hommes et trois bambins chétifs et chauves tenant une copie démesurée du chèque.

De retour à la table, Max s'applique à faire glisser la veste de la jeune femme sur son dossier. L'espace d'un instant, leurs regards se croisent. Bernise se fige, avale difficilement sa salive. Il ouvre la bouche, mais les mots ne se forment pas. Peut-être n'a-t-il simplement pas le temps de s'exprimer car, tel un signe de la Providence, comme s'il était de connivence avec son envie incontrôlable de s'esquiver, le portable de Bernise vibre soudainement.

– Un message important? finit par demander Max, après s'être éclairci la gorge.

Bernise colle son téléphone contre sa poitrine comme si elle était prise en flagrant délit. Le message texte provient de Julia, elle l'attend près de la sortie. Bernise connaît bien son amie. Maintenant qu'elle a décidé de rentrer, elle tape du pied, impatiente.

– Oui, ment-elle, je dois partir. Merci de m'avoir débarrassée de ce… cet… individu.

Max Grondin la considère de longues secondes, laissant filer suffisamment de temps pour qu'elle baisse le regard. Un sourire en coin anime sa bouche.

– De rien… C'est la moindre des choses.

Lorsque Julia apparaît, les mains sur les hanches et les sourcils froncés, Bernise se lève d'un bond, s'excuse et tente de se frayer un chemin parmi les compères de Max Grondin. En croisant le regard de son amie, elle mime du bout des lèvres «laquelle est Jeannette?» Elle fait le tour de la table pour glisser sa carte professionnelle à la jeune femme que Julia pointe du menton. Il s'agit bien de celle qui était en grande conversation sur le désastre écologique que provoque l'industrialisation effrénée des pays fortunés. Jeannette lui adresse un clin d'œil sans interrompre son discours. Libérée de sa mission, Bernise marche d'un pas plus ou moins assuré jusqu'à Julia.

Maxime Grondin lui emboîte le pas, mais Bernise accélère pour s'engouffrer dans le taxi que Julia vient de héler, laissant l'homme seul sur le trottoir.

Chapitre 2
Être ou ne pas être... une diva

Le 10 juillet, rue Rozel, Pointe-Saint-Charles, Sophie Bertrand alias Coraline
- Une heure plus tôt

Dans son minuscule appartement, Sophie Bertrand revêt sa seule robe estivale. Elle soupire, tenaillée par le doute. Son *alter ego* « Coraline » a plus de cran qu'elle. Tant qu'elle demeurait cachée, dans le silence de sa chambre, derrière les mots de son clavier, moins menaçants qu'un homme de chair et d'os, elle s'était sentie en sécurité.

Ce soir, ce sera une tout autre situation. Elle devra affronter sa propre éloquence, à cause de ce flirt qu'elle nourrit avec « Cavalier34 » depuis des semaines, ainsi que les attentes qu'elle a créées. Elle n'aurait pas dû amplifier la hardiesse de sa personnalité qui, dans les faits, est fort réservée.

Trop douée pour la prose, Sophie s'est donné des allures de femme du monde, misant, pour parfaire son histoire, sur son passé d'artiste presque accomplie. Même la photo qu'elle a partagée avec lui est truffée d'illusion. Oh ! il s'agit bien de son visage, elle est presque reconnaissable. Aucunement truquée. C'en est cependant une de son ancienne vie, prise par un photographe professionnel, du temps où elle osait encore espérer la gloire, qu'elle possédait encore cette confiance tranquille en son talent et en ses moyens. Sa vie et son apparence sont totalement à l'opposé, désormais. Alors que sa personnalité passée volait vers la lumière, la femme qu'elle incarne aujourd'hui cherche l'ombre.

Pour un flirt innocent avec Cavalier34, elle a réinventé la Sophie qu'elle avait été sur Broadway. Qu'est-ce qui l'a poussée à revenir ainsi sur le passé? Ce rôle dans une pièce musicale n'a pas fait d'elle une star, loin de là. Lorsqu'on fait faux bond à la dernière minute, juste avant une représentation, on ne risque pas de se faire réoffrir du travail, encore moins de voir son nom sur une affiche scintillante. Elle avait ses raisons, des arguments graves pouvant amener certaines gens en cour.

Ces faits, trop douloureux, elle les a gardés pour elle. Comme si, en partie, elle était coupable de l'agression et de l'abus subis. Elle avait été trop naïve, trop ouverte. On l'avait pourtant avertie qu'elle côtoyait de la racaille sans vergogne.

Sans le sou pour payer la rémunération faramineuse d'un avocat américain, décidant d'emblée que tout était sa faute, elle avait préféré partir, oublier l'art de la scène, faire fi de ses rêves. On lui avait dit qu'elle n'irait jamais loin, qu'elle manquait de cœur pour le métier, d'endurance. Bref, Sophie s'était laissé convaincre qu'elle était trop fragile, n'avait pas assez d'étoffe. Elle s'était terrée dans un minuscule appartement, avait accepté un petit boulot sans importance. Elle s'était résignée. Dans le monde du spectacle, son nom était désormais synonyme de défaite, d'abandon, d'oubli. Tout ce qu'elle y voit maintenant, c'est la prunelle menaçante d'un homme à qui elle a trop fait confiance.

Donc, ce soir, il est trop tard pour reculer, il lui faut jouer le rôle qu'elle s'est donné. Le temps d'une soirée, du moins. Assumer cette facette de sa personnalité constitue pour elle un défi crève-cœur. Il y a trop longtemps qu'elle se cache, elle aurait dû se remettre en selle plus rapidement.

De fortes émotions contradictoires pointent à la surface, lui donnant à la fois envie de revivre l'euphorie de la performance, de la reconnaissance. Toutefois, avec cette béatitude viennent aussi les souvenirs de la douleur, des blessures, des affres subies à cause de vilains requins sans scrupule. De la déchéance morale. De l'échec.

Lentement, elle a fait quelques pas dans la bonne direction. Jouer le jeu avec un inconnu peut être libérateur ou dévastateur. Elle se sent malgré tout prête à courir le risque.

Elle arrive huit minutes après l'heure convenue. Elle ne se présente jamais à l'avance, ni pile-poil, c'est une des seules habitudes de « diva » qu'elle a conservées, cette façon de se laisser désirer. Elle se surprend, d'ailleurs. Il y a belle lurette qu'elle n'a pas respecté cette règle. Peut-être reste-t-il vraiment un brin de diva en elle.

Sophie gare donc sa vieille Accent bleue, rue Saint-Denis, à 20 h 08. Elle fouille les méandres de son sac, y trouve avec soulagement quelques pièces pour le parcomètre. Aucune carte de crédit ne lui fait la grâce d'habiter son maigre portefeuille. Elle entre dans le pub convenu, les lèvres serrées.

Malgré le trac qui l'envahit, elle fait des yeux le tour de la salle. C'est l'horreur ! Elle est arrivée la première. Si la curiosité ne la rongeait pas depuis des semaines, elle aurait vite tourné les talons et pris la poudre d'escampette. Mais ce Cavalier34 sera intéressant, elle ne peut pas le manquer. Elle ne *doit* pas le manquer. Elle a senti dans ses courriels que cet homme était *quelqu'un*. Sa photo a enflammé son esprit. Grand, athlétique, entrepreneur… *et* brillant. Cela, elle le sait grâce aux longues missives qu'ils ont échangées. Ce personnage mystérieux est capable de s'exprimer. À le lire, il a vécu cent vies en une seule.

Cavalier34 demeure introuvable. Installée à la table près du bar, la jeune femme fait signe au serveur d'attendre avant de prendre sa commande. Au fond d'elle-même, sûrement par manque de courage, elle espère qu'il ne se montrera pas.

Vingt heures quatorze.

Vingt heures seize. Sophie saisit son sac pour se diriger vers la sortie, soulagée.

Alors que le taxi de Julia et de la jeune inconnue démarre en trombe et se faufile dans la circulation, Max Grondin ferme les yeux quelques secondes, pour inspirer l'air moite de la rue Saint-Denis. L'odeur d'asphalte chaud se mêle à celle de la sangria et des phéromones émanant des dizaines de mondains qui jasent autour de lui.

Il est face à un dilemme et se sent comme le pire des *écœurants* ! Cela fait des semaines qu'il se vide les tripes à raconter sa vie, ses soucis, le fond de sa pensée à celle qui se fait appeler Coraline. Celle qu'il est censé rencontrer ce soir même ! Cette fille est un ange descendu tout droit sur son écran. Elle le lit, le comprend, le conseille, le réconforte, lui permet de rêver, l'espace de quelques heures, qu'il y a quelqu'un, quelque part, qui le fera vibrer un jour. En échange, elle partage avec lui sans pudeur ses secrets les plus intimes, son vécu troublant. C'est une artiste, mais elle en parle au passé, laissant croire que, du jour au lendemain, sa voix, son talent ne sont devenus que des articles désuets. Elle s'exprime comme si elle était toujours prête à monter sur les planches. Max a cependant bien senti que, désormais, elle se cache. La photo qu'elle lui a donnée en est une d'artiste, où elle porte un maquillage de scène. Son vrai visage, il ne le voit que dans son imagination. Il l'évoque naturelle, sincère, enjouée, et ce, malgré la lourdeur de ses propos. Elle est dure envers elle-même, trop douce avec les autres.

Le problème, c'est cette jeune femme, cette inconnue qui a omis de lui dire son nom avant de le laisser en plan sur le trottoir. Celle qui a saisi son bras, dont il a croisé le regard vert apeuré. Quelque chose en elle l'a perturbé, il en a perdu l'usage de ses mots, et cela n'est pas dans sa nature ! Même si l'intrus empestant le mauvais alcool la tenait au cou, elle n'a pas crié, ne s'est pas débattue, elle est restée muette, immobile, comme elle l'avait été depuis le début de la soirée d'ailleurs.

Il l'avait remarquée, du coin de l'œil, longtemps avant que ses doigts fins ne lui serrent l'avant-bras. C'est seulement à l'arrivée du harceleur qu'il a deviné qu'elle n'était pas distante, mais réservée, pas snob, mais bien discrète.

Elle ne s'était pas tenue à l'écart, on l'avait simplement laissée là. Tous autant qu'ils étaient, lui et ses frères, Jeannette, et quelques amis, personne ne lui avait adressé la parole ! Depuis le début de la soirée qu'il l'observait d'un coin de l'œil, alors qu'elle regardait la rue, les passants, perdue dans il ne savait quelles pensées. Belle. Trop pour ne pas être superficielle. Pourtant...

Il n'est pas homme à revenir sur ses engagements. Seulement, il est en retard, et Coraline mérite mieux qu'un retardataire qui se laisse attendrir par les beaux traits d'une autre femme tout juste avant de la rencontrer.

Il doit se concentrer pour ne pas se laisser détourner de son but par cette fille aux yeux de chat qui a pris la poudre d'escampette. Son visage apeuré, sa gorge qui palpitait au rythme de sa respiration accélérée, sa bouche aux lèvres bien dessinées, le bout de son nez qui bougeait quand elle parlait, son parfum léger qui contenait une note très particulière de patchouli... Max tâche de faire abstraction de tout cela.

En arrivant finalement au pub pour rencontrer Coraline, Max se retrouve seul. L'endroit n'est animé que par quelques jeunes hommes qui parlent fort, entrechoquant leurs verres de bière. Dès que l'un d'eux entame d'une voix grave « Ô Ursuuuuuleeee », il serre les dents, vaincu par un mal de tête instantané.

Coraline ne l'a pas attendu, exactement comme il l'avait anticipé. Confus, coincé entre ses deux désirs, il patiente quelques minutes non loin des fêtards, avant de reprendre la route de L'Île-Bizard, chez lui.

Chapitre 3
Un martini, deux martinis !

C'est un vendredi caniculaire. Le temps presse, il faut tout terminer avant le week-end. Le ventilateur dirigé vers son visage à puissance maximale, un troisième café s'évaporant près de son clavier, Bernise est dans un état de concentration intense lorsque le bruit du claquement de la porte d'entrée la fait sursauter.

Il est déjà 11 h. Elle comptait réellement sur ces précieux moments de silence pour travailler sérieusement. Elle s'est laissé aller, dernièrement, à procrastiner sur le Web au lieu de se concentrer sur sa tâche. À coups de cinq minutes par-ci, deux minutes par-là, tout un après-midi à fureter entame son horaire déjà serré. La combinaison de Twitter et de Facebook la mènera rapidement à la ruine, si elle n'y prend garde !

Trois contrats l'attendent. Elle a récemment reçu la nouvelle édition d'un bouquin d'histoire américaine version jeunesse, à traduire en français. Elle adore ce type de projet, moins ennuyeux que les ingrédients de produits surgelés. *Comment on dit « peas » en français, déjà ? Ah ! des petits pois !* Il y a de quoi s'enliser dans un sommeil profond, la tête plaquée sur le clavier, coulée de salive en sus.

Bernise réussit à s'appliquer durant deux longues heures, malgré l'envie de s'abandonner à une courte sieste. Elle se rend à la cuisine en chantonnant, fière de son labeur et quelque peu affamée. Sur le frigo, retenu par un aimant à l'effigie de « Coca Cola », elle trouve une note écrite sur un *Post-it* jaune : *« Tom m'a appelée, je n'ai pas pu résister… désolée… »*.

Voilà donc pourquoi Julia a évité de venir lui dire de vive voix où elle allait ! Tom Turner rôde toujours dans les parages. La jeune traductrice se renfrogne instantanément, froissant dans sa main le bout de papier avec énergie. Pour Bernise, cet individu est un rat. Non ! Une vipère hideuse et venimeuse qu'il faut fuir à tout prix. Encore mieux, l'écraser sous sa semelle. Même si Julia a la mémoire courte, Bernise se souvient clairement de chacune des crises de larmes de son amie. La profondeur de ses sanglots n'a eu d'égale que la rage qu'entretient Bernise pour le tricheur qui lui cause tant de désarroi.

Bernise déchire le papier en mille miettes. Sa colocataire apprendra peut-être un jour que s'amouracher d'un homme marié, c'est de la merde.

Un message texte de Julia, sorti de nulle part, alerte Bernise. « *Love is in the air* », peut-elle lire à l'écran. Julia est juvénile dans l'âme. Elle aime laisser des notes, envoyer des missives électroniques thématiques et futiles. Si elle pouvait déployer une banderole dans le ciel pour annoncer un retard, elle le ferait. Julia Fiore est comme ça, spontanée et fantaisiste.

– J'ai fait des plans pour toi. Viens me rejoindre à l'angle de l'avenue du Parc et Saint-Viateur Ouest.

Bernise fronce les sourcils. Sa réponse est sans appel.

– Offre rejetée, je mange du chocolat devant la télévision.

– Chez Milos, fais-toi belle. 18 h.

Contrariée, Bernise tâche de répliquer, tapotant presque avec brutalité sur son iPhone. Rien à faire, Julia a disparu, la laissant marmonner seule. Elle sait que maintenant, elle tournera en rond des heures à se demander ce qui l'attend. Elle n'en est pas à sa première surprise avec Julia.

Le reste de sa journée de travail est définitivement gâché ! Elle va et vient dans l'appartement, indécise, les doigts sur le menton. Puis, malgré la petite voix qui lui crie de retourner à son écran, elle se retrouve devant sa garde-robe pour une évaluation des possibilités. Elle a perdu cette bataille, mais ne perdra pas la guerre.

Julia l'attend à l'entrée du restaurant, tel que prévu. Elle est belle comme un cœur avec sa longue chevelure noire et son rire spontané. Lorsque Bernise arrive à sa hauteur, sa copine saisit son bras, les joues rosies de plaisir.

– Je suis désolée pour le mystère, je t'ai rendue folle ?

Bernise, qui ne partage pas son enthousiasme, émet un son s'apparentant davantage à un grognement qu'à une réponse.

– Je suis prête pour l'asile alors, tu craches le morceau ?

– Tu as besoin du coup de pied au derrière que je vais te donner à l'instant.

– Pardon ?

* * *

Bernise est déroutée, elle ne sait pas vers quoi elle marche. Un élégant serveur s'écarte, dévoilant un homme de taille supérieure à la moyenne, aux épaules larges, au corps svelte. La jeune femme cligne des paupières, prise au dépourvu. Ses mains se mettent à trembler, exactement comme la veille. Non pas pour affronter Jeannette Plouffe, ou un quelconque délinquant qui empeste l'alcool, mais bien Max Grondin en personne.

Le regard de l'étranger fond sur elle telle une torpille ; son héros refait surface. Bernise lâche un fou rire nerveux qu'elle regrette aussitôt. Son réflexe naturel de camoufler sa bouche de sa main trahit son trouble. Décidément…

– Je pense que tu connais Max ? C'est ici que je tire ma révérence, annonce Julia.

L'homme s'approche, un vague sourire aux lèvres. D'instinct, Bernise cherche Julia. Celle-ci a disparu, évidemment. Ça alors. Le temps que Bernise comprenne ce qui se passe, il est devant elle, observant galamment une certaine distance.

– Ça va aller, dit-il au serveur, sans la quitter des yeux.

La scène semble amuser le garçon qui perd son sourire devant l'air sérieux de son client. Très vite, il s'efface d'un petit signe de tête. Une fois seule devant l'étranger, Bernise serre entre ses doigts la poignée de son sac à main.

– Excuse-moi, je suis un peu confuse...

Alors qu'elle se tient sur un pied, puis sur l'autre, tout en passant une main fébrile dans sa chevelure d'ébène, Max prend la parole sans se laisser démonter.

– Je suis...

– Maxime Grondin, termine-t-elle à sa place d'un souffle anxieux qui la fait débiter sa pensée trop rapidement. Tu es le président de Grondin Transport, le meilleur ami de Tom Turner, le gars qui m'a sauvée d'un fou, pas plus tard qu'hier soir. Je sais qui tu es. Ce que je ne sais pas, c'est ce que je fais ici.

Max éclate d'un rire franc, suffisamment fort pour faire se retourner les clients attablés non loin.

– Qu'est-ce qui te fait rire ?

Toujours sans cesser de sourire, Max croise les bras. Sa belle tête brune remue d'avant arrière dans un lent mouvement d'assentiment.

– Tu es imprévisible. J'aime ça.

Très vite, Bernise se sent obligée de le corriger. Ne pas créer d'attentes, ni d'illusions, c'est plus prudent ! Dieu qu'elle est revêche, quand elle s'y met ! Elle s'en rend compte. Il n'y a que Max Grondin pour ne pas s'en apercevoir ! À moins qu'il ne préfère les femmes détestables ? Certains hommes ont de drôles de penchants...

– Ah non !, tu te trompes. Je suis très prévisible. Je suis vraiment plate, si tu veux tout savoir. Où est Julia ?

– Elle est partie, comme je le lui ai demandé.

Bernise hausse très haut les sourcils.

– Ça t'arrive souvent de donner des ordres aux copines de tes connaissances ?

Décidément, ce Max Grondin est indémontable. Il réplique par un sourire confiant à sa boutade.

– Julia me connaît, offre-t-il pour toute défense. On s'assoit ? l'invite-t-il.

Max aurait voulu faire montre de galanterie, tirer la chaise de son invitée, mais il sent bien qu'un tel cérémonial la rendrait mal à l'aise. Il se contente donc d'un mouvement de la main en direction de la table qu'il leur a réservée.

Une fois assise, hésitante, Bernise pianote sur la nappe blanche du bout de ses doigts dénués de vernis. Le silence entre eux la contrarie. Il faut saturer l'atmosphère, parler, occuper ses pensées, ne pas rester là, à simplement le fixer.

– Donc, tu as besoin d'une traductrice ?

– Non, vraiment pas.

La réponse est immédiate, catégorique, franche.

Max laisse s'alourdir ses paupières pour considérer Bernise entre ses cils, tandis que le serveur revient avec les apéritifs. Un martini, deux martinis.

Elle est nerveuse, et ça lui déplaît. Il voudrait qu'elle se sente bien en sa compagnie, mais comment faire ? Peut-être moduler le timbre de sa voix ? Elle porte loin et sa tonalité est grave, intimidante. Tout comme son visage, lorsqu'il ne sourit pas, ses traits sont durs, ses yeux trop intenses. On le lui a tant de fois répété ! « Fais attention à ta façon de regarder les gens, tu les effraies », lui dit souvent Jeannette, la femme de son frère le plus jeune. Se souvenant des sages paroles de sa belle-sœur, il adoucit sa voix, tâche de relever les commissures de ses lèvres pour s'égayer.

– Je voulais te revoir, Bernise, est-ce si mal ? Tu es partie en douce comme Cendrillon, mais tu as oublié de me laisser quelque chose.

Il la regarde avaler l'alcool doux. Il n'est pas sans remarquer qu'elle en ingurgite presque la moitié d'un seul coup. Il lui permet de prendre tout son temps. Ces quelques secondes à simplement l'observer sans qu'elle se sente obligée de combler le silence lui font du bien.

– Quelque chose ?

Il s'avance au-dessus de la table, comme pour lui dire un secret.

– À défaut d'un soulier, ton numéro.

Un sourire timide s'esquisse sur les lèvres de la jeune femme et Max relâche un discret soupir de soulagement.

– Tu ne l'as pas demandé.

Elle sait pertinemment qu'elle ne lui a pas consenti la moindre occasion de le faire. Pourtant, courtois, il dévie le sujet, s'adossant au dossier coussiné de sa chaise.

– J'adore ton prénom, c'est peu commun. Lorsque Julia me l'a dit, je l'ai fait répéter trois fois, je n'étais pas certain d'avoir bien compris. Denise, Venise, ... Bernise..., c'est rafraîchissant.

Bernise n'est pas surprise. Son prénom horrible a marqué son existence. Ce n'est que depuis qu'elle est devenue adulte qu'elle en apprécie l'originalité, qu'elle commence à l'accepter.

– Ma mère croyait fermement qu'un prénom rare forgeait le développement de la personnalité et l'estime de soi.

– C'est une théorie intéressante. Je suis d'accord avec ta mère.

– Ah oui ? Bien sûr, si j'avais une verrue sur le nez, les dents dans le front et les oreilles en portes de grange, mon prénom aurait pu être un peu plus lourd à porter...

– C'est loin d'être le cas.

Bernise dépose son verre lentement. Ainsi, c'est le grand jeu de la séduction qui commence ? Ce type n'a rien à perdre, au fond. À part une soirée en sa compagnie, à tenter de lui tirer les vers du nez, de la troubler et de flatter son ego jusqu'à plus soif. Pour elle, même si elle s'affaire depuis le début à éviter les regards lourds de sous-entendus de Max, la scène est claire.

Elle vient de se transformer en brebis ; il est le loup, les oreilles dressées, les sens en alerte.

Elle le voit se demander quelle direction prendra la proie. Se recalera-t-elle sur son siège, muette et passive ? Ou entrera-t-elle dans la danse, participant activement à ce tango qui prend forme avec le va-et-vient des compliments et des obstacles qu'elle plante sur son chemin ? Max Grondin a des yeux de prédateur, pire encore, il est armé jusqu'aux dents. Il est trop beau pour son propre bien, trop vif d'esprit. Il ne saurait cependant être trop confiant, puisqu'il a tout pour réussir.

Bref, elle n'est pas de taille, ni physiquement ni mentalement.

Distraite par les pupilles intenses de son compagnon, elle le laisse s'expliquer.

– J'ai croisé Julia avec Tom ce matin, j'ai sauté sur l'occasion pour tenter de te revoir avec leur aide.

Alors qu'il relate les faits qui l'ont conduite dans ce restaurant, Bernise manipule frénétiquement le rebord de la nappe sous la table. Un élément important est remis sur le devant de la scène : Max est un ami de Tom Turner, l'homme marié, le goujat, le charmeur de poules mortes qui se pavane avec sa colocataire. Non pas que Julia soit une poule morte ! Cependant, une chose est certaine : elle, Bernise, n'entrera pas dans cette ronde.

Même si elle l'aime de tout son cœur, Bernise n'est pas comme Julia, prête à tout pour s'intégrer à cette élite où la réussite se mesure en gains financiers et en belles apparences, où le summum du bonheur est de porter des vêtements design et de se balader en voiture de luxe. Pour Bernise, ce monde-là, dont Tom fait partie, est fabriqué de tricheries et d'égocentrisme. Un univers où faire un chèque aux pauvres enfants nécessite une annonce dans le journal comme pour dire « regardez-moi, j'ai fait une bonne action ! »

Max Grondin est un spécimen typique de cet univers superficiel. Elle a devant elle un habile parleur. Il représente la quintessence de tout ce qui rend Bernise très nerveuse.

La trop grande aisance de Max a pour résultat de la faire se sentir inadéquate, comme s'il la faisait participer à un match de tennis contre un adversaire trop fort pour elle. Le moindre des sourires confiants de son interlocuteur la rend méfiante. *Se moque-t-il de moi?* ne peut-elle s'empêcher de se demander. S'il était acteur dans un film, elle se gaverait de chocolat juste pour l'admirer. En personne, avec sa prochaine réplique en point de mire, elle sent son cœur palpiter d'une panique difficile à faire taire.

Elle tâche de tenir le coup malgré tout.

– Tu aurais dû prendre le chemin le plus court.

– Lequel?

– Le téléphone.

– Je manquais de temps.

– Pourtant, ça t'aurait évité de te déplacer pour rien. Merci pour la presque invitation, mais je préfère rentrer chez moi, souffle-t-elle.

Le visage de Max prend une expression qui surprend Bernise. Y lit-elle un brin de panique? Elle doit avoir mal observé.

– Tu me juges à tort.

– Toi aussi, lance-t-elle en reculant sa chaise.

– Bernise...

– Je te remercie de m'avoir aidée avec l'homme ivre...

– De rien.

Elle insiste, de plus en plus nerveuse.

– Ne va pas croire que je ne l'apprécie pas!

– Je ne croirai jamais une chose pareille, dit-il très calmement.

– Parfait. Maintenant, si tu veux bien m'excuser...

Alors qu'elle se redresse, il fait de même. Ses deux mains effleurent les épaules de la jeune femme sans vraiment la toucher. Soudain, il lève les paumes, comme s'il esquissait un signe de défaite.

– Écoute, Bernise..., ton visage s'est imprimé dans ma mémoire. Je ne voulais pas être aussi direct, mais vraiment, j'aimerais que tu restes.

– Je mettrais ma main au feu que tu es marié !

Les mots sont sortis d'eux-mêmes, ressemblant beaucoup plus à une remarque virulente qu'à une question. Déçue de son manque de contrôle, elle se mord la langue. Elle sait que son attitude suspicieuse et sa méfiance chronique lui assureront un statut de célibataire grincheuse encore longtemps. Au fond, c'est peut-être ce qu'elle souhaite. Les hommes sont des complications qu'il vaut mieux éviter, surtout lorsqu'ils sont charmants.

Le rire grave de Max éclate à ses oreilles, pareil à une alerte. Cet homme est beaucoup trop imprévisible. Il lui caresse la joue du revers de la main, en regardant son front, ses yeux, sa gorge.

– Jamais marié et totalement libre.

🍒 🍒 🍒

N'importe quelle autre femme qui lui aurait lancé cette accusation se serait vue congédiée dans la seconde. Max Grondin n'a pas une minute à perdre, ou s'il en a, il calcule chaque instant avec précision. Pourtant, à Bernise, il pardonne.

Avant cette rencontre, il a questionné Julia. Il a parlé avec la maîtresse de Tom pendant plus d'une heure. Il lui a demandé l'âge de Bernise, d'où elle vient, ce qu'elle fait dans la vie, pourquoi elle est seule, depuis combien de temps... Surtout, il lui a demandé pourquoi. Comment était-il possible qu'une jeune femme aussi belle puisse être célibataire ? Julia a souri tristement. « Tu sais, Max, je me pose la question depuis longtemps. Bernise est secrète, sensible, généreuse, mais elle a peur de tout, surtout des hommes. » « A-t-elle été abusée ? » s'est-t-il informé, songeant à Coraline, qui lui a raconté en long et en large ses déboires malheureux. « Non, pas que je sache. » Julia lui a alors lancé un regard implorant. « Max, si tu veux connaître Bernise, sois patient, elle n'est pas comme les autres, c'est une fleur délicate. Tu sais, c'est ma meilleure amie et je m'en voudrais de laisser qui que ce soit la brusquer. Elle n'a pas connu beaucoup d'hommes..., si tu vois ce que je veux dire... »

– C'est vraiment embarrassant, murmure Bernise quelques minutes plus tard.

Se remémorant sa conversation touchante avec Julia, Max vacille lorsque la voix de Bernise le sort de sa rêverie. L'insistance de Julia à présenter Bernise comme une fleur délicate n'a eu pour seul effet que de lui donner envie de relever le défi. Elle l'intrigue, il veut tout savoir d'elle.

– Ce n'est pas une soirée ordinaire.

– Ah ! Pour toi non plus ?

Cette fois, Bernise le fixe droit dans les yeux. Elle est tentée de rester. Elle ferme les paupières un bref instant.

– Alors, raconte-moi ta vie, insiste-t-il.

– Tu seras déçu.

– Je suis sûr que non.

Sa vie ? Ah ! L'histoire ne sera pas longue. Bernise hésite, puis se lance.

– J'ai vingt-cinq ans, je suis traductrice, j'habite avec Julia depuis deux ans. Julia...

D'un rire sarcastique, elle roule les yeux au plafond avant de reprendre.

– Elle était ma meilleure amie... jusqu'à ce soir.

Il sourit.

– C'est ma faute.

– En effet !

– Julia n'y est pour rien, crois-moi.

– As-tu dû la menacer ? L'attacher ?

– Presque !

Maintenant, il rit. Plus il s'esclaffe, plus Bernise se cale au fond de sa chaise, incapable de se laisser emporter par l'hilarité. Elle fait partie de ces infortunés timides qui ont besoin de temps pour se sentir à l'aise avec toute nouvelle personne tentant de s'immiscer dans leur espace vital.

Sans être mesquine, la jeune traductrice est foncièrement farouche. Quelque chose en elle bloque les élans qu'elle pourrait avoir, avant même de les ressentir. *Prudence, prudence, prudence!* Tel est le thème de sa façon de vivre. Elle doit se protéger, c'est plus fort qu'elle.

Combien d'occasions a-t-elle laissées filer entre ses doigts simplement pour ne pas risquer de se faire mal? Combien de situations a-t-elle évitées, rien que pour ne pas s'impliquer et peut-être se retrouver perdante? Bernise ne les compte plus. Depuis sa majorité qu'elle se promet de changer, de mordre dans la vie, d'oser! Encore aujourd'hui, elle n'en trouve pas le courage. Rien que d'y songer, les larmes montent à ses paupières, sa gorge se serre, son cœur bat plus rapidement. Max Grondin lui offre toute son attention, elle voit bien qu'il a en lui une confiance à toute épreuve. Elle n'est pas comme lui... elle n'est pas *pour* lui!

«Arrête de faire ta précieuse!» lui dit constamment Julia. «Ce n'est pas ce que je fais!» se défend-elle chaque fois. «C'est l'image que tu donnes, pourtant! Tu as l'air snob! Veux-tu un miroir?»

Bernise sait que sa colocataire a raison. Julia la connaît bien, elle sait qu'au fond elle n'agit pas de la sorte pour être snob. Cela ne l'empêche pas de lui répéter de se détendre.

Relevant le regard vers son compagnon, elle tâche de trouver une répartie convaincante.

– C'est sa faute, elle n'avait qu'à ne pas se laisser avoir par un charmeur aguerri.

– Je suis un charmeur? demande-t-il en levant un sourcil.

– Oui.

– J'ai passé le test avec toi?

– Non.

Mensonge. Il la perce à jour, et ce, très efficacement. Il réussit, en quelques minutes, à troubler son équilibre. Peu à peu, il gagne du terrain, elle se met à sourire, mais se rétracte rapidement. Ce fragile état de grâce qu'elle cultive depuis sa dernière rupture, cette tranquillité rassurante qu'elle a atteinte à force de volonté, ce coureur de jupons les ruinera. Il ne passera pas, comme ça, en cinq minutes, pour tout rafler ! Les Max Grondin de ce monde, ce genre de personnage habile et séducteur, constituent les pires dangers pour une fille comme elle. Il faut le déjouer rapidement, être plus maligne.

– Écoute, reprend-elle sans détour, je suis très flattée, mais je dois avouer que j'ai déjà quelqu'un dans ma vie et…

– Vraiment ?

– Oui.

– Tu ne crois pas que j'aurais pris la peine de poser la question à Julia ?

– Elle ne sait pas tout.

– C'est ta meilleure amie. Dis-moi la vérité, Bernise.

Chapitre 4
La veuve noire

Julia sent encore sur sa peau le parfum musqué de Tom Turner. Depuis la veille qu'il fait d'elle sa princesse, qu'il la fait vibrer, qu'il lui fredonne les mots d'amour qu'elle pourrait entendre de multiples fois sans jamais s'en lasser. Le bonheur, le vrai, c'est ça. Passer de précieuses heures dans les bras de l'homme qu'elle aime, surtout lorsque l'événement est de courte durée.

Pour Julia, l'heure du jour ou de la nuit importe peu, tant que Tom pense à elle, la sollicite et l'enflamme. Pas plus tard qu'hier, dès leurs retrouvailles dans cette chambre d'hôtel qu'ils louent presque à la semaine, malgré le soleil toujours haut dans le ciel, il a réclamé d'elle une impudeur totale, il l'a prise sans attendre, elle s'est abandonnée, soumise aux désirs de son homme.

C'est entre deux séances coquines que le cellulaire de Tom a sonné. C'était Max qui les interrompait pour requérir leur aide. Ainsi, il voulait revoir Bernise ? Surprenant, mais intéressant… Évidemment, malgré les protestations de Tom, Julia s'est vite rhabillée pour ne pas faillir à sa mission. Puis, elle et Max ont pris le temps de discuter. Surprenant à quel point il s'est fait insistant à propos de son amie. Toutes ces questions qu'il a posées, comme s'il avait établi une liste ! C'était une investigation en règle !

Donc, lorsque Julia rentre à l'appartement, les cheveux hirsutes et le corps encore endiablé de ses folies récentes, son esprit est aux aguets. Elle a hâte de savoir ce qui s'est tramé entre Bernise et Max.

Dès qu'elle met le pied dans le logement de la rue de Lanaudière, Julia sent une main lui recouvrir la bouche à la manière d'une prise d'otage. Le parfum familier de sa colocataire la rassurant, elle se laisse guider vers le salon sans se débattre.

– Alors, *traîtresse*, marmonne Bernise d'une voix faussement grave, quoi de neuf ?

– Je ne t'ai pas trahie... ou si peu ! Ha, ha !

Julia rit haut et fort comme elle le fait toujours.

– Ce n'était pas drôle, tes petites manigances. Tu aurais pu rester, au moins ! Tu m'as balancée devant lui comme un paquet !

Julia roule les yeux et replace une mèche de cheveux noirs derrière le lobe de son oreille. Elle ne permettrait pas à Bernise de la faire se sentir coupable. Ça non ! Ne s'est-elle pas fendue en quatre pour encourager cette rencontre ? De cérémonieuses minutes dérobées à son temps précieux qu'elle ne retrouverait jamais.

– Tom m'attendait dans la voiture. Je ne voulais même pas imaginer la scène si je l'avais invité pour un souper à quatre.

– T'as raison, je lui aurais arraché la tête.

– En effet !

– Ne me refais plus un coup pareil.

– Moi, si on m'avait donné Max Grondin sur un plateau d'argent, je n'aurais pas chialé.

– Tu sais que je ne suis pas comme ça.

– Oh, ça ! tout le monde est au courant, ma chérie.

Une main sur la hanche, l'autre vers la porte, comme si elle pointait un personnage imaginaire, Bernise s'enflamme.

– Un ami de Tom Turner en plus ! La belle référence...

– Il est fantastique, mon Tom !

– L'homme marié qui ne quittera jamais sa femme ! Pffff ! Laisse-moi rire.

– Tu ne sais pas de quoi tu parles !

Bernise est exaspérée. Jamais son amie ne verra la réalité en face, c'est peine perdue.

– C'est moi qui t'ai consolée toutes les semaines depuis des mois.

– T'exagères !

– Si peu !

– Ça marchera. Il m'aime, je l'aime, nous nous aimons, c'est la folie, le bonheur… Je te jure, dès que sa main monte sous ma jupe, je deviens si… si…. Il est tellement… *cochon*, ah ! C'est extraordinaire !

– Et sa femme ? Elle est fantastique aussi ? Comment s'appelle-t-elle, déjà ? Chantal ? Elle a même un nom, Julia.

Consciente d'y être allée un peu fort, Bernise se mord la lèvre inférieure. Elle voit avec amertume Julia se rembrumir.

– Il fallait que tu remettes ça, hein ? Tu ne peux vraiment pas me permettre d'être heureuse quelques minutes ?

– Julia…

– Il n'y a pas de «Julia» qui tienne. Tu n'es pas dans mes souliers, tu ne sais pas ce que je ressens pour lui ! As-tu seulement déjà été amoureuse, Bernise ? Je veux dire VRAIMENT amoureuse ?

Julia est hors d'elle. Depuis toutes les années qu'elle fréquente Bernise, jamais celle-ci n'a entretenu une relation sérieuse avec le sexe opposé. Malgré l'affection inconditionnelle qu'elle porte à son amie, Julia a souvent tenté de lui faire entendre raison. Que les hommes sont, au fond, de petites bêtes ayant besoin d'amour… et de SEXE ! Que ce n'est pas une mauvaise chose de se laisser aller, de profiter des voluptés de la chair. Elle s'emporte sur ce sujet encore aujourd'hui.

– Pas comme les relations tièdes et rationnelles que tu entretiens depuis des années ! continue-t-elle. Tu n'arrêtes pas de les *flusher* les uns après les autres. Même Jean Sabourin, tu l'aurais quitté s'il ne t'avait pas devancée ! Des fois, je me demande ce qui t'a fait le plus de peine ! De te faire abandonner comme une vieille chaussette, ou de ne pas avoir eu la chance de le faire toi-même ? Tu es comme une veuve noire ! Tu sais, ces insectes qui dévorent leur mâle après l'accouplement... Au moins, Max Grondin, lui, saurait survivre !

– Ce n'est pas vrai que les veuves noires mangent leur partenaire, s'indigne Bernise d'un ton monocorde.

– Ne me laisse pas répondre à ça, Bernise, tu sais très bien ce que je veux dire.

Bernise doit admettre que Julia marque un point. Cependant, pour elle, Jean Sabourin ne compte pas. C'est un *loser* de première. D'un accord tacite, toutes deux se taisent de longues minutes. Calmée, Bernise reprend la parole.

– C'est pour cette raison que tu m'as jetée dans la gueule du loup ? Ce Max, d'après tes critères, il est fait fort ?

– Je ne te dis rien, tu devras le découvrir par toi-même ! En plus, c'est un président d'entreprise, franchement, tu pourrais me remercier.

– Julia, tu sais bien qu'il pourrait être le roi d'Angleterre, je m'en taperais. Ce n'est pas ce que je cherche.

– À quoi aspires-tu donc, Bernise ? L'amour ? Le mariage ?

Les joues rosies par l'énervement, Bernise croise les bras avant de soupirer longuement.

– Oui, et oui.

– Et si c'était avec cet homme que tu réalisais tes rêves ?

– Ah ! Laisse-moi rire !

– Ce n'est pas parce qu'il a une gueule de mercenaire outrageusement sexy qu'il est mauvais... Franchement, Bernise, je te croyais plus ouverte d'esprit.

– Depuis quand ai-je l'esprit ouvert, dis-moi ?

Julia ne peut que sourire.

– Bernise, laisse une chance au coureur. Je ne sais pas ce que tu lui as fait, mais il m'a paru très intéressé...

Cette dernière lève les bras, paumes tournées vers le plafond, les doigts raidis d'impatience.

– Il peut avoir qui il veut, ce qu'il veut, quand il le veut. Il s'ennuierait à mourir, il a besoin de quelqu'un de plus…

Elle mime avec ses mains, tentant d'évoquer la silhouette d'une vamp.

– Je ne sais pas, moi, continue-t-elle, quelqu'un de plus… jet set, sexy, confiante, sûre d'elle… Une femme à sa mesure, quoi!

– Tu le juges rapidement, je trouve. Sans mentionner à quel point tu te rabaisses.

– C'est toi qui me fais peur à force d'en parler!

Sans prendre en compte la complainte de son amie, Julia s'enthousiasme à nouveau.

– Peut-être que ça lui tente, lui, d'avoir un beau projet. Dégourdir la plus magnifique femme frigide de Montréal, c'est un défi à la hauteur de Max Grondin!

Bernise hausse les sourcils, ses bras encore plus serrés sur sa poitrine.

– Le projet étant «moi»?

– Ben oui, il pourrait tout t'apprendre. Faire de toi une bête langoureuse. Te transformer en…

– Il n'en est pas question! la coupe Bernise, terrifiée à la simple idée qu'un homme puisse lui faire perdre le contrôle de quelque façon que ce soit.

De longues secondes, Julia contemple son amie. Son visage ovale si délicat, ses yeux pers qui semblent toujours un peu humides avec des cils noirs, même sans mascara, ses cheveux bruns et soyeux qu'elle porte aux épaules. Bernise est d'une beauté froide. Ce n'est pas comme si elle n'avait jamais essayé de la dégeler. Tout ce que Julia a obtenu, les fois précédentes, n'est qu'une brève écoute, suivie d'un refus total d'ouverture. «Une vraie tête de mule», ne cesse de se répéter Julia. La tour d'ivoire de Bernise Tousignant semble indestructible.

Résignée, Julia demande, d'un ton moins survolté.

– Sérieusement, il a été déplacé avec toi?

– Il a été parfait, Julia. Absolument parfait.

Chapitre 5
Jeune femme cherche emploi pas fait pour elle

Pointe-Saint-Charles, Guillaume Landry, jeune barman en congé le jour, en devoir la nuit, pénètre dans le petit logement de Sophie Bertrand sans frapper.

– Ta porte ! crie-t-il.

– Qu'est-ce qu'elle a, ma porte ?

– Elle était encore déverrouillée !

– Je m'en fiche !

– Le jour où un violeur entrera ici comme dans un moulin, tu ne t'en ficheras pas !

– Ne t'en fais pas, je lui flanquerai un coup de genou dans les couilles, réplique Sophie.

– As-tu des nouvelles de ton poseur de lapin ? demande-t-il en déposant son sac sur la table du salon.

– Non, rien.

Sur le clavier de son amie, il entre le pseudonyme de la jeune femme suivi de son mot de passe aussi aisément que s'il s'agissait du sien. Sophie est à la cuisine, préparant des bloody caesar bien épicés.

– Soph ! Tu as cinq nouveaux messages !

– Je m'en balance, tout ce que je veux, c'est une réponse de Cavalier34.

– C'est bizarre, on ne peut pas cliquer sur son pseudo.

– Clique sur vieux messages...

« Cet usager n'existe plus. »

Sophie chancelle, paniquée. Comment est-ce possible ? Après tous ces échanges, toutes ces confidences ! L'a-t-il donc aperçue et elle ne l'aurait pas vu ? Aurait-il préféré, en la découvrant en chair et en os, prendre ses jambes à son cou ?

La mort dans l'âme, elle jette son torchon dans l'évier d'un geste brusque. Guillaume, qui voit bien la tristesse qui se dessine sur son visage, s'approche doucement.

– Ce n'était qu'un inconnu, Soph... ce qu'on raconte anonymement sur Internet, c'est que du rêve, tu le sais, ça, n'est-ce pas ? Allez, viens là.

– Il a dû me trouver bien ordinaire, il s'est enfui...

Guillaume roule les yeux tout en frottant le dos de son amie éplorée. Absolument impossible... Sophie est tout sauf *ordinaire*.

Sophie change quatre fois d'idée, laissant sur son passage une traînée de vêtements qu'elle doit enjamber à chaque aller-retour entre sa chambre et la salle de bains. Malgré l'étroitesse de sa baignoire, elle s'étend de tout son long. Elle plaque ses pieds sur le mur de tuiles, les cuisses hors de l'eau, d'où elle tente, avec une patience qui lui est propre, d'arrêter le dégoulinement en tournant le robinet avec ses orteils.

Cela fait déjà plusieurs mois qu'elle cherche un nouvel emploi. Ouverte à n'importe quelle option pour se sortir du télémarketing, elle rêve d'un appartement plus grand. Abandonnant d'office l'idée de retourner sur les planches ou de chanter dans les bars, elle a envoyé son curriculum vitæ pour tous les postes qu'elle a vus sur Internet. Même ceux pour lesquels elle sait qu'il lui faudra jouer la carte de l'improvisation, comme l'entretien au programme aujourd'hui.

« Mardi, 15 h 30, mademoiselle. Pour l'entrevue d'adjointe administrative », lui a annoncé la secrétaire du président de Grondin Transport. N'ayant jamais fait ce genre de boulot, elle a une grande crainte de tomber dans un argumentaire peu convaincant lorsqu'on lui demandera ce qui la différencie des autres candidats. « Je suis débrouillarde et je chante juste » étant les seuls énoncés qui lui viennent en tête. Votre pire défaut ? « Pathétique. »

Elle s'est préparée avec soin. Elle sait que la compagnie exploite une flotte de vingt camions lourds, qui font la navette dans tout le Québec jusque dans l'Ouest canadien, ainsi qu'aux États-Unis. En croissance constante, l'entreprise compte plus de cent employés réguliers, temporaires et courtiers. La plupart des salariés étant sur la route, les gens du bureau doivent constituer une minorité du personnel. Elle utilisera ces précieuses informations obtenues sur le Web pour faire dévier la conversation si jamais elle s'embourbe dans ses mensonges par omission.

Un dernier coup d'œil dans le miroir lui confirme que son petit nez retroussé parsemé de taches de rousseur lui donne un air juvénile qui ne la servira pas. Le maquillage discret de ses yeux bruns agrémente un regard intelligent, coquin même. Sa bouche charnue sourit malgré elle. Elle est à ce point nerveuse qu'elle devra se calmer en chemin, musique à fond la caisse.

🍒🍒🍒

À l'heure dite, même un peu à l'avance, Sophie réussit à se garer entre deux gigantesques camions frappés du logo de Grondin Transport. Dès son entrée, la réceptionniste, une femme dans la mi-cinquantaine, la jauge des pieds à la tête. Évidemment, elle ne porte pas le super kit sorti d'une boutique branchée, c'est tout de même mieux que des jeans, se rassure-t-elle.

– Bonjour, je dois rencontrer monsieur Grondin.

Peu affable, la dame s'affaire dans les dossiers sur son bureau.

– Lequel ?

Ah ! parce qu'il y en a plusieurs ? Elle qui n'avait retenu que M. Grondin, songeant que ce serait suffisant !

– Le président.

– Votre nom ?

– Sophie Bertrand.

Elle lui lance de nouveau ce regard suspicieux.

– Il a dû s'absenter. C'est Sylvain Grondin qui vous accueillera.

La jeune candidate prend lentement place dans un des fauteuils. Sans décoration ni flafla, on peut remarquer au premier coup d'œil que cette entreprise est gérée par des hommes. Sophie n'aurait pas été surprise de voir des pneus empilés dans un coin de la salle d'attente. Près de la porte croît une énorme plante verte à longues feuilles, sûrement arrosée de temps en temps par la réceptionniste au sourire sardonique.

Un homme athlétique, grand, trentenaire, bien vêtu, arborant une chevelure châtaine négligemment coupée, remet une carte à l'employée.

– C'est pour Anna. S'il vous plaît, faites-les livrer rapidement.

– Pas de problème, Philippe.

L'inconnu lui lance un bref coup d'œil avant de disparaître dans le couloir. C'est un autre type plus petit et trapu qui vient l'accueillir.

Elle est soulagée.

– Sophie ?

– Oui ! dit-elle en se levant.

– Bonjour, je suis Sylvain Grondin.

Dans son bureau règne un désordre innommable. Les murs sont du même beige que le hall d'entrée. Une plante-araignée sèche sur le bord de la fenêtre. Des piles de papiers trônent sur la table de conférence. Deux chaises sont aussi encombrées d'une montagne de documents.

Sophie ressent une vague de bien-être. Il est évident que cette entreprise connaît un besoin criant de personnel. Peut-être voudront-ils d'une chanteuse manquée qui ne sait pas grand-chose de Word ou d'Excel ?

Une photo de mariage surplombe le fouillis. Sur l'image, une jeune femme vêtue de blanc regarde directement l'objectif, visiblement heureuse. Derrière Sophie, la voix de Sylvain Grondin s'élève, un peu faiblarde. Il se racle la gorge à plusieurs reprises alors qu'elle pivote pour lui faire face. Va-t-il s'étouffer, doit-elle alerter la réceptionniste ?

– Alors, Sophie, comment ça va ? réussit-il à prononcer.

Elle lui sert un regard soucieux.

– Très bien, merci. Vous-même ? Ça va aller ?

– Hum, oh ! Oui, très bien. Une journée folle comme vous pouvez le voir, ajoute-t-il en pointant autour de lui, mais pour nous, c'est la routine.

Le jeune homme parle vite, ses mots se bousculent. Est-il plus nerveux qu'elle-même ? Comment le pourrait-il ? Prenant son parti que Sylvain Grondin est fébrile de nature, Sophie tâche de garder une voix calme et maîtrisée.

– Comme on en a tous, réplique-t-elle en souriant.

Non sans lui retourner un sourire bref, il claque ses paumes avant de les frotter l'une contre l'autre. Sophie tangue, surprise par le geste brusque.

– Bon, avant de te poser des questions, je vais te résumer les particularités du poste à combler.

Il sort un fichier vert, saisit la feuille du dessus, la lit en dix secondes, tout en hochant la tête.

– En bref, nous avons besoin d'une adjointe administrative.

Sophie attend la suite de l'explication qui ne vient pas. Sylvain la regarde, manifestement distrait. Elle s'incline légèrement vers lui, osant à peine formuler la question évidente.

– Ce qui consiste en quoi... pour vous ?

Il semble s'éveiller d'un rêve. Le cou de Sylvain se raidit.

– Quoi ?

– Le poste, les détails... ?

Sylvain Grondin tousse, un doigt dans son col de chemise, comme si l'air lui manquait.

– Oh, pardon. Oui, hum!... Mes deux frères, Philippe et Max, sont actionnaires. Je les assiste depuis quelques années. Je suis l'homme à tout faire. De courtier occasionnel à balayeur de plancher. Vous voyez bien le désordre de mon propre bureau, ça vous donne une idée de mon emploi du temps. Dans une compagnie de transport comme la nôtre, les imprévus arrivent souvent. Nous avons besoin de quelqu'un de confiance pour prendre nos rendez-vous, faire les commissions, etc. Denise ne connaît pas bien Windows, ni Excel ni... euh... tout ce qui apparaît sur un écran, en fait.

Alors qu'elle écoute d'une oreille attentive la liste que son interlocuteur lui défile d'une voix rapide, Sophie s'emballe. Elle veut ce poste. Il le lui faut absolument. Elle se promet de se procurer, le soir même, le livre *Excel pour les nuls*, pour l'étudier toute la nuit si cela s'avère nécessaire.

Sylvain Grondin soutient son regard quelques secondes de trop, bouche bée, avant de se reprendre nerveusement.

– J'ai une liste de questions ainsi qu'un test, dit-il en ouvrant un dossier.

Une heure plus tard, il lui tend la main droite.

– Nous avons une décision rapide à prendre, vous aurez des nouvelles d'ici quelques jours.

Distraite, Sophie sort de l'entrevue avec mille et un doutes en tête. Il est évident que le test a été méticuleusement conçu par une firme experte en recherche de personnel. Les mêmes questions, plus imprécises les unes que les autres, étaient posées plus d'une fois de façon à déjouer le candidat. Alors qu'elle jongle avec ses pensées, révisant mentalement ses réponses, pressée d'aller raconter son aventure à son ami Guillaume, elle appuie généreusement sur l'accélérateur.

Ce qu'elle n'a pas vu, ou seulement trop tard, c'est une Volvo noire garée non loin. Le choc est brutal. « Oh, mon Dieu ! »

Le bruit de la collision a dû porter loin. Le dénommé Philippe qu'elle a aperçu dans la salle d'attente marche d'un pas rapide vers elle.

Elle en est à se ressaisir de l'incident, tentant de faire cesser le tremblement de ses mains, lorsque sa portière s'ouvre brusquement.

– Est-ce que ça va ?

Bien que courroucée, la voix masculine semble davantage en état d'alerte.

– Oui...

Elle sort de sa voiture, ébranlée. Qu'a-t-elle frappé ? L'inconnu prend sa place au volant sans perdre un instant, pour garer le véhicule à son endroit initial. Pendant ce temps, Sophie se dirige vers la Volvo, inquiète de ce qu'elle découvrira. L'aile arrière gauche est enfoncée ; la peinture, arrachée sur quelques décimètres.

– Vous savez à qui appartient cette voiture ?

L'homme est à ses côtés en quelques secondes. Il évalue, lui aussi, l'état des dommages.

– C'est la mienne.

– Oh ! je suis désolée ! C'est ma faute, j'étais énervée à la suite de l'entrevue, pourtant j'ai vérifié, mais je ne voyais rien à cause de l'autre camion et...

– Calmez-vous, ce n'est que de la tôle.

Sophie considère celui qui parle d'une voix grave et posée. Il est très grand, ses cheveux sont châtains, en mèches folles autour de son visage à la ligne carrée. Des yeux marron empreints d'une tristesse profonde, qui n'a rien à voir avec l'accident, seulement une impression qu'elle a d'instinct, simplement à le regarder.

Sa barbe date de plusieurs jours. Sa bonté transperce son apparence négligée, lui prodiguant une beauté à couper le souffle.

– J'imagine que vous êtes Philippe Grondin ?

– Je suis désolé, j'aurais dû me présenter.

– Et moi, j'aurais dû faire attention avant de reculer.

Ils demeurent de longues secondes dans un silence complet. Finalement, s'éclaircissant la gorge, il lui tend une main ferme. Ce n'est qu'à ce geste que Sophie sort de sa fixation pour lui rendre la politesse, déposant sa paume dans celle de Philippe.

– Je m'appelle Sophie Bertrand. Je viens de rencontrer votre frère pour le poste d'adjointe administrative.

N'était-ce pas le temps de se taire ? Elle vient certainement de faire tomber ses chances à zéro !

🍒🍒🍒

Sylvain entre dans le bureau de Philippe en coup de vent, agité. Tous les deux se consultent du regard, Sylvain, ses yeux bleus agrandis par l'empressement, faisant craquer ses jointures une à une, Philippe, calme, les doigts entrecroisés sur son abdomen.

– Elle est qualifiée ?

– Pas vraiment. Seulement du beau potentiel. Je la veux, Philippe.

– Pourquoi ?

– Elle est vive et intelligente !

Philippe, loin d'être niais, rit doucement.

– Elle a bousillé ma voiture.

– Elle n'a pas donné sa candidature en tant que conductrice de train routier…

– Une chance, parce que je l'ai déjà engagée.

Chapitre 6
Où est donc Max Grondin ?

D'un geste impatient, Max présente son passeport à l'agent des douanes. Son agacement envers l'interminable protocole des aéroports au cours des dernières années a atteint son paroxysme. Déjà que ce vol direct vers Paris sera long, il se serait passé de la paperasse des contrôleurs paranoïaques. Il cherche dans une pochette de sa valise l'autorisation signée par son frère Philippe et la tend au commis. Sa seule nièce, maintenant âgée de douze ans, doit se rendre chez ses grands-parents maternels.

Pour sa part, ce séjour en sol parisien lui permettra de se changer les idées et de se remettre d'aplomb. D'autant plus que son ex-blonde est toujours à ses trousses. Dire qu'au départ ladite ex-blonde – Annie Simard – s'était chargée d'organiser le voyage qu'il effectue aujourd'hui. « Une agréable lune de miel » avait-elle appelé ça.

Max souhaite mettre une distance – un grand vide – en s'éloignant de cette mascarade. Le travail est le prétexte. Balivernes. La parenté de la défunte femme de Philippe, Caroline, les attend depuis des années. En leur compagnie, il ne verra pas les heures passer. Il reprendra son souffle. Il reviendra à Montréal une fois la poussière retombée.

Un mois devrait suffire pour donner à Annie le temps de se calmer, de ne plus le pourchasser.

Un seul détail n'a pas été prévu: Bernise Tousignant. Il revoit son visage constamment. Si Tom dit vrai, elle est folle à lier. Comme si refuser de rencontrer Tom Turner était signe d'un jugement pauvre. Max est loin d'en être convaincu.

Cette fille doit être géniale, au contraire.

«Tu veux vraiment rencontrer cette folle?» a demandé Tom. Il a acquiescé placidement. «C'est une emmerdeuse de première, je t'aurai averti.» Max a rétorqué qu'il ne la connaissait pas, que quelque chose dans son regard l'avait captivé. Tom a ri. «Tu as vu son décolleté, surtout. Arrête de faire le gars qui voit plus loin qu'une belle paire de seins. Toi et moi, nous sommes pareils, Grondin. Je gage cent dollars qu'elle est bien roulée.»

– Mon oncle? Max!

Dorothée lui a pris la main pour le tirer vers le détecteur de métal.

– C'est à nous! s'impatiente-t-elle.

Les sentiments de Bernise sont mitigés. Elle oscille entre le soulagement et la déception. Ne pas avoir de nouvelles de Maxime Grondin en dit beaucoup sur ses intentions à son égard. Il ne reviendra pas à la charge. En même temps, convaincue que ce silence est la conséquence de son flagrant manque d'intérêt, elle ne peut s'empêcher de se dénigrer. Elle soupire. Elle a été carrément méprisable. «J'ai la migraine», a-t-elle classiquement prétexté pour réussir à s'échapper.

Elle a passé la soirée à le défier; il a surtout vu l'emmerdeuse en elle. Ça, elle sait qu'elle est capable de l'être. Pour ajouter à cette malheureuse perception, Tom Turner a dû confirmer les doutes de Max avec joie. Ce dernier doit avoir à son endroit une haine aussi marquée que la sienne, même s'ils ne se sont jamais croisés.

Les propos de Julia sur le sujet sont suffisamment éloquents pour qu'elle comprenne le message. « Mégère » étant le terme que Julia a candidement prononcé pour la décrire, un matin où elle n'était pas de bon poil. « Tom peut bien dire que tu es une mégère ! » Bernise a plissé les yeux, plus que jamais décidée à ne pas le rencontrer.

Elle ne dévoilera pas sa déconvenue à Julia. Aussi bien se balancer par la fenêtre. Lui aura-t-elle soufflé mot de sa folie, qu'elle aura aussitôt alerté Tom qui aura tout répété à Max. Bernise persiste donc à ne rien révéler.

Alors qu'elle est bloquée sur une phrase un peu complexe à traduire, la chanson de son cellulaire *Who let the Dogs Out* crie à tue-tête.

– Oui, allo ?

– J'aimerais parler à Bernise Tousignant, dit une voix féminine harmonieuse.

– Moi-même.

– Bonjour, Bernise, Jeannette Plouffe.

– Bonjour…

La fameuse Jeannette Plouffe, la patronne de Julia. Bernise a peiné pour s'immiscer dans cette maison d'édition. A-t-elle enfin atteint sa cible ?

– Dites-moi, vous pourriez passer à notre bureau mercredi prochain pour discuter d'une proposition ?

– Naturellement…

Bernise laisse glisser le combiné contre sa joue, enchantée. Sa vie professionnelle va dans la bonne direction, c'est un excellent début.

Le mardi suivant, en avant-midi, une jeune femme blonde d'une étonnante beauté se présente aux locaux de Grondin Transport. Sophie Bertrand, qui fait ses premières armes dans la société, se fait discrète. Elle préfère ne pas rencontrer cette inconnue, et reste à l'écart dans le bureau de Sylvain.

Entre les lames du store vénitien de la porte vitrée, elle peut la voir jaser avec Denise, la réceptionniste. La visiteuse semble intense, elle parle avec ses mains, visiblement mécontente des réponses qu'elle reçoit. Qui cherche-t-elle ? Que veut-elle ? Avant qu'elle n'ait la chance d'entendre un brin de conversation, la dame quitte les lieux. Sa curiosité l'emportant sur sa discrétion, Sophie se lève.

La réceptionniste la toise, le visage fermé.

– Encore une *ex* qui ne le lâche pas !

– Pardon ?

– Annie Simard, l'ex de monsieur Grondin, elle cherche encore une façon de s'en approcher.

– Monsieur Grondin…

– Maxime.

– Ah.

– Et aujourd'hui, c'était…

– … pour me demander si j'avais bien annulé le voyage à Paris qu'ils avaient prévu de faire avant leur séparation. N'importe quoi !

– Au fait, il revient quand, monsieur Grondin ? demande Sophie.

– Tu le verras peut-être d'ici la fin de la semaine. Grand bien nous en fasse !

Chapitre 7

Quand le serpent rencontre la souris grise…

Ce samedi-là, Julia, le regard inquiet, passe la tête dans l'embrasure de la porte du bureau de Bernise. Elle porte sa robe de la veille.

– Jure-moi que tu vas me soutenir quoi qu'il advienne ! la supplie-t-elle d'entrée de jeu.

– De quoi parles-tu ?

Julia se retourne vers le couloir, Bernise devine rapidement que son amie n'est pas seule.

– Je peux entrer ?

– Qu'est-ce qui t'arrive, Julia ?

Julia inspire profondément avant de débiter son histoire en gesticulant vivement.

– La femme de Tom nous a fait suivre. Nous avons été pris en flagrant délit. Elle est devenue folle, et l'a mis à la porte. Il est à la rue…

– Il faisait encore le chaud lapin ?

– Bernise, je suis sérieuse !

– Qu'il loue une chambre d'hôtel. Il adore ça, l'hôtel !

– Bernise, je l'aime, et il est ici. Il est ici pour moi !

– Non. Il est là parce qu'il s'est fait prendre. Grande différence.

– Tu ne comprends rien ! Je le savais que tu ne comprendrais *tellement* rien !

– Oh ! la « mégère » comprend très bien, au contraire. Il n'aurait jamais quitté sa femme si elle n'avait découvert votre liaison, alors le pauvre bougre se retrouve chez sa maîtresse. Ce n'est pas difficile à deviner. Il aura des factures salées en frais de justice, pendant que toi, tu tenteras de construire ton conte de fées dans cette histoire bordélique. Tu vas brailler toutes les larmes de ton corps.

– Tu crois que j'ai envie que tu me balances toutes ces conneries à la tête ? Bernise, j'ai besoin de ton soutien. Tu pourrais m'écouter sans me juger !

Bernise considère son amie quelques secondes. Elle lui fait penser à une adolescente quémandant la voiture de ses parents. Dans un élan de bonté, elle prend une grande inspiration, sachant avant même de les prononcer qu'elle regrettera ses paroles.

– Présente-le-moi.

– Tu n'es pas sérieuse ?

– S'il doit emprunter ma douche et fouiller dans mon frigo, autant le supporter dès maintenant.

Radoucie, Bernise se pose la question : curiosité ou sympathie ? Elle choisit la première option. Elle se lève pour encourager Julia à l'entraîner vers son Casanova.

Tom Turner n'est pas complètement idiot. Demander asile à la colocataire hostile de sa maîtresse aurait forcé n'importe quel homme à déployer ses meilleures manières. Il se lève immédiatement, marche vers elle la tête haute, la main droite tendue pour la présentation. Sans être d'une beauté classique, il porte ses cheveux bruns très court ; sa stature athlétique fait oublier sa taille moyenne. Une gueule arrogante, pense Bernise. Elle tente de faire abstraction de son amitié avec Maxime Grondin et adopte une attitude lui permettant de demeurer objective.

– Bernise Tousignant, se nomme-t-elle comme s'il ne le savait pas déjà.

– Tom Turner. Je suis vraiment désolé d'apparaître comme ça, ici, énonce-t-il. Il est arrivé un incident malheureux. Tout est ma faute.

Julia, qui a emboîté le pas à Bernise, rejoint rapidement son amant. Ses grands yeux de biche expriment une prière silencieuse. Il la serre contre lui et dépose un léger baiser sur sa tempe.

– Vous croyez aux actes manqués ? Plus je songe à ce qui s'est produit, plus je suis convaincu qu'au fond j'ai *voulu* ce qui arrive.

– Arrête tes salades ! Tu aurais dû laisser ta femme *avant* de commencer une nouvelle relation ! Acte manqué, mon *cul* !

Un silence de mort s'installe. Julia ouvre la bouche pour protester. Bernise stoppe l'élan de son amie d'un geste de la main. Elle reprend, sans aucune marque de sympathie envers la maîtresse éplorée :

– Je suis désolée, il est tard.

Ce sur quoi, elle tourne les talons et quitte la pièce. Elle est surprise qu'il la suive jusqu'à la cuisine.

– Bernise…

– Tom, l'imite-t-elle, agacée.

Il laisse tomber le vouvoiement, lui aussi. Au point où il en est…

– Tu as raison. J'aurais dû tout avouer à ma femme depuis longtemps. Certaines circonstances m'en ont empêché. Il fallait que j'attende. Je ne veux pas me justifier, ni me défendre, mais j'apprécie ton honnêteté. Je suis heureux de voir que Julia peut compter sur une amie aussi précieuse. J'ai tellement entendu parler de toi que j'avais l'impression de te connaître, mais la réalité est encore plus frappante, si je puis m'exprimer ainsi.

Bernise cligne des paupières, incrédule devant un tel discours. De bien belles paroles, beaucoup trop belles. Il doit exceller en tant qu'avocat.

– Tu n'es pas sérieux avec ton baratin ?

Tom serre les lèvres tout en maintenant son regard.

– Tout ce qu'il y a de plus sérieux.

Bernise s'adresse à Julia.

– Tu m'as dit qu'il joue au poker ? Il fera fortune.

– Bernise ! Arrête, s'il te plaît !

– C'est Max Grondin qui t'a parlé de moi ? ne peut-elle s'empêcher de demander à Tom.

– Max ? Euh... non, c'est Julia qui me parle souvent de toi.

– Oh.

Comprenant qu'elle en a trop divulgué en mentionnant Max Grondin, elle s'esquive vers sa chambre en le saluant de la main.

Il ajoute :

– Savais-tu que Max est en France, actuellement ?

Sophie est aux anges, les Grondin semblent satisfaits de son travail. Sylvain est gentil, affable, même drôle. Ils sont enfermés dans la salle de conférences, affairés à classer des documents depuis des heures lorsque Sophie ne résiste plus à sa curiosité grandissante.

– Sylvain, je peux te poser une question ?

– Bien sûr.

Elle cherche ses mots.

– Vous êtes seulement trois frères dans votre famille ?

Il se gratte le menton, taquin.

– Oui, c'est exact. Max, Philippe et moi. Tu en souhaitais un quatrième ?

Il la fixe avec son air gamin, attendant la suite.

– Non ! Euh...

Sylvain sourit devant le malaise de la jeune femme.

– C'est tout ce que tu veux savoir ? Vraiment ?

– Oui, oui, bien sûr, ça m'intriguait, c'est tout.

– D'accord, alors.

Il revient vers son écran d'ordinateur, elle fait de même.

– Quoi qu'il arrive, s'il te plaît, ne laisse pas mes frères te faire du charme, ajoute-t-il sans la regarder.

– Quoi ?

Il reste silencieux. Après un long moment, il secoue la tête.

– Fais comme si je n'avais rien dit.

Pour changer l'atmosphère, il consulte sa montre, ferme abruptement son portable et prend sa veste sur le dossier de sa chaise.

– Viens, je t'emmène déjeuner.

En sortant du bureau, ils croisent Philippe. En complet et cravate, il a fière allure.

– Tu as eu une rencontre à la banque ?

– Les vérificateurs passeront pour l'audit la semaine prochaine.

– Sophie pourrait nous aider ?

Le regard sombre de Philippe se pointe vers la jeune femme pour la première fois depuis plusieurs jours.

– Tu te sens prête pour ça, Sophie ?

Celle-ci ravale péniblement sa salive, une étrange chaleur envahit ses oreilles.

– Il n'y a qu'un seul moyen d'apprendre.

– Bon, on verra.

❦❦❦

À peine les menus consultés, Sophie annonce son choix, le duo spaghetti-salade César. Sylvain est soucieux de bien manger, il tourne et retourne les pages, larguant sans gêne plusieurs interrogations à la serveuse. Agacée, Sophie se retient de soupirer. Puis, elle y va carrément pour tenter d'éclaircir le mystère qui lui titille l'esprit.

– Quelque chose m'intrigue un peu, Sylvain. Tu me le diras si je suis indiscrète.

Sylvain la regarde sans prononcer un mot, l'invitant à poursuivre d'un signe de tête.

– Je voudrais savoir qui est cette belle femme blonde…

Le visage de son patron s'anime d'amusement.

– Celle qui s'est engueulée avec Denise ?

– Oui, elle avait l'air vraiment fâché…

– Annie Simard. On la connaît depuis toujours, nos mères sont de vieilles copines. Annie est l'amie d'enfance de mon épouse, Jeannette. Tu vois le topo. Elle et Max ont eu une relation pas très sérieuse pendant quelques mois. Il était clair qu'il ne cherchait pas à s'attacher – tu connais la rengaine –, mais elle n'a pas voulu le croire. Elle est rapidement tombée en amour. Dans le genre dangereusement virée sur le top ! Dès qu'il s'en est aperçu, il l'a laissée. L'histoire est tellement classique qu'elle est plate à raconter.

Sophie écoute l'histoire sans en manquer une seule syllabe. Toutefois, elle ne peut s'empêcher de se trouver bien curieuse d'écouter ainsi les détails de la vie privée d'un homme qu'elle n'a jamais vu ! Le grand patron, par-dessus le marché !

– Nous sommes toutes pareilles. Nous voulons être celle qui réussira à attendrir le cœur de la bête, lance Sophie dans un souffle.

– Je dirais plutôt le cœur de la brute, soupire Sylvain d'un air découragé.

Sophie reste silencieuse. Le retour de ce frère mystérieux la rend nerveuse.

Une brute ? Non… Elle trouve cette expression étrange. Pourtant, les Grondin paraissent unis. Peut-être est-il brouillé avec son frère ? Quoi qu'il en soit, Max Grondin demeure un mystère, et Philippe se fait des plus discrets, ce qui augmente ses interrogations sur cette famille. Ce dernier l'intrigue. Elle ne sait pas grand-chose de sa vie. Elle ne connait de Philippe que l'intensité de sa prunelle lorsqu'il la regarde. Ce qui n'arrive pas souvent.

Ses pensées l'occupent tandis qu'elle roule sur l'autoroute Décarie, après une matinée de magasinage en solo aux halles d'Anjou. Tout à coup, sa voiture se met à se comporter de façon erratique. Elle se cramponne à deux mains à son volant pour ne pas perdre le contrôle. Nerveusement, elle se gare sur le côté, songeant déjà à l'effet que ce beau problème aura sans doute sur son portefeuille dégarni.

Crevaison.

Elle n'aura pas les moyens de faire effectuer les réparations. Pas ce mois-ci, en tout cas, pas après les achats de vêtements qu'elle vient de faire ! Retourner la marchandise ? Hors de question ! Vigilante, elle s'appuie au muret de ciment pour sa sécurité, découragée. Son véhicule est-il muni d'une roue de secours ? Sa stupidité la dépassera toujours. Elle fouille dans son sac à la recherche de son cellulaire.

Qui appeler ? Machinalement, elle compose le numéro général de Grondin Transport. Elle est certaine que Sylvain n'est pas au bureau, tout affairé qu'il est à préparer le BBQ prévu pour le soir même, pour cette grande fête à laquelle il a convié les employés. Cependant, le samedi, il y a toujours un mécano qui traîne dans le garage. Elle demandera à ce qu'on lui envoie l'une des deux dépanneuses et le tour sera joué. Elle paiera la facture par prélèvement sur son salaire. L'idée lui paraît géniale, mais surtout plus abordable pour son maigre budget.

Au bout d'un quart d'heure, deux jeunes mécaniciens, Mario et Serge, se pointent à bord de la dépanneuse verte. Sophie ne réprime pas son sourire. Ces joyeux lurons se font un devoir d'impressionner la nouvelle venue en lui préparant son café ou en la complimentant régulièrement. Leurs attentions particulières ont d'ailleurs le don de mettre Denise hors d'elle. « Ouste, les gars ! Vous salissez le plancher avec vos grosses bottes sales ! » leur lance, d'un air supérieur, la réceptionniste.

– Salut, les gars, j'ai rarement été si heureuse de vous voir. Vous pourriez me ramener chez moi ?

Mario regarde Serge qui, lui, fixe ses bottes.

– C'est que… *Big boss* s'en vient.

Sophie fronce les sourcils. La bouche ouverte pour signifier son incompréhension, elle voit arriver la Volvo noire qui se gare devant la remorqueuse.

Certaine d'être prise en faute, Sophie prend une longue inspiration, consciente de sa bêtise. Philippe Grondin n'est pas content. Elle n'aurait pas dû appeler pour un problème personnel. Il vient l'en avertir ! Il doit être réellement hors de lui pour se déplacer !

– Bon, nous te laissons !

– Ne m'abandonnez pas seule avec lui, chuchote Sophie à l'endroit de ses deux collègues.

Mario lui demande ses clés au moment même où Philippe s'approche.

– Attendez, mes sacs ! Oh ! monsieur Grondin, je suis désolée. Je ne savais pas qui contacter. Je me suis permis d'appeler au garage. Je…

Philippe Grondin lui sourit sans répondre. Il somme les deux mécaniciens de remorquer la voiture au garage et de faire le nécessaire pour la réparation. Puis, se tournant vers son adjointe, il l'invite à le suivre.

Sophie monte dans la Volvo. Fébrile, elle continue de se confondre en excuses.

– Monsieur Grondin…

– Appelle-moi Philippe, s'il te plaît.

– Oui, bien sûr. Merci d'être venu. Décidément, j'en fais des belles avec les voitures… J'aurais pu retourner au bureau avec les gars.

Philippe sourit sans cesser de regarder la route, la main gauche sur le volant, l'autre sur le bouton de la radio.

– Je ne t'aurais pas laissée avec ces deux-là.

– Serge et Mario sont très gentils, ils passent souvent me saluer.

– Ils n'ont rien à faire à ton bureau, pourtant.

Sophie rougit.

– Je suis désolée, Philippe. Je sais que je n'aurais pas dû profiter de la dépanneuse du bureau. Je vais payer! C'était mon intention!

– Je ne t'ai rien demandé. Où habites-tu?

– Tu peux me laisser au métro Vendôme.

– Où habites-tu? insiste-t-il.

– Pointe-Saint-Charles. Mais, vraiment…

– Sylvain t'a invitée à son *Beach party* de ce soir?

– Oui.

– Tu prévois t'y rendre?

– Euh… en fait, j'avais pensé aller faire un tour. C'était avant la crevaison.

– Il est près de 15 h, tu veux sûrement te changer, prendre ton maillot de bain. Va te préparer, j'attendrai.

Paniquée à l'idée que Philippe voie où elle habite, Sophie frémit. Même s'il est coquet, son appartement, situé en plein cœur d'un quartier ouvrier, n'a aucun prestige. Il est minuscule et encombré. Surtout, à l'état actuel, son logement est carrément bordélique.

– J'ai tout avec moi, je viens tout juste de faire des achats. C'était pour ce soir…

– D'accord, allons-y tout de suite dans ce cas.

Une autre complication surgit dans l'esprit de la jeune femme. Tous les employés présents les verront arriver ensemble. Elle n'ose imaginer les potins qui circuleront le lundi matin.

Chapitre 8
La grande réunion

Jeannette Plouffe et Sylvain Grondin ont convié employés et amis à leur BBQ annuel. Le couple s'est mobilisé plusieurs jours à l'avance, poussé par une motivation commune : faire de leur soirée un événement inoubliable. Lampes chinoises, quelques pas japonais en céramique et lanternes de toutes les couleurs ont été installés dans la cour arrière pour un effet des plus spectaculaires à la tombée de la nuit. Jeannette a passé la semaine précédente en séances de bronzage, visites au gymnase, en plus de se soumettre à une session d'épilation très douloureuse. Rien n'a été laissé au hasard.

Son dernier test de grossesse s'étant encore révélé négatif, une nouvelle fois elle vient d'être confrontée à une grande déception, la cinquième de l'année. Pour conjurer le sort, elle désire plus que tout être la reine resplendissante de la soirée.

Sylvain, de son côté, s'est davantage attardé au menu. La note pour les frais en alcool, friandises et viandes de toutes sortes a monté en flèche.

Une fois par année, c'est chez les Grondin d'Outremont que la fête se passe ! Jeannette en a parlé à tout le monde, n'ayant que cela en bouche. Même par courriel, l'invitation a été directe : « Tu viens, samedi soir ? :D »

Dans l'appartement de la rue de Lanaudière, là où Tom Turner a réussi à élire domicile grâce à une habile combinaison de charme et de belles paroles, une invitation pour le moins singulière se prépare. Les deux colocataires jasent à la cuisine devant l'évier, l'une lave, l'autre essuie.

– Tu veux m'emmener où? demande Bernise d'une voix anormalement haute, comme si elle était sourde.

– Chez Jeannette Plouffe. Tu la connais maintenant, tu travailles pour elle. C'est la petite avec les talons hauts qui font clic-clac.

– Je sais qui est Jeannette. Je te demande si tu es folle! Je ne me présenterai certainement pas à un BBQ sans y avoir été invitée. Ce n'est pas parce qu'elle me refile quelques contrats qu'elle souhaite me voir sur son balcon.

– Elle m'a précisément chargée de vous inviter tous les deux, Tom et toi.

– Arrête, Julia. Tu sais très bien que je n'irai pas.

– Pourquoi pas?

– J'ai trop de travail.

– Foutaises! Tu n'es pas sortie depuis des lunes. Toujours devant ton écran d'ordinateur, tu es en train de devenir pâle. Ça va te faire du bien de porter autre chose que des «pantalons d'intérieur» grotesques. Alors, tu te magnes ou je t'emmène de force. Ils nous attendent pour 15 h. Prends ton maillot de bain, ils ont une superbe piscine.

Devant le mutisme de Bernise, Julia soupire.

– Sois prête dans quinze minutes.

🍒🍒🍒

Sylvain a insisté auprès de Sophie pour qu'elle se joigne à eux, lui assurant que sa femme l'a trouvée très gentille lors de leur rencontre fortuite au bureau. Sophie, plus vive que Sylvain pour comprendre que les relations entre femmes ne sont pas toujours si simples, n'est pas dupe. Le dernier coup d'œil que Jeannette a posé sur l'adjointe de son mari en a été un de défi. Sophie sait d'instinct que Jeannette ne l'a pas en affection. Elle n'a accepté l'invitation que lorsqu'il a ajouté « et j'insiste pour que ton copain Guillaume t'accompagne ».

Sylvain a vécu un moment de déception lorsque, la veille, Philippe a décliné poliment l'invitation, utilisant l'excuse classique « urgence au bureau » pour se défiler. Il est toujours égal à lui-même, sombre et renfermé. Depuis la mort de sa femme Caroline, deux ans auparavant, Philippe profite de son bureau sur Côte-de-Liesse pour s'y enfermer à double tour. Il peut ainsi noyer la noirceur de son esprit dans les chiffres.

Sa fille Dorothée étant toujours en voyage à Paris avec Max, il tire avantage de cette liberté provisoire pour rattraper le retard cumulé. Leur entreprise florissante est maintenant sa seule maîtresse, comme sa fille est désormais le seul amour de sa vie. Faire assister Philippe à une soirée mondaine est en soi un tour de force. « La prochaine fois, alors », a répondu Sylvain, déçu.

Ragaillardi par le nombre d'invités confirmant leur présence d'heure en heure, Sylvain prépare ses filets de poulet marinés en sifflotant. Les boulettes de viande pour les hamburgers attendent dans le réfrigérateur avec les saucisses, la bière et la montagne de desserts que Jeannette a achetées.

– Sylvain Grondin ! lance gravement Maïté Roy, l'amie de Jeannette, les mains sur les hanches, en pénétrant dans l'antre du cuisinier improvisé.

Il se raidit, sentant le regard de braise de son interlocutrice sur sa nuque. Il se doute de ce qui s'en vient. Le poste qu'il lui a promis, celui dont a hérité Sophie. *Merde*. Voilà que ça lui retombe sur le nez. Pourvu que Maïté ne découvre pas ce soir l'identité de Sophie, elle n'en ferait qu'une bouchée !

– Maïté, sors d'ici tout de suite. Il y a trop de chefs dans ma cuisine ! dit-il en remuant ses marinades.

Maïté, forte de la certitude qu'il se sent coupable de sa promesse non tenue, l'attaque sans merci.

– Tu sais très bien que ce n'est pas de mon aide dont il est question ! J'ai deux mots à te dire.

Sylvain ricane pour lui-même sans lever les yeux de sa besogne. Maïté Roy n'a toujours « que » deux mots à dire. Surtout lorsqu'elle tient une bonne raison d'avoir la moutarde au nez.

– Comme ça, tu ne voulais pas travailler avec moi ? Jeannette m'avait pourtant affirmé que tu étais d'accord pour que j'occupe le poste d'adjointe ! s'écrie-t-elle.

Essuyant ses mains sur son tablier, Sylvain se retourne.

– Ne sois pas insultée. Philippe a pris la décision en raison des qualifications de la personne que nous avons choisie, ment-il.

– Et Max ?

– Max n'était pas là.

– Toi ? Tu n'avais rien à dire ?

– Tu sais que ce n'est pas moi le boss, Maï.

– Non, c'est moi, fait une voix grave derrière eux.

Sylvain et Maïté pivotent en même temps. Philippe se tient sous l'arche entre la cuisine et la salle à manger, Sophie à ses côtés. À la fois étonné et soulagé, Sylvain échappe sa spatule, maculant les tuiles marbrées de sauce.

– Attends, je vais t'aider à ramasser.

Sophie a déjà saisi un linge humide, alors que Maïté la dévisage, curieuse de connaître l'identité de cette nouvelle venue. Est-elle la petite amie de Philippe ? Si tel est le cas, la chose serait très surprenante. Non, c'est impossible. La fille est beaucoup trop jeune, simple... Philippe est, et restera, un homme inaccessible, c'est un fait notoire ! Il demeure fidèle à un fantôme !

– Philippe..., je pensais que tu ne venais pas ! C'est super que tu sois là ! Tu as finalement pu régler le problème qui te retenait au bureau ? le questionne Sylvain.

– Disons que j'ai eu un imprévu.

La main de Philippe atterrit sur l'épaule de Sophie. Troublée, la jeune femme avale sa salive avant de trouver la première excuse pour s'éclipser.

– Je dois me changer, je peux utiliser la salle de bains ?

🍒🍒🍒

Maïté cligne les paupières plusieurs fois, écartant une mèche rousse d'un mouvement de tête. Elle a remarqué le geste de Philippe. Il a une blonde ! Empressée d'aller raconter l'histoire à Jeannette – il est rare qu'elle sache un potin aussi juteux –, Maïté jette un coup d'œil sur la terrasse pour voir si son amie s'y trouve.

Malgré tout, elle sait où vont ses priorités. Il faut étirer la sauce, en savoir davantage.

– Philiiiippe, ça fait longtemps ! s'exclame-t-elle en s'approchant pour lui faire la bise.

– Je suis désolé, Maïté, nous avons pris une décision d'affaires. Sophie avait le curriculum vitæ parfait pour le poste.

Maïté ouvre grand les yeux.

– Qui est Sophie ?

– Tu viens de la croiser, ajoute Philippe. Elle était avec moi il y a deux minutes.

– Ah, je suis sotte, pendant un instant, j'ai cru que c'était ta nouvelle copine. Je me disais, aussi, qu'elle ne pouvait pas être ton genre !

Philippe lui lance un regard assassin et Maïté saisit aussitôt qu'elle aurait dû se taire. Elle hausse tout de même les épaules, laissant ses lèvres former un rictus espiègle. Pour elle, aucun doute, il y a anguille sous roche.

– Bon, je vous laisse, annonce Philippe.

Il sort dans la cour arrière en dénouant sa cravate. Sylvain suit des yeux son frère qui disparaît sous les lanternes, se mêlant aux invités, puis, il croise le regard de Maïté, et ne comprend rien à son sourire malicieux.

❧❧❧

Quelques minutes plus tard, Sophie se fond dans le groupe d'inconnus qui discute sur la terrasse. Depuis leur arrivée impromptue dans la cuisine, elle n'a pas revu Philippe. Elle a cependant eu le temps d'entendre la rouquine, une dénommée Maïté, s'en prendre à Sylvain. Logiquement, c'est de son poste qu'il est question. Détestant être la cause d'un malaise, elle espère avec impatience que Guillaume surgisse, comme promis. «Ma mère a besoin de moi, mais je ne te laisserai pas seule là-bas», a-t-il juré.

Alors que Sophie s'ennuie à mourir, la somptueuse blonde qu'elle a entrevue au bureau quelques semaines auparavant fait son apparition. Elle sait son nom désormais: Annie Simard. L'ex-harceleuse de Maxime Grondin! Toute de blanc vêtue, la beauté blonde porte des pantalons de lin taille basse, laissant entrevoir un ventre plat, ainsi qu'un haut de bikini couvrant une poitrine enviable. Ses cheveux négligemment remontés par une pince noire et ses verres fumés à la Jackie O. la rendent époustouflante. Intimidée, Sophie se cale dans son siège.

Annie ne tarde pas à la remarquer. Elle relève ses lunettes et ses yeux verts s'attardent directement sur Sophie.

– Bonjour, je suis Annie, une amie de Jeannette.

– Sophie Bertrand.

– Tu travailles pour les Grondin?

– Oui, je suis la nouvelle secrétaire... hum, je veux dire, adjointe administrative.

La nouvelle adjointe? Comment est-ce possible? songe Annie. Maïté a pourtant claironné qu'elle aurait ce poste. Il doit s'être passé quelque chose! Intriguée, la jeune femme fixe Sophie durant quelques secondes. Les taches de rousseur, la coiffure classique, l'innocence incarnée. Elle comprend pourquoi Jeannette ne l'aime pas.

Derrière cette apparence sans flafla, une beauté insidieuse pointe, lorsqu'on la considère dans son ensemble. Annie contemple ce port de tête, la ligne du cou, le corps parfaitement proportionné, cette aisance tranquille, ces traits dessinés par un pinceau d'artiste, ces sourcils arqués. Trop mignonne pour son propre bien, décidément. Les hommes ne seront toujours que des hommes. Voilà comment cette Sophie a ravi le poste promis à Maïté !

Bernise arrive vers les 16 h, flanquée de Julia et de Tom. Étourdie de rencontrer autant de nouveaux visages, elle suit le couple dans ce concert de voix inconnues.

– Détends-toi, lui murmure Julia.

– C'est ce que j'essaie de faire.

Julia soupire d'impatience. Elle a grande envie d'un verre, le plus fort possible vu l'attitude exécrable de son amie !

– Mon chéri, tu veux bien prendre Bernise sous ton aile, pour quelques secondes ? Je dois parler à Jeannette.

Julia ne manque jamais une occasion de forcer Bernise et Tom à passer du temps ensemble. Cette dernière n'est pas naïve. Toutefois, pour l'instant, le « crosseur de poule morte » se montre d'agréable compagnie. Donner sa chance au coureur, voilà ce qu'elle tente de faire par amitié pour Julia. Elle se laisse donc escorter par Tom, pour traverser la sublime cuisine digne d'une revue *Ma Maison* qui mène sur la terrasse.

Bernise fait un rapide tour d'horizon des invités, cherchant un visage familier. Tom tient toujours son bras tel un preux chevalier.

– Tom !

– Annie ! Ça fait un bail, comment vas-tu ?

– Oh moi, tu sais, encore célibataire.

– Ouais, ça fait longtemps… depuis Max ?

Annie émet un rire jaune. Bernise, devant l'inconfort que créent ces paroles sur elle, se dégage de l'emprise de Tom, préférant se fondre dans le décor.

– On ne s'étendra pas sur le sujet, d'accord?

– Sans problème, dit-il du ton faussement joyeux d'un animateur de télé qui cherche à dévier du sujet délicat qu'il a lui-même mis sur le tapis.

Se rappelant soudain la présence silencieuse de Bernise à ses côtés, Tom saute sur l'occasion pour rediriger la conversation.

– Annie, je te présente Bernise.

La jeune femme semble avoir un mouvement de recul. Bernise, de son côté, enregistre les informations. Ainsi, cette fille artificielle, cette Barbie vivante, est l'ex de l'homme dont elle est éprise? Julia aurait pu l'avertir! Comment rivaliser avec *ça*? Maintenant, elle est vraiment certaine de ne plus vouloir faire partie de la vie de Max Grondin!

– Bonjour, Annie.

La jeune femme cligne des yeux, raidit les épaules et finit par offrir un de ses chaleureux sourires à Bernise. Elle lui serre la main du bout des doigts.

– Enchantée, Bernise. Jeannette m'a parlé de toi. Il paraît que tu vas faire quelques traductions pour elle?

– C'est ça, oui.

Le silence qui suit est glacial. Annie Simard se tourne rapidement vers Tom, l'entraînant à l'écart.

– J'ai eu vent de tes péripéties extraconjugales! Tu es sûr que c'est bien terminé avec Chantal? demande-t-elle d'une voix crispée.

– Oh oui, ça l'est! grince-t-il entre ses dents.

Annie penche la tête vers la droite en fronçant les sourcils.

– Pourtant, je croyais que tu resterais avec elle. Je l'ai vue l'autre jour et il me semble que le *timing* n'est pas fameux pour vous séparer… N'est-elle pas…

Tom regarde par-dessus son épaule, lui coupant brutalement la parole.

– Juliaaaa! J'ai une vieille amie à te présenter!

– Vieille amie? s'étonne Annie en plissant les yeux. Tom... Veux-tu bien me dire ce que tu fais?

– Laisse faire, Annie. Ne te mêle pas de ça! Reste en dehors de ma vie privée, s'il te plaît. Je n'ai pas de compte à te rendre.

– Mais...

Tom lui lance un regard noir.

– Annie, si tu dis quelque chose, tu auras affaire à moi. Tu ne sais pas toute l'histoire.

Annie plisse les yeux.

– Tu peux cacher ton passé, mais ton présent te mordra les fesses, Tom. Ce que tu fais... est abject! Je ne veux pas rencontrer ta maîtresse!

– S'il te plaît, pas un mot sur Chantal. Sinon...

À quelques mètres d'eux, Bernise, qui voit bien qu'Annie est perturbée par les propos de Tom, regrette d'être incapable de lire sur leurs lèvres.

– Viens, Bernise, laissons les vieux amis jaser, fait Julia en tirant son bras.

Sur le bord de la piscine, les deux amies se mêlent aux autres convives. Certains sont assis, les pieds dans l'eau, d'autres, plus allègres, s'y sont lancés carrément, éclaboussant leur entourage.

Bernise trouve une place près d'une demoiselle qui, comme elle, semble se tenir un peu à l'écart de tout ce brouhaha. L'inconnue se présente: Sophie Bertrand, l'adjointe administrative des frères Grondin.

Sophie lui paraît distraite. Bernise lève la tête pour suivre la direction du regard de la jeune femme. Elle comprend rapidement l'objet de sa fixation.

– Qui est-ce? demande Bernise.

– Mon patron.

– Ah!, un des frères Grondin. J'en ai beaucoup entendu parler.

– C'est Philippe. Je travaille avec lui tous les jours, pourtant, je ne sais pas comment me comporter.

– Il te plaît, c'est ça ? chuchote Bernise.

Sophie la regarde avec un ahurissement apeuré, stupéfaite.

– Allez, je ne connais personne ici, ce n'est pas dangereux, l'encourage-t-elle.

Sophie soupire, puis, jouant avec ses mains, accorde sa confiance à Bernise.

– Il n'y a pas grand-chose à dire.

– Bon, on se prend un autre verre et tu pourras tout me raconter.

Jeannette, occupée à remettre de la glace dans les seaux, sursaute lorsque Maïté lui tire le bras.

– Hé ! Tu vas me faire faire un dégât !

– Potin. Méga. Potin.

– À quel sujet ?

– Ton beau-frère et l'adjointe. La fille assise là !

Les paroles des deux femmes parviennent clairement aux oreilles de Philippe, accoudé sur le muret de briques. Il avale son verre d'un trait avant de se diriger vers de vieilles connaissances.

Le soleil commence à descendre, la lumière se tamise à l'horizon comme une brume orangée. Les lanternes s'allument une à une, les gens rient, mangent debout, leurs assiettes jetables à la main et discutent gaiement. Julia au bras de Tom, comme s'il s'agissait d'un trophée, sourit à belles dents. Bernise les observe à la dérobée, envieuse de leur bonheur intense, même si elle sait que tout cela ne pourra pas durer.

Tout à coup, un nouveau venu attire l'attention de tous. Un bellâtre mince d'apparence soignée fait une entrée quelque peu spectaculaire. Les hommes tout autant que les femmes le remarquent. Telle une furie, Sophie se rue vers lui sans demander son reste. Heureuse, elle le dirige vers Bernise.

– Bernise, voici Guillaume, mon meilleur ami, annonce-t-elle avec fierté.

– Bonsoir, Guillaume, c'est un plaisir de te connaître...

Le jeune homme s'empare de ses doigts pour lui faire un baisemain avec un sourire rieur, en se fendant d'une révérence de gentilhomme, puis se redresse et sert un regard circulaire à la mêlée.

– Personne ne danse ici ? Où est la musique ?

– Demande à Sylvain, c'est celui avec le tablier ! suggère Sophie tout sourire.

Elle n'a pas terminé sa phrase qu'elle perçoit des éclats de voix émergeant du côté de la maison, là où des cèdres imposants masquent la cour. Plusieurs têtes se retournent lorsque le loquet de la clôture de bois se soulève. Bernise sourcille et tente d'apercevoir, malgré le remue-ménage, ce qui attire tant l'attention. Elle voit Annie Simard se lever, un pli soucieux au front, Sylvain accourir, Jeannette sourire, un autre crier joyeusement « Ah ben, sacrament ! ».

Une tête brune se profile au-dessus des autres. L'homme est remarquable, supplantant de sa stature solide les hommes et les femmes qui se déplacent pour l'accueillir.

Bernise, convaincue que le nouvel arrivant n'a pas eu le temps de la voir, s'éloigne discrètement.

Chapitre 9
Une fête trouble tête

Maxime Grondin dépose sa valise, impatient de se servir une bière froide. Son entrée crée une commotion qu'il n'avait pas prévue ! Les exclamations s'élèvent dans l'air chaud estival, les têtes se tournent dans sa direction. La première sur les rangs n'est nulle autre qu'Annie Simard, celle qu'il a tenté de fuir. Il soupire, elle est encore là ! C'est un retour à la case départ comme s'il n'était jamais parti. Il n'a pas le cœur d'éviter son regard implorant. Elle a coiffé ses cheveux blonds à la « drôle de dame », on dirait Farah Fawcett sur ce poster qui a fait d'elle une légende. Sa beauté typiquement américaine n'épuisera jamais le désir des hommes, sauf le sien. Il lui adresse un signe poli, les lèvres pincées. En échange, il a droit à un sourire rayonnant, plein d'un espoir vain.

Dès que Sylvain a appris que son frère devançait son retour de Paris, il a tant insisté que Max a fini par accepter l'invitation, sans toutefois promettre d'arriver à temps. Les six heures de décalage horaire et sa récente descente d'avion atténuent son enthousiasme. Dans son esprit, il ne traînera pas longtemps, il saluera tout le monde vite fait pour ensuite prendre la route de sa résidence.

Il est surpris de constater la présence de Philippe, lui qui normalement fuit ce genre de réunion mondaine comme la peste.

– Hé, Max.

Max détaille son frère, visiblement là par hasard, à voir sa cravate dénouée sur sa chemise blanche. Sans doute une décision de dernière minute. Sylvain a dû lui tordre un bras, à lui aussi. Il doit avoir hâte de retrouver sa fille, Dorothée. Elle a agi en vraie dame durant leur voyage à Paris. Elle a même su imiter l'accent parisien !

– Salut, Philippe. J'ai laissé Dorothée avec Blanche, elle va la garder pour la nuit. Elle était claquée.

– Merci ! Mais tu aurais pu l'emmener, je ne resterai pas tard.

– Comment ça, tu ne resteras pas tard ? intervient Sylvain, les sourcils froncés.

– Moi non plus, Ti-cul, dit Max. Je suis crevé.

Philippe et Sylvain se regardent, sourire en coin.

– Tu changeras bien d'idée, souffle Sylvain en prenant le ton de la confidence.

– Bernise Tousignant est ici, précise Philippe.

Ses frères, à qui il a parlé plusieurs fois de sa rencontre avec la jeune femme, ont visé juste. Sa décision vient de changer. Lorsqu'il l'aperçoit, belle et secrète, assise en retrait, cachée derrière ses cheveux bruns, en train de jaser avec une inconnue, il n'a qu'une envie, capter son attention.

Il lui faudra d'abord passer entre les convives – ses employés pour la plupart –, les saluer, faire un brin de jasette, pour la forme. Il n'a pas fait trois pas qu'il est aussitôt interpellé par Tom Turner qui le bombarde de questions pesantes au sujet du client qui le tiendra occupé durant le mois à venir. Max soupire, il n'en n'a que faire, des histoires du bureau.

Tom a pris un verre de trop, il parle fort et rapidement, les mouvements ininterrompus de ses mains sont étourdissants ! Max hoche, puis secoue la tête, faisant mine d'écouter, mais son esprit n'est pas là.

À quelques mètres, Bernise se sent rapetisser, invisible et angoissée. Depuis son arrivée, Max s'est fait apostropher plusieurs fois, ce qui la soulage et l'énerve à la fois. Redoutant cette rencontre, elle tente de contenir son excitation, non, sa jubilation. Pour elle, cette apparition-surprise est éprouvante. Sa candeur est encore une fois sa pire ennemie.

Elle s'est fabriqué une image monumentale de la menace qu'il représente pour sa tranquillité. S'il l'apostrophe ce soir, il détruit sa sacro-sainte stabilité, surtout si toute la mise en scène de leur premier souper n'était qu'un jeu. Elle ne sait pas jouer ! Elle ne sait pas faire la différence entre un flirt spontané et sans conséquence et une tentative de début de relation ! Elle se sent sotte, tellement *épaisse*. Tout un mois s'est écoulé depuis ce fameux soir. Il est peut-être passé à un autre appel, la laissant, elle, pendouiller avec ses rêves de jeune biche. Il revient de Paris ! La ville de l'amour ! Voilà de quoi oublier une brunette timide et méfiante.

Toujours assise près d'elle, sa nouvelle complice remarque son trouble.

– Qu'est-ce qui se passe, Bernise ? On dirait que tu as vu un revenant, s'inquiète Sophie.

– C'est un peu ça, avoue-t-elle, fixant le fond de son verre qu'elle tient d'une main tremblante.

Il ne se dirige toujours pas vers elle, ses deux frères l'ayant monopolisé dès son arrivée. Quelques instants plus tard, Tom le prend d'assaut. À la seconde qui a précédé l'intervention de son vieil ami, Bernise aurait juré que leurs regards se sont croisés et elle a remarqué comment Max a aisément détourné son attention vers autre chose.

Bernise se lève, abandonnant Sophie aux mains de Guillaume, pour accrocher Julia qui se colle amoureusement à son amant.

Son amie latine roucoule, brandit son verre, relève le bas de sa jupe inutilement pour laisser voir le bronzage de ses cuisses généreuses. Julia est bâtie comme ces chanteuses pulpeuses latinos, des jambes spectaculaires, des fesses bombées, difficiles à manquer. À l'instar de Jennifer Lopez, elle a appris avec les années à mettre en valeur ses atouts hors normes. Il est évident qu'elle a trop bu. Sobre, Julia est théâtrale ; intoxiquée, elle fait dans le spectaculaire. C'est justement ce moment qu'elle choisit pour laisser retentir ce rire particulier, élevé d'une octave complète, qui attire l'attention. Il est temps d'intervenir.

– Suis-moi, tu commences à déraper.

S'époumonant à lui faire honte, Julia se laisse finalement entraîner.

– Tu as vu ? Max est là !

– Chuttt, oui, j'ai vu, restons discrètes s'il te plaît !

– Oh... d'accord... Si on ne peut même plus discuter...

– Viens, on va entrer, les maringouins me pourchassent, dit Bernise.

– Tu fais allusion aux nombreux soupirants qui t'épient depuis tout à l'heure ?

Julia pointe un grand roux qui tient sa bière par le goulot.

– Oui, je parle de toi, le rouquin ! Elle n'est pas pour toi, ma copine ! Arrête d'examiner son décolleté ! Je te vois depuis tantôt, tu as les deux yeux rivés là !

Le pauvre homme dévisage Bernise qui lui fait signe de ne pas s'en faire avec Julia, qu'elle a trop bu. Il lui rend un sourire soulagé, puis s'éclipse rapidement.

– Hé, ce n'était pas très gentil ! Je parlais de vrais maringouins, dans le genre bestioles qui piquent.

– Les autres genres piquent aussi ! Et il te regardait comme si tu étais un filet mignon, glousse-t-elle.

De plus en plus gênée par le comportement de son amie, Bernise lui prend la main pour l'entraîner à l'intérieur.

– Du calme ! Pourquoi insistes-tu pour m'emmener dans la maison ?

– Parce que je ne veux pas rester dehors et que, toi, tu perds le contrôle.

Je me sers de toi pour me cacher. Arrête de poser tout plein de questions et marche.

– Tout ce que tu désires, ma colocataire préférée ! Hi ! Hi ! Hi !

Elles longent un couloir menant à la salle de bains et entrevoient un mur tapissé de photos de mariage. Julia, totalement désintéressée, s'esquive en douce. Curieuse, Bernise s'immobilise pour admirer les clichés pris aux noces de Jeannette et Sylvain.

On peut voir le marié entouré de ses frères, tous deux vêtus de smoking. Max avec sa mère, une dame encore magnifique, portant sa chevelure entièrement blanche avec classe. Philippe est avec une femme blonde, d'une incroyable beauté, tous deux ont la main posée sur une fillette, dont la chevelure ambrée rappelle celle de la compagne de Philippe. La petite devait avoir tout au plus cinq ans. Une autre photo, une autre blonde, Annie, celle qui lui a été présentée un peu plus tôt. Est-ce Max avec elle ? Oui, mais ça ne veut rien dire. Après tout, Annie est une amie de longue date de Jeannette. Elle reconnaît Sylvain, plus mince, Jeannette, fidèle à elle-même.

Bernise est perdue dans sa contemplation lorsqu'une main s'abat sur son épaule. Elle doit lever la tête pour le regarder tellement Max Grondin est tout près. Il porte un jeans usé et une chemise blanche défaite de plusieurs boutons, son teint est beaucoup plus mat que dans son souvenir. Il sent le musc et la menthe, un sourire anime ses lèvres, il semble heureux de la revoir. Elle entrouvre les lèvres sans pouvoir formuler un seul son.

– Tu veux un martini ? Un cosmopolitain, peut-être ?

Elle sent son pouls battre à ses tempes.

– Euh…

– Bonsoir ! ajoute Max, sa voix devenue plus basse, presque… intime ?

Une banale question en guise de reprise de contact après un mois de silence. Après quoi, au fond? se demande-t-elle. Une simple rencontre sans suite.

Respire Bernise, n'entretiens pas ce genre de pensées communes aux filles frustrées…

Et puis zut, c'est plus fort qu'elle.

Non, je n'en veux pas de ton foutu martini! J'exige une explication! Pourquoi m'as-tu fait le grand jeu pour ensuite disparaître comme un voleur? Pourquoi revenir comme un survenant et me refaire le coup du martini? Hein? HEIN? POURQUOI?

Malgré tout, sa voix traîtresse se fait douce et réservée.

– D'accord.

– Tu aimes mon smoking? plaisante-t-il en pointant la photo.

– Oui, beaucoup, avoue-t-elle.

– J'aurais dû t'appeler, Bernise. Je suis vraiment…

La jeune femme est suspendue à ses lèvres. *Vraiment quoi?* Soudain, un cri fend l'air. Il se redresse, brusquement distrait.

– Annie? Ça va? s'écrie-t-il.

Quelques minutes auparavant, entourée de Sylvain ainsi que d'un autre homme qui essayait désespérément de capter son attention, Annie à tenté de se laisser aller à ce jeu pathétique de la séduction. Son prétendant aurait pu être intéressant si elle n'avait pas bu quatre verres de vin, en plus du shooter de tequila sel et citron.

Installée au bord de la piscine, sous les lanternes chinoises, elle a accouru jusqu'à l'entrée de la cour dès que Max a fait son apparition. Elle a cherché son regard. Il lui a adressé un bref signe de tête, un sourire poli. Aurait-ce été plus facile s'il l'avait ignorée complètement? Son cerveau commence à s'alourdir sous l'effet de l'alcool. Elle ne sait plus que penser.

– J'ai besoin de m'asseoir.

Le prétendant anonyme, aux cheveux aussi roux que du cuivre, s'empresse de lui procurer un siège. Elle bénéficie donc rapidement d'une place pour reprendre ses esprits. Efficace, l'homme s'installe près d'elle, lui accordant une attention de tous les instants. À une autre époque, elle aurait savouré ce moment, mais ce soir, son cœur est en miettes. À quoi bon tout cela, si Max Grondin ignore sa présence ?

Elle s'est crue, manifestement à tort, guérie de sa peine. Ces bonnes intentions sont vouées à l'échec. Elle prend de longues inspirations pour contrôler ses émotions, tentant de retenir les larmes qui lui brûlent les paupières. Comment se peut-il que la tristesse puisse faire si mal ? Physiquement mal, à s'en tordre !

Une main chaleureuse presse la sienne, la voix douce de Maïté parvient à son oreille à travers sa sombre introspection.

– Annie, ça va ?

Non ! Pas cette question ! Trop tard, son amie vient d'activer le détonateur. Les larmes déferlent sur ses joues. Tête baissée autant pour ne rien voir autour d'elle que pour camoufler le torrent qui coule, elle part comme une flèche vers la maison. Elle trébuche contre les marches qui mènent à la cuisine, mais se reprend en faisant de longues enjambées disgracieuses. Dans sa hâte, ses talons trop hauts n'aidant pas, elle heurte un meuble, le choc sur son pied lui fait échapper un cri de douleur.

– Annie ! Ça va ?

La voix de Max. Non ! Qu'il aille au diable ! Il est avec une femme en plus !

– Non, ça ne va pas, espèce d'hypocrite ! Comment veux-tu que ça aille ?

Elle hurle telle une démente. Ça fait du bien ! Cracher son venin lui procure un plaisir intense, libérateur. S'il ne lui accorde pas d'attention par la douceur, ce sera par la force, pourvu qu'il se concentre sur elle !

– Annie, arrête, s'il te plaît, calme-toi.

Dieu que sa voix est douce à entendre malgré cette situation délirante ! Même si elle est consciente qu'elle perd toute dignité. Pour l'heure, engourdie par les vapeurs de l'alcool, elle s'en fiche éperdument.

Lorsqu'il la prend dans ses bras, elle s'abandonne. Elle glisse son visage dans son cou, humant son parfum comme s'il ne l'avait jamais quittée. Elle sait qu'elle a finalement percé l'abcès, qu'il faut maintenant passer à autre chose. Non, pas maintenant, plus tard, demain. Pour l'instant, Max la tient contre lui, il lui caresse les cheveux. Son cœur se laisse engourdir par l'illusion.

Elle est tentée de se laisser accroire qu'il l'aime de nouveau, et non simplement parce qu'il est comme ça, capable d'être bon et compréhensif. Elle vient de toucher le fond, elle sanglote de honte.

Max prend rapidement la sage initiative de la mener jusqu'au salon. De cette façon, ils éviteront les regards indiscrets des curieux qui se sont rapprochés de la scène. Certains sont éberlués par cette explosion publique, d'autres soulagés que la crise ait enfin lieu, espérant ainsi qu'elle soit porteuse de changement. L'attachement d'Annie Simard pour Maxime Grondin est connu de tous, alimentant les potinages depuis des mois. Les femmes comprennent Annie de s'accrocher, les hommes ne saisissent pas pourquoi Max repousse une beauté pareille. En apparence, leur couple était sublime !

Dans la mêlée, Annie ouvre les yeux un bref instant au-dessus de l'épaule de Max. Ses pupilles font le focus sur la jeune femme brune sur laquelle il exerçait son charme quelques instants auparavant. Bernise ! Voilà son nom. Le regard pers de cette dernière se soude au sien. Cet échange silencieux qui dure une éternité de trois secondes les marque toutes les deux. Dans sa torpeur, Annie imagine une victoire ; dans sa sobriété, Bernise se désole de la situation. Attristée, la brunette sort de la pièce les poings serrés.

Au moment où Max entraîne Annie à l'écart, Sophie arrive avec Guillaume pour se servir un autre verre. Leur passage a momentanément attiré l'attention de Max. Préoccupé par Annie, il ne leur lance qu'un rapide coup d'œil sans réellement les voir.

Le cœur de Sophie fait un bond lorsqu'elle aperçoit ce visage familier, ce regard brillant, cette mâchoire carrée, ces sourcils épais… L'image du cliché qu'elle a étudié minutieusement pendant des semaines, l'homme à qui elle a rêvé toutes les nuits malgré le fait qu'il ait disparu dans le néant. Elle saisit le bras de Guillaume, anxieuse de se faire confirmer qu'elle n'hallucine pas.

– Oh ! Mon Dieu, Guillaume ! C'est Cavalier34 ?

– C'est bien lui, y a pas de doute, affirme-t-il, tout aussi surpris.

Chapitre 10
Le lendemain de la veille

Annie reçoit les rayons du matin qui se lèvent sur son visage encore maculé d'un mauvais mélange de mascara et de larmes. Recouverte d'une courtepointe, elle porte les mêmes vêtements que la veille.

Sa bouche est pâteuse ; sa peau, huileuse ; son crâne, douloureux. Du coup, se remémorant le spectacle déshonorant qu'elle a offert, elle ramène le jeté sur sa tête pour tenter de faire oublier son existence au monde entier. En vain. Quelqu'un lui tapote le pied droit.

– Annie, chérie.

– Oumph.

– Je t'ai apporté un café.

Annie repousse la couverture pour s'asseoir. Le sofa de cuir est très design, mais côté confort pour une nuit, ça laisse à désirer. Le salon, doté d'immenses fenêtres, donne sur un terrain boisé. Jeannette possède la maison parfaite, l'homme parfait, la vie parfaite !

– Merci. Tu sais, si tu veux faire comme si tu ne me connaissais pas, je ne t'en tiendrai pas rigueur.

Jeannette lui lance un clin d'œil complice.

– Une fête n'est pas complète sans une scène dramatique.

– Aaaaaaargh, j'ai un mal de tête atroce !

Annie avale quelques gorgées de café chaud, tentant de rassembler ses souvenirs. Max l'a prise dans ses bras, l'a consolée. En retour, elle lui a gâché sa soirée et sûrement taché sa belle chemise blanche. Elle se sent tellement *cheap*. Jeannette réapparaît avec deux cachets d'acétaminophène.

– Je me suis endormie dans ses bras ?

– Il ne t'a pas lâchée jusqu'à ce que tu dormes.

– Comme c'est romantique, lance-t-elle, sarcastique.

– Eh bien oui, moi j'ai trouvé que ça l'était ! proteste Jeannette.

– Ne me donne pas de faux espoirs. J'ai déjà assez de mal à ne pas en inventer. Même si tu essaies de me le cacher, je sais qu'il était avec cette Bernise quand j'ai fait ma crise.

– Elle a pris un taxi.

– Elle est belle.

– Bernise ?

– Oui. Sophie aussi, la fille du bureau. Elles se ressemblent un peu, tu ne trouves pas ?

Jeannette sourit, heureuse que son amie soit capable de changer de sujet.

– J'avais cru remarquer la même chose.

– Tu sais que Sophie est arrivée ici avec Philippe ?

– Pas vrai !

– Selon Maïté, c'est louche.

– Maïté a déterré la hache de guerre, il paraîtrait que Sophie lui a piqué son poste. Elle va chercher à la prendre en défaut pour n'importe quoi, c'est certain. Sophie est mignonne, mais aux antipodes du genre de femme qui plaît à Philippe Grondin !

– T'as raison. Comme si Philippe pouvait même imaginer avoir une liaison avec l'adjointe ! Tellement cliché !

Les deux amies éclatent de rire.

Après un court silence, Jeannette se tape le front.

– Hé, avec tout ça, j'ai oublié de te présenter Julia, depuis le temps que je t'en parle. Elle était là, j'avais si hâte que vous vous rencontriez. Je ne sais pas ce que je ferais sans elle au bureau! As-tu vu une fille qui ressemble à Jennifer Lopez?

– Non, la seule qui aurait pu ressembler à Jennifer Lopez hier, c'était la maîtresse de Tom Turner, et j'ai refusé qu'il me la présente! Je suis trop en colère à cause de Chantal! Un peu de soutien entre nous! Même si on ne se fréquente plus... Chantal a toujours été correcte avec moi.

Jeannette, qui n'est pas étrangère à la relation Tom-Julia puisque c'est elle qui les a présentés fortuitement quelques mois auparavant, change rapidement de sujet.

🍒 🍒 🍒

Cavalier34 et Max Grondin ne forment qu'une seule et même personne! La question ultime est: l'a-t-il ou non entrevue au Pub ce soir-là? S'est-il enfui après un seul regard sur elle? S'il était là, s'il l'a évitée, il fera celui qui ne la reconnaît pas, c'est clair. Dans le cas contraire, s'il ne s'est jamais présenté au rendez-vous, qu'il ne l'a jamais vue, la reconnaîtra-t-il? Et s'il la reconnaît... comment réagira-t-il? Ce ping-pong de questions, Sophie se le refait cent fois.

Pour ces raisons atrocement angoissantes, elle anticipe son retour au bureau le lundi suivant. Il faut qu'elle se calme, surtout, il est dans son intérêt de se taire, et ce, quel que soit le scénario!

De plus, comment expliquer à son patron qu'elle passe ses temps libres à séduire les hommes sur Internet? Il verrait très vite qu'elle ne colle pas au personnage qu'elle lui a présenté. De plus, il lui a fait plusieurs confidences au fil de leurs conversations. Sa lassitude des femmes de son standing, trop faciles, trop voraces, trop superficielles, son besoin de rencontrer quelqu'un de vrai qui saurait l'émouvoir, le surprendre. Il lui a même confié à quel point le deuil de Philippe, sa détresse profonde à la perte de sa femme, l'a profondément changé, remettant ses valeurs à la bonne place. Cavalier34, alias Max Grondin, a tout d'un coureur de jupons, mais Sophie possède suffisamment d'indices pour être certaine qu'il en va tout autrement. Elle désire s'en approcher, elle est intriguée, attirée... Comment ne pas l'être ?

Oui, elle en sait beaucoup trop, et lui aussi. Personne de son entourage ne connaît son côté sombre, cette Coraline qu'elle a inventée. Pourtant, la vérité sur son malheur a été très clairement énoncée. Maxime Grondin, malgré lui, la connaît mieux que quiconque. Même Guillaume, son meilleur ami, ne sait pas autant de détails.

Le téléphone sonne, c'est justement Guillaume au bout du fil.

– Comme ça, tu travailles pour le mystérieux ténébreux d'Internet !

Depuis la veille, il ne cesse de le lui rappeler. Au bord de la piscine, dans le taxi, puis, ce matin, sur Skype. Sur son iPhone, il voit le visage anxieux de Sophie. Ses sourcils déjà naturellement arqués sont haussés par l'inquiétude, il peut distinguer de fins plis sur son front soucieux.

– Ne m'en parle pas ! J'essaie de retrouver les messages qu'on s'est envoyés, j'ai écrit tellement de conneries, si tu savais. Des confidences aussi. Des choses qu'on ne dirait JAMAIS à son patron !

– Je suis si content de t'avoir pour amie, Sophie, dit-il, malicieux.

Comme si elle était méfiante, elle referme à demi les paupières, formant une moue de ses lèvres pulpeuses.

– Ah oui ? Pourquoi donc, aujourd'hui ?

– Tu mets de la couleur dans ma vie. Tes histoires sont toujours intéressantes, rocambolesques... Encore hier, je suis arrivé juste à temps pour le constater.

– Ma vie n'est pas ta pièce de théâtre personnelle ! Je suis stressée, Guillaume, ce n'est pas drôle. Te rends-tu compte de l'humiliation que je vais subir s'il m'a vue et que je ne lui ai pas plu ? Ce sera horrible...

– Tu te montes un scénario ridicule. Il ne peut pas t'avoir vue et s'être enfui, Soph, c'est juste pas possible. Moi, je veux savoir ce que tu vas lui dire demain.

– Je ne lui dirai rien ! Je vais me cacher sous le bureau !

– Je suis déçu. Tu pourrais lui glisser l'impression de sa photo. Tu peux dessiner des cœurs…

– Arrête de dire des bêtises. Tu fais quoi, aujourd'hui ?

– De l'escalade, répond Guillaume. Viens avec moi ! Je te jure que je ne te laisserai pas te faire mal comme la dernière fois.

– Il faut que tu passes me prendre, ma voiture est encore au garage. On mangera en chemin.

Chapitre 11
Docteur… Quel docteur ?

Le lundi matin, Sophie hisse ses béquilles dans l'autobus. Une grimace pour monter, hop, on s'accroche. Belle idée de se fouler le pied droit. Elle ne peut pas conduire, même si Mario et Serge sont passés pour lui rapporter sa voiture réparée. Pas question de s'absenter pour un petit bobo. Par-dessus tout, même si elle a peur, elle ne pourra pas dormir tranquille tant qu'elle n'aura pas vu Max Grondin de près. Elle braverait vents et marées pour se rendre au bureau, s'il le fallait.

Elle se dandine sur ses béquilles pendant quelques secondes. Rapidement, un passager avenant lui offre son siège. À peine l'a-t-elle remercié de sa galanterie qu'elle remarque que son voisin empeste le parfum bon marché.

Inconscient ou simplement désintéressé, le jeune homme est installé, les jambes écartées, si bien qu'elle doit se faire toute petite pour prendre son espace sans le toucher. Celui qui lui a donné sa place lui adresse un clin d'œil complice en haussant les épaules.

– Je suis désolé.

– Ça va, je vous remercie ! C'est déjà bien d'être assise.

Lorsque le chauffeur freine brusquement, Sophie se voit projetée contre son voisin malodorant. Un peu sonnée par le coup, elle se dégage hâtivement.

Elle est en sueur lorsqu'elle atteint enfin le bureau. Ses aisselles la font souffrir, de même que son pied dans lequel elle sent battre son pouls. Quand elle franchit la porte, Denise la regarde avec curiosité.

– Faites-la asseoir, Denise, s'il vous plaît.

Philippe est dans le couloir avec une pile de dossiers dans les mains.

– J'arrive, Sophie.

Denise, l'orgueil piqué, se lève d'un bond pour aider Sophie à avancer à cloche-pied vers le fauteuil le plus près.

– Ce n'est qu'une vilaine foulure, proteste Sophie. Il n'y a pas de quoi fouetter un chat.

Philippe apparaît près d'elle en quelques secondes. Elle retient son souffle lorsqu'il tire une chaise pour s'y asseoir. Délicatement, il saisit sa jambe.

– Je peux regarder ?

Sophie hoche la tête en pinçant les lèvres.

– Ce n'est pas très joli, je t'avertis.

Il défait sans hésiter le bandage élastique. Elle est surprise qu'il ne lui ait pas fait mal. Ses doigts sont chauds et doux sur son pied. *Chauds et doux. Arrête Sophie.* Elle est trop facile à émouvoir, d'abord Max, puis Philippe qui la prend au dépourvu. Quelle bonne étoile veille donc sur elle pour qu'elle se soit retrouvée ainsi auprès de ces trois frères si sensibles aux autres ? Même s'il semble être plus réservé qu'elle-même, voire sombre et maussade, Philippe dégage une douceur peu commune pour un homme qui présente de prime abord une implacable fermeté.

– Qu'est-ce que le docteur a dit ? demande-t-il.

Elle ouvre la bouche pour répondre, mais la referme aussitôt, embarrassée.

– Sophie, tu as vu un médecin, non ?

– C'est seulement foulé, ce n'est pas la première fois que ça m'arrive.

Piteuse, elle se prend la tête. Aller consulter ne lui a même pas traversé l'esprit. Elle s'est contentée d'emmailloter sa cheville. Philippe, impassible, se tourne vers Denise qui n'a pas manqué une seconde de l'intervention.

– Denise, pouvez-vous aller chercher l'ordinateur de Sophie, s'il vous plaît ?

– Mais pourquoi ? demande Sophie, médusée.

– Parce qu'on s'en va à l'hôpital, ton pied n'est pas foulé, il est cassé. Si tu tiens tant que ça à travailler, tu vas le faire de ton salon, la jambe dans le plâtre !

– Voyons, tu t'en fais pour rien ! Comment en es-tu si sûr ?

Il fait pivoter sa cheville, lui montrant la ligne bleutée qui s'est formée au cours des dernières heures.

– Tu vois comme c'est bleu ici ? Ton pied est très enflé. Bientôt, tu auras une sensation de brûlure atroce dès que ta jambe ne sera pas surélevée.

Sophie est convaincue qu'il exagère. D'ailleurs, elle est davantage déçue de ne pas voir Cavalier34 que craintive de la souffrance qu'elle doit anticiper. Même si elle est dépitée, elle saisit une à une ses béquilles, se donnant un élan pour se relever. Dès que son pied touche le sol, une grimace de douleur s'ensuit.

– As-tu besoin d'aide ?

– Non, ça va, j'arrive. Laisse-moi juste une minute.

Philippe soupire avant de lui arracher ses béquilles pour les tendre à Denise.

– Hé, j'en ai bes…

Avant qu'elle ne puisse terminer sa phrase, elle est déjà dans ses bras. Les courtes secondes durant lesquelles sa joue frôle la chemise de Philippe, Sophie cesse de respirer. Elle a tout juste le temps de voir de près la ligne de sa mâchoire, il ne grimace même pas sous son poids.

Il ne la pose au sol que pour ouvrir la portière, l'aidant à monter. Denise suit avec le portable et les béquilles.

– C'est arrivé comment ? demande-t-il en fixant la route.

– J'ai fait de l'escalade hier.

D'un geste automatique, il baisse le volume de la musique.

– Seule ?

Sophie le toise, incertaine de son intérêt sur sa petite vie.

– Non, avec Guillaume…

Elle l'observe encore de biais, de plus en plus mal à l'aise. Alors qu'il garde les yeux sur la route, il semble vraiment tenter de comprendre son histoire. Pourquoi cela l'intéresserait-il tout à coup ? Philippe Grondin ne pose jamais de questions, il fait ce qu'il a à faire, il salue les employés chaque matin et chaque soir tout en se mêlant de ses affaires. Les phrases les plus longues qu'il lui a adressées depuis son embauche se résument à « merci Sophie, tu peux fermer derrière toi ».

– Et Guillaume ne t'a pas emmenée à la clinique ?

– C'est chez moi…, en descendant d'une chaise.

– Tu étais montée sur une chaise ?

Décidément…, elle ne se sortira pas des détails humiliants !

– Oui, pour aller chercher un vase, dans le haut de mon armoire.

N'importe qui rirait, Philippe reste de marbre, continuant son interrogatoire.

– Rien à voir avec l'escalade, alors ?

– Non, un banal incident en déposant le pied au sol. Ajouter l'escalade dans mon histoire la rendait plus spectaculaire, mais ça s'est produit après. J'espérais que tu ne poserais pas de question supplémentaire…

– Comment as-tu obtenu ces béquilles ? la coupe-t-il.

Comment expliquer qu'elle n'en est pas à sa première maladresse lourde de conséquences sans avoir l'air d'une parfaite idiote ?

– J'avais conservé la paire de mon dernier accident, murmure-t-elle, embarrassée.

Lorsque la voiture s'immobilise enfin dans le stationnement, Sophie tend le bras vers la banquette arrière, là où ses béquilles ont été déposées.

– Qu'est-ce que tu fais ?

– Tu peux me donner mes béquilles, s'il te plaît ? Je n'arrive pas à les atteindre.

– Je te les rendrai chez toi. Ils offrent des fauteuils roulants à l'entrée.

Après avoir fait le tour du véhicule, il ouvre sa portière, lui tendant la main.

– Allez ! Si je te porte, c'est moins compliqué.

Dans la salle d'attente, il lui prend sa carte-soleil, puis s'occupe de l'admission. Il lui annonce sans surprise qu'ils ont de longues heures d'attente devant eux.

– Tu sais, tu peux aller au bureau. Je prendrai un taxi pour retourner à la maison. Si tu me laisses mon ordinateur et mes béquilles, je pourrai…

– Non. Je reste.

– Mais Philippe, je t'assure que je peux attendre seule.

Comme il ne répond pas, Sophie en déduit rapidement qu'il est ennuyé par son comportement. Elle aurait dû se présenter à la clinique la veille. Ne pas y être allée est puéril, elle voit bien que son pied est mal en point. Elle a tellement donné d'importance à la découverte de l'identité de Cavalier34 qu'elle en a perdu toute perspective.

Les minutes, puis les heures passent. Sophie sent son sang descendre dans son pied, il s'engourdit, pire, il brûle, exactement comme Philippe l'a prédit. Les foutus sièges sont munis de bras de bois, impossible d'en occuper deux ou trois pour étendre sa jambe à l'horizontale. De toute façon, la salle est bondée.

– Sophie, tu es pâle, est-ce que ça va ?

– Je ne sens presque plus mon pied… On dirait que tout mon sang s'accumule là.

Sans attendre, Philippe demande poliment à la dame assise de biais de bien vouloir changer de place avec lui. La femme, charmée d'office par la délicatesse de ses paroles ainsi que par sa belle gueule, se trouve très heureuse d'avoir l'honneur de l'aider.

– Ne bouge pas, laisse-moi faire.

Il place doucement le pied de Sophie sur son genou.

– Comme ça, tu es mieux?

– Oui... mais nous bloquons le passage.

– Ne vous en faites pas avec ça, mademoiselle, dit un sexagénaire au teint jaunâtre, on fera le tour. C'est si rare de voir autant d'amour dans les couples d'aujourd'hui, vous nous faites du bien!

– Bien vrai! renchérit une dame à la chevelure grisonnante. Moi, si dans mon jeune temps j'avais eu un cavalier comme celui-là, je l'aurais vite marié au lieu de demeurer vieille fille.

– Tu avais Arthur! proteste une autre retraitée qui lui ressemble suffisamment pour être sa sœur. Il était gentil, Arthur! Mais, noooon... il fallait que tu le laisses épouser cette idiote d'Annette Dubois.

– Arthur buvait trop de bière. Je te l'ai toujours dit. Et puis, il était trop petit. Pas comme ce beau grand jeune homme-là! ajouta-t-elle en pointant Philippe du menton. Vous buvez de la bière, vous, monsieur?

– Pas trop souvent, non, sourit Philippe en jetant un coup d'œil amusé à Sophie.

Les deux femmes relatent le cas d'Arthur de longues minutes. Sophie écoute avec plaisir leurs tirades sur des histoires issues directement des années 60, jusqu'à ce qu'une infirmière annonce finalement son nom par le haut-parleur. Philippe, de son côté, profite de l'instant présent comme d'une trêve, sa main toute proche de la cheville qu'il aurait volontiers effleurée accidentellement.

– Tu as descendu cet escalier? s'exclame Philippe lorsqu'il se retrouve au bas des nombreuses marches extérieures en colimaçon de l'immeuble de Pointe-Saint-Charles.

– Je peux me débrouiller.

Secouant la tête sans cacher sa désapprobation, il la soulève encore d'un mouvement assuré. Ainsi portée, Sophie monte au troisième étage deux fois plus vite qu'elle en était descendue quelques heures auparavant.

– Merci, Philippe, vraiment. Tu as été bien patient, et aussi galant qu'Arthur paraît-il, ajoute-t-elle avec un sourire entendu.

– Paraît-il!

– Merci d'avoir joué le jeu. Ç'aurait été dommage de les contrarier.

Philippe s'apprête à sourire, à dire que. malgré tout, il a passé un bel après-midi, lorsque son cellulaire sonne.

– Tu as tout ce qu'il te faut?

– Oui, bien sûr.

D'un bref signe de tête pour la saluer, Philippe quitte Sophie, levant contre son oreille l'appareil qui lui transmet la voix paniquée de Sylvain qui a passé la journée à chercher Sophie.

🍒 🍒 🍒

Prenant place derrière son volant, Philippe se force à songer au lendemain infernal qui l'attend. Des heures perdues pour que Sophie ne boite pas le reste de sa vie à cause de son inconscience!

Lorsqu'il a vu l'enflure du pied et ses grands yeux de biche surpris d'apprendre qu'elle aurait dû consulter, il aurait étranglé ce cou menu pour son idiotie. Elle veut prouver quoi, en agissant ainsi? Qu'elle n'a aucune considération pour elle-même?

Il a blasphémé dans sa tête presque toute la journée. Cette fille est un paquet de troubles. Elle a cabossé sa voiture. Pour elle, il est allé à la soirée de Sylvain, alors qu'il a des affaires urgentes à régler, puis, aujourd'hui, ces heures perdues à l'hôpital!

Il échappe un rire cynique. Ne s'est-il pas soudain senti plus vivant au simple contact de sa jambe sur la sienne, à son sourire aimable aux personnes âgées qui n'ont désormais plus de public à qui raconter leurs vieilles histoires ? N'est-ce pas lui qui a saisi chaque occasion pour la transporter dans ses bras ?

C'était plus expéditif que de la laisser marcher, se convainc-t-il.

Et puis, ces fameuses attentions que les vieillards ont qualifiées d'« amour rare » n'étaient rien d'autre que la base du savoir-vivre et de l'altruisme. En homme bien élevé, il n'a pas eu le choix. Pauvres vieux, il n'aurait jamais eu le cœur de les décevoir.

Chapitre 12
Un de perdu, dix chocolats de retrouvés !

Le mardi soir, affublée de sa robe de chambre et de ses pantoufles en peluche, Annie tourne en rond dans son salon. Depuis son réveil difficile chez Jeannette, elle ne se sent toujours pas libérée du poids qui pèse sur son cœur. La douleur d'avoir perdu Max perdure. La guérison sera longue, elle commence à le comprendre. La différence, désormais, gît dans le fait qu'elle a perdu cet espoir qu'elle alimentait depuis des mois. Max, Max, Max!... inoubliable amant. Elle le connaît depuis l'adolescence; depuis des années, elle rêvait de lui! Lorsqu'il avait enfin compris qu'elle existait autrement qu'en tant qu'amie de sa belle-sœur, elle avait cru que la fin heureuse était possible. Comment l'enlever de sa tête, le retirer de son cœur? Il lui faudrait une lobotomie ou l'ablation de la mémoire!

Ce soir, cependant, Annie doit centrer son attention sur autre chose que sa propre peine. Jeannette l'a appelée en pleurs, pour lui demander de l'héberger pour quelques jours. Elle n'a pas eu le temps de savoir ce qui s'était passé, et ça l'inquiète.

Lorsqu'elle frappe à sa porte, Jeannette est blême, cernée, et ses yeux sont rouges. Annie prend sa valise pour la déposer dans l'entrée. Elle enlace son amie, la serrant contre elle.

– Viens, on va s'installer dans le salon, j'ai préparé du thé. Je vais te mettre plein de sucre dedans.

– Oui, du sucre.

– J'ai du chocolat.

– Oui, s'il te plaît, répond Jeannette en reniflant.

Annie comprend rapidement que l'heure est grave. Jamais elle n'aurait accepté de gober autant de calories si la situation n'était pas dramatique. Une fois vautrée confortablement dans le divan moelleux de la jeune ingénieure, Jeannette peut révéler la raison de son supplice.

– Sylvain est amoureux d'une autre.

Annie cligne les paupières, rentrant le menton dans son cou, incrédule.

– Non, impossible, votre vie est parfaite, vous allez faire des bébés !

– Il ne veut plus d'enfant avec moi, il me l'a avoué hier soir. Son cœur est ailleurs.

– Jeannette, je suis médusée, choquée, peinée, et surprise de n'avoir rien vu venir. Tu semblais tellement heureuse.

– Je me faisais du théâtre, je croyais me berner pour ainsi leurrer les autres. Tu y as cru ?

Annie lui tend un mouchoir, la considérant un long moment. Elle ravale sa salive.

– Depuis quand nous joues-tu la comédie ?

Jeannette ne la regarde pas, visiblement honteuse d'avoir caché ce qu'elle a sur le cœur.

– Depuis le printemps dernier, finit-elle par murmurer. Bah, depuis des années ! ajoute-t-elle.

– Oh, ma pauvre petite chérie ! C'est épouvantable ! Il t'a dit qui était sa nouvelle flamme ?

Jeannette émet un rire jaune, repoussant la question d'un geste de la main très éloquent.

– Il a refusé, tu sais bien !

– Écoute, je ne sais pas quoi te dire, je suis sous le choc. On le saura tôt ou tard. Pour l'instant, tu peux rester ici aussi longtemps que tu veux. On fera comme au bon vieux temps.

🍒🍒🍒

Ce même mardi soir, Sophie et Guillaume entament à peine leur repas lorsque Sylvain sonne.

Guillaume s'empresse d'aller répondre, remontant au troisième avec le visiteur. Avant que Sophie ne puisse voir de qui il s'agit, Guillaume lui jette un regard lourd de sous-entendus. Il laisse passer Sylvain devant lui en haussant les épaules, les yeux écarquillés.

– Bonsoir, Sylvain ! dit-elle, surprise de le voir à sa porte à une heure aussi tardive. Est-ce qu'il y a une urgence au bureau ?

Il semble un peu agité, son flot de paroles est très rapide.

– Euh ! Non, tout va bien. Je suis venu te porter des dossiers pour demain. Il y a des dépenses louches, j'aimerais que tu y jettes un coup d'œil. J'en ai profité pour voir comment allait la blessée.

– Donne, intervient Guillaume en prenant les enveloppes plastifiées des mains de Sylvain.

– Ça va mieux, maintenant. Je me suis cassé le pied, dimanche.

– Philippe m'a dit que tu étais entrée au bureau lundi matin, c'était de la folie, Sophie. Il n'était pas content !

– Oh ! Il t'a dit qu'il était fâché ?

– Pas en termes clairs, mais il était particulièrement de mauvaise humeur en arrivant au bureau.

De mauvaise humeur. Cette nouvelle attriste Sophie beaucoup plus qu'elle ne l'aurait voulu.

– Ton frère m'a emmenée à l'hôpital, il a gâché sa journée pour ça. C'est sans doute ce qui le rend marabout.

– Il a patienté avec toi à l'urgence ? demande Sylvain, médusé.

– Oui, il a même été très serviable.

Guillaume revient s'asseoir à la table.

– On déguste ma super lasagne ce soir, tu as soupé, Sylvain ? Il en reste des tonnes.

– Non, non, je vais rentrer.

Sophie se joint à Guillaume pour réitérer l'invitation.

– Reste donc, Sylvain. Guillaume est un bon *cook*. À moins que tu sois attendu ?

Sylvain fait mine d'hésiter. Ses mots disent « non », pourtant, ses pieds demeurent collés au plancher. Finalement, Sylvain soupire.

– Non, Jeannette est sortie. C'est d'accord.

Une journée complète passée à ne rien faire d'édifiant a quelque chose de réconfortant pour Annie et Jeannette. Traverser un mercredi entier en pyjama faisait, jusqu'à ce jour, partie de l'ordre du mythe. Annie a dû laisser de côté une boîte de courriels pleine à craquer. En tant que chef de projet, toute la responsabilité retombera sur ses frêles épaules si son équipe n'atteint pas ses objectifs. Mais bon, n'importe quoi pour son amie.

– Attention, Jeannette, ça dégouline.

– Oups ! Tu as du dissolvant ?

Annie se lève, les mains en l'air, de crainte d'abîmer le vernis à ongles rouge vif que Jeannette vient de lui appliquer.

La jeune ingénieure observe Jeannette se concentrer sur le coton-tige pour enlever la petite tache de rouge sur le côté de son index. Son amie flanchera bientôt, c'est une question d'heures, tout au plus une question de semaines. Il est ironique que le malheur soit si thérapeutique pour elle. Jamais elle n'aurait cru que l'adage *la misère aime la compagnie* s'appliquerait un jour à son propre cas. Cela sonne tellement mesquin !

Alors qu'elle saisit cette occasion pour stopper le roulement frénétique de sa vie afin de s'attarder à réconforter Jeannette, Annie se rend compte qu'elle prend soin d'elle-même, chose qu'elle n'a pas fait depuis des années. Elle s'est laissé emporter par son travail; elle a accepté un poste important, se promettant ainsi de n'avoir aucun moment pour penser.

Annie soupire. *Ah et puis zut!* Toute la vie ne tourne pas autour d'elle. SA peine d'amour, SON mal à l'âme, SA solitude! Voilà des mois que ses amies ne font que ça, lui consacrer toute leur attention, s'assurer qu'elle ne pleure pas trop, qu'elle ne tombe pas de trop haut. Non, cette fois, c'est à son tour. Jeannette aura le meilleur d'elle-même, sans complaisance.

– Jeannette.

– Oui?

– Je vais m'occuper de toi, tu verras, tout ira bien. On aurait tellement dû faire ça avant, sans attendre que le malheur nous réunisse.

– Je pensais exactement la même chose, Annie chérie, exactement la même chose…

Chapitre 13

On n'a plus les grands frères qu'on avait !

– Ici, l'agneau est le plus tendre qui soit.

C'est leur second repas en tête-à-tête. Celui-ci est mieux préparé que le fiasco organisé par Julia, plusieurs semaines auparavant. Cette fois-ci, en homme averti, Max a téléphoné à Bernise pour l'inviter officiellement. Touchée, elle a accepté poliment. Toutefois, malgré son calme apparent, voire sa quasi-indifférence, elle a crié comme une adolescente dès que le combiné a été reposé sur son socle.

Dans la carte des vins, Max choisit un Ségla Margaux 2001, dont Bernise n'ose pas imaginer le prix, surtout après avoir remarqué le sourire satisfait du serveur. D'ailleurs, depuis la première seconde de la soirée, elle n'a rien fait d'autre que de se laisser planer.

– Je suis désolé pour l'incident.

Bernise est heureuse qu'il aborde le sujet en premier. La question la hante depuis ce soir-là, alors qu'elle avait rapidement sauté dans un taxi dès qu'il s'était porté au secours de la blonde éplorée. La nuit suivante fut mauvaise, le dimanche, horrible…

– C'était ton ex ? demande-t-elle comme si ce n'était pas l'évidence même.

– Oui. Annie est une superbe fille… euh… *femme*, mais nous n'avons rien en commun. Je la connais depuis toujours. Je jonglais avec beaucoup de choses en même temps quand j'ai commencé à la fréquenter. L'entreprise, ma mère qui vivait des jours difficiles, mon frère qui ne se remettait pas d'avoir perdu sa femme et qui avait besoin d'aide avec sa fille.

– Sylvain a perdu sa femme ? demande-t-elle, incrédule.

– Non, Philippe. Un cancer qui a traîné en longueur, un calvaire pénible qui s'est terminé il y a deux ans.

– Oh ! C'est terrible ! murmure-t-elle, horrifiée.

Max semble tout à coup accablé de tristesse. Il relève les yeux vers Bernise avec un faible sourire, puis continue son histoire.

– Bref, Philippe aimait énormément Caroline. Depuis, il travaille et s'occupe de Dorothée. Je la prends encore parfois le week-end. Je l'ai d'ailleurs emmenée en France pour rencontrer ses grands-parents. J'ai voulu laisser un peu d'air à Philippe.

C'est donc ça que tu fabriquais en France !

Bernise sent les larmes monter à ses paupières. Max se fait un devoir de sourire pour alléger l'atmosphère.

– C'est fini maintenant. Je crois qu'il commence à s'en remettre. Tranquillement. La marche sera haute pour celle qui voudra remplacer Caroline. C'était une sacrée bonne femme.

– Je lui souhaite. Personne ne devrait avoir à passer par là. Quel est le rapport avec Annie, alors ?

– J'en avais trop sur le dos. Je l'avais avertie dès le début que je n'étais pas prêt, ni capable de m'engager. Elle ne m'a pas pris au sérieux, alors j'ai fini par rompre pour de bon.

– Et maintenant ?

– J'ai la tête ailleurs.

Bernise soutient son regard rempli de sous-entendus. Pour la première fois, elle y discerne son attirance pour elle, son ouverture à lui laisser le chemin libre. Elle sent qu'elle a le loisir d'avancer dans l'univers de Max, si elle le souhaite.

Un long silence s'installe. Sans malaise, un instant de magie.

– Je sais que tu es craintive, Bernise, dit-il d'une voix rauque. Je ne suis pas fait d'acier, j'ai aussi mes appréhensions. Après tout, nous sommes des étrangers.

Il rit doucement.

– Et après ce que tu as vu l'autre soir, je parle de la crise d'Annie, tu aurais toutes les raisons de te méfier de moi !

Il approche sa main de la sienne, juste assez pour qu'elle sente la chaleur de sa peau. Visiblement, il demeure sur la réserve, de peur de l'effaroucher.

– Ce que j'essaie de te dire, Bernise, c'est que ma seule crainte, celle qui me tord le cœur chaque fois que je pose les yeux sur toi, c'est que tu croies que je ne suis pas sérieux.

Le mercredi soir, une discussion vidéo animée se déroule sur Skype entre Guillaume et Sophie depuis plus d'une heure.

– Sylvain te veut, arrête de faire comme si tu ne le savais pas !

– Ne dis pas ça ! C'est ce que je crains aussi ! Écoute, si on laisse ça mort, ça va lui passer.

– Ah ! Tu crois qu'en ignorant un problème de ce genre, il va s'éteindre de lui-même ?

– Il le faut, Guillaume. Je ne peux pas me confronter à lui, il n'a rien fait de mal. J'aurais l'air de quoi ? Je vois ça d'ici : « Dis donc, Sylvain, tu tripes sur moi ? »

Guillaume éclate de rire tandis que Sophie aurait donné n'importe quoi pour faire les cent pas autour de sa table de cuisine. Marcher éclaircit toujours ses idées ! Avec son plâtre, c'est chose impossible.

– Attends qu'il le fasse, ça ne saurait tarder. Hé, dis-donc, as-tu remarqué qu'il mange de plus en plus quand il vient ? On dirait qu'il n'a pas de fond ! Il faudra songer à lui charger une « pension alimentaire » !

– Il est un peu intense, oui…

– On dirait un gars sur la coke ! Il parle et parle… Ouf ! Il m'étourdit !

– N'exagère pas… sur la cocaïne, franchement, Guillaume, c'est grave, ce que tu insinues là. C'est vrai qu'il est un peu envahissant… j'ai du mal à le tenir à l'écart.

– Tu veux que je m'en occupe ?

– Non ! Mon Dieu, ne fais surtout pas ça.

– Je dois y aller, le métier m'appelle.

Sophie ferme le logiciel et dépose son ordinateur portable sur la table du salon où elle est installée depuis des jours, la jambe droite allongée sur le divan. Elle passe une main nerveuse dans ses cheveux. *On dirait un gars sur la coke*…, se pourrait-il que Sylvain en consomme ? Non…, voyons ! Comment se sortira-t-elle de cette histoire ?

Tracassée, elle secoue vivement la tête, donnant par ce geste spontané leur liberté à ses boucles brunes qui tombent en une cascade soyeuse autour de son visage. Rapidement, son ordinateur l'attire de nouveau. Une pile de dossiers l'attend sur la table à café. Elle commence par ses courriels.

De la part de Sylvain, elle a reçu une carte virtuelle de prompt rétablissement. Si la situation avait été différente, ç'aurait pu être mignon. Totalement inapproprié, mais gentil. Malheureusement, ça confirme ses doutes. Sylvain s'attache à elle. C'est bien la dernière chose qu'elle souhaite.

Entre quelques demandes de clients, une téléconférence pour le lendemain à 14 h lancée par Maxime Grondin achève de la stresser !

Deux heures moins quatre, Sophie est fin prête. Comme elle est modératrice de l'appel, elle signale soigneusement le numéro sans frais en y ajoutant son code. Lorsque la musique d'ascenseur la garde en attente, elle s'adosse à son divan. Elle n'a pas à patienter longtemps avant d'entendre le bip d'entrée en ligne.

– Bonjour, ici Sophie.

– On est tous là, Sophie, sur le même téléphone, Sylvain, Max, et Philippe, dit la voix enjouée de Sylvain.

Le trac.

– Sophie, ici Max, on m'a dit qu'on s'était croisés chez Sylvain, mais je n'ai pas eu la chance de me présenter.

– Enchantée, Max. Je vous ai entrevu rapidement.

– Sophie, c'est Sylvain. Comment va ta jambe ?

– Pas trop mal.

– Reste à la maison cette semaine, je ne veux pas te voir au bureau, continue-t-il. S'il y a des dossiers, on passera te les porter.

– Je suis vraiment touchée, merci. Tu peux simplement les copier en numérique et me les transmettre…

– Non, je préfère que tu reçoives les originaux. Je pense que c'est tout, dit Sylvain.

Bien sûr… *merde* !

– En passant, j'ai terminé l'entrée des données que tu m'as apportées. Il y a des factures à rejeter, car ils n'ont pas utilisé le bon P.O. et ils ont fait des erreurs dans les frais d'administration. Tanya a dû être trop débordée pour attraper ces détails. Madame Lavigne m'a aussi dit que…

– Mets-nous tout ça dans un courriel, Sophie, dit la voix profonde de Philippe.

Max prend la parole pour diriger la conservation sur un client important qu'ils tentent de gagner à la sueur de leur front, Procter et machin. Ils doivent rapidement répondre à l'appel d'offres, leur vendeur en chef étant en congé prolongé. Max est intervenu.

Fascinée, Sophie ne se lasse pas d'écouter ce ton agréable qu'elle a failli connaître en de toutes autres circonstances. Découvrira-t-il son identité aussi facilement qu'elle l'a fait ? Elle laissera bien Cavalier34 s'en rendre compte par lui-même. En attendant, tant qu'elle reste chez elle, rien d'humiliant ne peut arriver.

Bernise doit se mettre au travail, il est déjà 10 h, elle perd son temps. Un sourire qui fait mal aux muscles tant il est grand anime son visage. Max est parfait. La veille, ils ont échangé sur leurs vies, leurs regards se sont croisés, toutes les notes de la mélodie ont été synchro.

– Bernise…

– Aaaah ! sursaute-t-elle en criant. Tu m'as fait peur, Tom !

– Tu semblais perdue dans tes pensées.

Elle rougit.

– Je parlais à haute voix ?

– Oui, tu parlais à haute voix. J'imagine que ta soirée s'est bien terminée.

– Ça, tu peux le dire. Max est merveilleux.

– Toujours aussi charmant, à ce que je vois, fait-il, sarcastique.

– Tu pètes ma bulle exprès ?

– Laisse faire, je n'ai rien dit.

– Tom ! Dis-moi au moins pourquoi tu en parles comme ça !

– Bon, OK. Seulement parce que tu insistes.

Il s'assit sur la seule chaise libre de la pièce. En soupirant, il saisit la boule antistress qui se trouve sur le bureau de Bernise. Son regard brun, vif et intelligent, se pose sur elle. Avec tout le sérieux du monde, il débite son histoire.

– Max est un bon gars, commence-t-il. Je le connais depuis des années. Il est aussi très populaire auprès des femmes, j'ai rarement vu un pareil phénomène. Je dois avouer que c'était un peu frustrant pour moi, mais il a toujours été comme un frère.

Tom paraît hésiter. Il concentre son attention sur la boule qu'il malaxe vivement, ne sachant trop comment poursuivre.

– Ce que j'essaie de te dire, Bernise, c'est qu'il n'a jamais maintenu de relation durable. Bien qu'il s'entiche facilement, il ne s'attache jamais. Le plus aberrant, c'est qu'il se dit toujours sincère, qu'il craint que la fille ne le prenne pas au sérieux.

Lorsque Tom voit la lèvre inférieure de Bernise trembler, il se félicite d'avoir croisé son ami la veille. Ils étaient dans le bureau de Max, porte fermée, entre deux meetings où les Grondin avaient besoin de son avis juridique. Depuis qu'il sait que Max revoit Bernise, il cherche l'occasion d'avoir une solide discussion avec lui. « Mais pourquoi l'as-tu rappelée ? Je te dis que c'est une mégère ! Je vis avec elle ! Elle est sans cesse sur mon dos ! » Max lui a répondu de se mêler de ses affaires. « Elle va finir par te mener par le bout du nez, je te préviens, c'est une garce. »

Une garce qu'il se mettra bien sous la dent au moment opportun. Il saura lui montrer la « vraie vie », à cette biche effarouchée. Il la fera geindre d'un plaisir inavouable, elle n'aura que faire de Maxime Grondin, une fois qu'il l'aura initiée à son savoir-faire. Oh oui, Bernise-la-princesse-Tousignant n'a encore aucune idée de ce que l'avenir lui réserve ! Tom en salive déjà.

Max s'est levé, lui a servi un regard noir, menaçant. « Là, Turner, tu vas m'écouter. J'ai passé la soirée avec Bernise hier, elle me plaît, je lui ai même fait savoir que j'ai peur qu'elle ne me prenne pas au sérieux. Alors, si tu t'avises de répéter ce que tu viens de me raconter, je mettrai notre vieille amitié au rancart et je tâcherai de trouver un nouvel avocat. Est-ce que c'est clair ? »

Alors que Tom revoit la scène de la veille tel un *flashback*, Bernise regarde ses mains, cachant les larmes qui lui montent aux yeux.

– Je vois...

– Il se trouve que, plus nous vivons sous le même toit, Bernise, plus je me sens protecteur à ton égard.

– Comme ta petite sœur ? le taquine-t-elle.

Il rit en secouant la tête.

– Si tu veux !

– Je te promets de faire attention. Tom, tu n'as pas idée comme la situation est ironique.

– Comment ça ?

– Il n'y a pas si longtemps, j'ai mis beaucoup d'énergie à protéger Julia contre toi.

– Je le sais !

– Je t'ai toujours à l'œil. Tu le sais ça aussi, n'est-ce pas ?

– Ne t'en fais pas pour Julia, c'est une grande fille, assure-t-il.

Bernise le regarde quitter la pièce, le cœur en miettes, reconnaissante malgré tout.

🍒 🍒 🍒

Annie se trouve incapable de se concentrer sur son feuilleton, elle attend impatiemment le retour de Jeannette. Elle zappe trois coups à la seconde pour revenir quatre fois à la première chaîne sans trouver de programme satisfaisant.

Les bruits dans le couloir sont peut-être ceux de Jeannette ?

Elle bondit pour ouvrir la porte.

– Désolée ! J'ai cru que c'était mon amie.

– Ce n'est rien, répond l'inconnu qui cherchait ses clés.

Bien qu'elle connaisse tous les autres copropriétaires de son immeuble, Annie ne l'a jamais croisé.

Il lui envoie un sourire étincelant. Contrairement à la plupart des hommes, il ne la scrute pas de haut en bas. Il doit être gay. Tous les hommes la détaillent des pieds à la tête. Tout le temps.

– Je viens tout juste d'acheter ! répondit-il à son coup d'œil scrutateur.

– Alors, soyez le bienvenu, dit-elle.

Il s'avance vers elle pour lui serrer la main. Elle constate rapidement qu'il est de courte stature, un peu plus petit qu'elle-même. Sa veste de cuir, sa barbe naissante et ses jeans lui donnent un air de rebelle. Ce n'est vraiment pas déplaisant à regarder. Il dépose son sac pour s'approcher.

– Robert Tardif.

– Annie Simard.

– Enchanté, Annie.

Un ange passe. Le duo improvisé demeure immobile, sans un mot. Annie décide soudain de couper court au malaise.

– Bon, je dois rentrer ! Bonne soirée !

Jeannette suit très peu de temps après.

– Pourquoi fermes-tu la porte alors que j'arrive ?

– Ah, te voilà ! J'avais entendu des bruits.

– Pas laid, le monsieur, hein ? lance Jeannette.

– Dis donc, tu te remets vite en selle.

– J'ai vu Sylvain, rassure-toi, tout va bien. Je crois que tout compte fait, je suis un peu soulagée.

– Tu blagues !

– Non, je ne blague pas. Plus les jours passent, plus je pèse les pour et les contre, et plus je suis contente qu'on ait mis une fin à cette mascarade.

– Ce n'était pas une mascarade ! Tu charries.

Jeannette considère son amie, songeuse. Elle a été trop habile, durant tous ses mois, pour cacher leur véritable relation. Le désastre, la tristesse de sa vie avec Sylvain Grondin. En se prenant pour madame Sourire, personne n'a su.

Elle s'assoit près d'Annie, tout à coup sérieuse. Elle fixe le mur devant elle, incapable de rencontrer le regard de son amie. Sa voix s'affermit.

– Tu ne pourrais pas deviner la dernière fois qu'on a fait l'amour avant la rupture.

Annie s'agite, surprise de l'aveu.

– Vous parliez de faire un bébé ! Qu'es-tu en train de me dire là ? Voyons donc !

Les épaules de Jeannette s'affaissent, elle se prend le front du pouce et de l'index, secouant la tête.

– Deux semaines. Et c'était vraiment... poche. C'était pour « essayer » de faire un enfant, évidemment.

Annie porte une main à sa bouche.

– Hé ben ! je suis en bas de ma chaise.

– Et la fois d'avant ? Trois mois. C'était rendu comme ça. Une corvée ! Comme tu peux le constater, c'était terminé avant que ça se termine ! Au fond, je pense que je voulais un petit pour retrouver la magie que j'avais perdue.

– Mon Dieu, c'est terrible.

– Ce n'est pas si pire. Tu vois, maintenant je me sens légère. Il y a le trouble de séparer les biens, mais c'est peu cher payé pour retrouver ma liberté sans douleur ni enfant. Et puis… il y a toujours eu l'ombre de tu-sais-qui dans mon esprit. Il a toujours plané au-dessus de nos têtes malgré son absence.

Annie lui sert un regard intense.

– Étienne Grondin ? Tu ne l'as donc pas oublié ? Après toutes ces années ?

– Shhhh, ne mentionne pas son nom. C'est proscrit !

– Mais…

Jeannette se lève, en proie à une chaleur angoissante au thorax. À la seule évocation de ce nom, elle doit fermer les yeux, les lèvres pincées. Le visage d'Étienne apparaît en flash, jeune, rieur, puis amer, blessé… Elle n'a pas su le retenir ! Voilà des années qu'il est parti, pourtant…

– J'ai dit tais-toi, Annie !

Cette dernière dévisage son amie, constate que sa lèvre inférieure tremble. Vaincue, elle hoche lentement la tête.

– C'est bon, j'ai compris. N'en parlons plus.

Chapitre 14

Les héros, ça s'trompe jamais

Guillaume Landry, le complice gay de Sophie, son âme sœur cosmique, arrive, le mercredi soir à 17 h 30, avec une pizza extra large poulet bacon.

– Tu es fou! On ne mangera jamais tout ça!

Le jeune homme hausse un sourcil. Décidément, soit il est plus vif d'esprit que son amie, soit elle se cache la tête dans le sable.

– Ton patron va se pointer, j'en mettrais ma main au feu. On gage combien?

Sophie soupire avec humeur.

– On ne gage rien, tu as raison.

Guillaume dépose lentement la pizza, sort trois assiettes qu'il glisse sur la table avant de se saisir de trois verres dans l'armoire.

– Écoute, s'il t'énerve vraiment, tu n'as qu'à le lui dire.

Claudiquant avec son plâtre entre le salon et la cuisine, Sophie s'avance pour défaire la boîte. Une étendue de fromage odorant se présente à leurs yeux. Sophie est affamée, aussi salive-t-elle joyeusement devant le festin.

– Non, ça va. C'est seulement que, depuis qu'on a mis le doigt sur cette possibilité, je suis sur mes gardes. Il est gentil, avenant, je l'aime bien, au fond. On pourrait se tromper à son sujet, non?

Elle regarde son ami comme si lui seul avait la réponse à ses interrogations.

– J'ose croire qu'on est dans l'erreur, Guillaume. Sylvain a probablement des problèmes à la maison. Tout ce dont il a besoin, c'est de se changer les idées, de sortir un peu, de voir du monde.

– C'est ça, oui… Tiens, bois ça.

– Je ne peux pas prendre d'alcool avec mes antidouleurs !

Sophie se sent déjà un peu ivre lorsque la sonnette retentit, une heure plus tard. Guillaume, triomphant, court répondre, exhibant une démarche théâtrale.

Exactement tel que prédit, Sylvain entre avec une pile de dossiers à la main. Sans même lui adresser la parole, Guillaume lui tend une pointe de pizza. Sylvain saisit l'assiette, en avale le contenu sans demander son reste.

Sophie, agacée, perd l'appétit.

Le vendredi, Sophie établit le constat que, cette semaine-là, Sylvain a pris l'habitude de venir travailler chez elle sur une base quotidienne. Le soir, lorsque Guillaume arrive pour le souper, le patron envahissant est encore installé sur le sofa. Il ne porte plus attention à ces visites régulières, mais ne manque jamais de faire comprendre à son amie qu'il a eu raison sur toute la ligne. La routine est établie, ils soupent tous les trois, tous les soirs.

De plus en plus tard.

Ce vendredi, Guillaume a loué des classiques en DVD.

– Wow, *Quand Harry rencontre Sally* et *E.T. l'Extraterrestre*. Quelle bonne idée ! Sylvain, tu restes ?

– Non, il y a du hockey, mes frères m'attendent.

– Alors, on se voit lundi !

Une fois la porte refermée, Guillaume dévisage son amie, une étincelle étrange dans la prunelle.

– Tu as invité ton *patron* à regarder NOS films ? Tu cherches le trouble ou quoi ?

Sophie rougit. Guillaume n'a pas tort.

– Euh ! bah… C'était spontané. Il passe tellement de temps ici ! Il ne fait rien de mal, alors j'ai… Oh, tu as raison, c'était stupide de ma part !

– Dis donc, pendant tout ce temps, où est Jeannette, la gentille épouse ?

Prise d'un rire nerveux, Sophie agite ses doigts au-dessus de sa tête, imitant le mouvement de confettis diffusés dans l'air.

– Évaporée…

Guillaume change de mine, ses bras tombent le long de son corps, il est découragé.

– Quoi ? Il n'est plus avec sa femme ?

– En fait, non, il me l'a avoué aujourd'hui.

– Sophie !!!

– Mais on travaille pour de vrai, il y a tant à faire… grâce à Internet, c'est comme si on était au bureau. Il est sérieux, la plupart du temps…

– Sophie, arrête de faire l'autruche.

– Je ne fais pas l'autruche, je l'ai à l'œil, il n'a rien fait de déplacé.

– Sait-il que je suis gay ?

– Oui, ça saute aux yeux.

– Ah oui ? Tant que ça ?

Sophie détaille son ami de haut en bas. Guillaume n'est ni maniéré ni ne soutient un comportement excentrique. Toutefois, ses souliers de marque et ses jeans moulants griffés qui agrémentent son chandail moulant son corps svelte en disent long. Son visage bronzé, ses sourcils légèrement épilés pour les rendre parfaits et ses deux oreilles percées ajoutent à sa physionomie. Sans compter les autres piercings camouflés sous ses vêtements, ou toutes ces fois où il s'exclame qu'un tel est « mangeable »…

– Non, Guillaume, je blague, j'ai dû lui dire, voyons…

– Max a-t-il téléphoné ?

Julia pose cette question chaque soir, dès qu'elle arrive du travail. Ce vendredi ne fait pas exception. Bernise, qui n'arrêtait pas de sourire dès que le prénom de Max était évoqué avant sa discussion avec Tom, a depuis cette minute perdu son enthousiasme.

– Oui, mais je n'étais pas là, je dois le rappeler.

Le visage de Julia s'étire en large sourire, dévoilant la dentition blanche qui lui a coûté une petite fortune. Relevant ses cheveux en un chignon négligé, elle saisit la pince que Bernise lui tend distraitement pour l'insérer dans sa tignasse.

– Hé, tu ne m'as jamais raconté la fin de votre rendez-vous.

– Ah ! Tu me tues, assieds-toi, je te raconte.

Bien que la dernière chose qu'elle ait envie de faire soit de relater les détails de sa soirée avec Max, Bernise se lance, malgré le nœud qui lui serre la gorge. Elle tâche de faire abstraction des propos de Tom. Elle n'est pas prête à en discuter. Elle ne veut rien analyser, encore moins avec la participation non objective de Julia Fiore !

– Max m'a invitée à souper dans un très bon restaurant du Vieux-Port. Il m'a fait goûter à de l'agneau tendre comme tu ne peux pas imaginer. Le vin était extraordinaire, la conversation, intéressante, il m'a raconté des bouts de sa vie. Il m'a parlé de sa famille, de ses frères. Il m'a aussi avoué qu'il avait joué au hockey dans son adolescence, qu'il a fait le même camp junior qu'Alexandre Daigle.

– Je te l'avais dit qu'il était formidable. Tu ne me croyais pas !

Battant ses paumes l'une contre l'autre, Julia attend la suite.

– Il a pris l'addition, nous nous sommes levés pour aller vers la sortie.

– Il a payé, évidemment ! Sa main était où, lorsque vous avez marché ?

Bernise esquisse un faible sourire.

– Attachée après son bras.

– Bernise ! s'écrie Julia en fronçant les sourcils d'impatience.

– Sa main était au bas de mon dos, sans appliquer de pression, juste assez pour me faire frissonner des pieds à la tête.

Se remémorer chaque étape de leur soirée devient pour Bernise une épreuve. Plus elle parle, plus l'angoisse lui serre la gorge, fait trembler ses mains... Des jours ont passé depuis cette soirée, elle est toujours aussi marquée.

– Je le savais ! Ensuite ?

– Ensuite, nous sommes allés vers la voiture, murmure-t-elle.

– Et ?

Bernise inspire lentement, profondément, les larmes ne gagneront pas !

– Il a ouvert ma portière, en vrai gentleman.

– Et ?

– Il a pris ma main droite pour m'aider à monter.

– Et...

– À son contact, je suis devenue un peu molle, j'ai trébuché. Tu sais, le vin.

– Je suis au supplice !

Comme si la magie du moment revenait dans ses tripes, Bernise réussit à terminer son récit avec un faible sourire sur les lèvres.

– Ma main gauche est tombée sur son torse, sans faire exprès bien entendu.

– Bien sûr ! dit Julia, fébrile.

– Il a lancé un gémissement d'impatience.

– Ohhhhhhhh !

– Il a pris mon visage entre ses mains, ses pouces ont effleuré mes lèvres, ses yeux étaient noirs tellement ses pupilles étaient dilatées.

– Wow !

– Puis, il s'est penché et m'a embrassée. D'abord doucement, comme s'il avait peur de m'effrayer, puis son baiser s'est enflammé. On ne m'avait jamais émue de la sorte, même Jean

Sabourin ne lui arrive pas à la cheville. C'était bon, c'était fou, il a une bouche à faire gémir.

– Ne compare plus jamais Max à Jean Sabourin, la gronde Julia, ils ne viennent pas de la même planète ! Là, vous êtes dehors appuyés contre sa Volvo, la portière ouverte, c'est ça ?

– Exact. En plein stationnement payant bondé de monde.

– Ensuite ?

– Il s'est arrêté brusquement, le souffle court. Il avait l'air abasourdi. Il respirait vite et moi aussi, d'ailleurs. Nous sommes finalement montés dans la voiture, il m'a reconduite ici. La fin !

Même si elle avait retrouvé un certain détachement dans les dernières secondes, la voix de Bernise se casse dans un sanglot étouffé. Julia, à l'affût de plus amples détails, n'y voit que du feu. Les larmes que Bernise refoule passent inaperçues.

– Non ! Une scène comme celle-là, ça ne se termine pas comme ça !

Bernise se lève pour n'offrir que son dos à son amie, se servant du bout de sa manche pour tapoter discrètement ses paupières qui enflent.

– Je n'ai pas couché avec lui, si c'est ce que tu veux savoir.

– Je ne pense rien du tout ! J'exige la vraie fin de ton histoire.

Bernise se force pour ne pas sombrer dans l'amertume, alors qu'elle relate à contrecœur ce qui devrait être un doux souvenir.

– Tout le long du trajet, il m'a caressé les doigts en silence. En arrivant, il est descendu de la voiture, m'a ouvert la portière et tendu la main pour m'aider à sortir. Il m'a donné un léger baiser sur les lèvres, m'a effleuré la joue du revers de la main en me soufflant « à plus tard ».

– Wow, wow, et re-wow.

Tout à sa joie, Julia ne peut pas voir les traits crispés de son amie, ni la rivière qui envahira bientôt son regard vert. Finalement, Bernise se retourne, le visage quelque peu couvert de ses mèches brunes.

– Tout s'est passé si vite. J'ai l'impression que c'est trop facile. Il est tellement plus grand que nature, je ne pourrai jamais être à la hauteur.

Julia, toujours inattentive aux larmes naissantes de Bernise, chantonne doucement leur chanson favorite.

*– Mais les héros, c'est pas gratis, ça s'trompe jamais, c't'indépendant. La gloire paye pour les sacrifices, le pouvoir soulage leurs tourments**...

---

* Paul Piché, *L'Escalier*.

Chapitre 15
Les héros, c'est pas gratuit !

Sophie juge que, plâtre ou pas, il est temps de mettre fin à cette routine qui l'entraîne sur une pente dangereuse avec Sylvain Grondin. Il lui faut retourner au travail. Même si elle n'en a pas les moyens, elle appelle un taxi pour remédier au problème de transporter son ordinateur en utilisant ses béquilles. Autant se simplifier la vie, elle en mettra moins sur sa liste d'épicerie, voilà tout !

Elle arrive la première dans les locaux, soulagée que Denise n'y soit pas encore. Toutefois, elle entend des cliquetis de clavier en provenance du bureau de Philippe.

– Bon matin !

Philippe lève la tête, surpris de la voir. Elle ne saurait dire s'il est content ou embêté.

– Bonjour.

Il se redresse pour la débarrasser de ses sacs.

– Comment es-tu venue ?

– Ne t'inquiète pas pour ça, dit-elle en souriant.

– Tu me donneras la note du taxi.

– Il n'en est pas question, je n'étais pas censée me déplacer. J'avais grand besoin de sortir.

Il la fixe, pensif.

– Tu as l'air distrait, Philippe, ça va ?

Comme elle se tient dans le cadre de la porte de son bureau, il lui retire ses béquilles avant de lui approcher une chaise.

– Tu n'aurais pas dû venir. Déjà que tu travailles de la maison, je ne trouve pas ça nécessaire que tu sois ici avec ton plâtre. Les planchers sont souvent mouillés, les gars entrent et sortent... En plus, avec les déplacements compliqués...

– Qu'est-ce que vous avez tous à me materner? Il y a Sylvain qui est venu chez moi tous les jours...

– Quoi? s'étonne-t-il.

Devant l'air ahuri de Philippe, les épaules de Sophie se courbent.

– Euh... oui, il vient pour travailler, mais je crains qu'il ne s'invente des histoires.

– Il devait être sur la route parce qu'on manque de chauffeurs. Enfin, c'est ce qu'il nous racontait.

– Oh... Je suis désolée.

Il s'accote sur son bureau, les bras croisés sur sa poitrine.

– Ce n'est pas ta faute. Il vient tout juste de se séparer de sa femme. Le savais-tu?

Ses yeux bruns la clouent sur place.

– Il me l'a dit vendredi, avoue-t-elle en regardant ailleurs.

– Est-ce la cause de ta présence ici aujourd'hui? Pour mettre fin à ses visites?

– Ça n'a rien à voir.

Il lève un sourcil.

– Vraiment?

– Non. Tu as raison, je ne sais plus comment agir, admet-elle.

– Excuse-moi de te poser une question intime, Sophie, mais tu es célibataire n'est-ce pas?

Elle rougit.

– Bien sûr.

– Tu préfères ne pas mêler tes relations personnelles et professionnelles, c'est pour ça que tu es ici?

– Oui.

– Bien ! C'est exactement mon avis. Viens, je te ramène chez toi. Je veillerai à ce qu'il ne t'embête plus.

Julia commence à s'inquiéter sérieusement. Max a appelé quatre fois, laissant des messages brefs, de plus en plus inquiets : « Bernise, rappelle-moi, s'il te plaît. » Pourtant, la jeune femme ne lève pas le petit doigt.

– Veux-tu bien m'expliquer ce qui s'est passé entre votre baiser langoureux et maintenant ?

Sans quitter son écran des yeux, Bernise soupire.

– Rien..., j'ai été très occupée, c'est tout. Ah, cette foutue souris ! La pile est encore à plat ! rugit-elle en agitant l'objet dans tous les sens.

– Bernise, arrête de me prendre pour une imbécile...

Cherchant son regard, Julia dépose sa main sur celle de sa colocataire, stoppant ses mouvements brusques.

– Tom m'a parlé de lui, souffle-t-elle, et ce qu'il m'a révélé au sujet de Max m'a un peu..., disons, ébranlée.

Julia roule les yeux au ciel, réellement agacée.

– Depuis quand écoutes-tu Tom ? Je te l'ai déjà dit, je l'adore, mon amoureux, mais il est jaloux de Max, il l'a toujours été !

– Tu crois ?

– Ouiiiiiiiiiiiii ! s'écrie Julia, les paume levées vers le ciel.

Trop affectée par la noirceur qu'elle entrevoit chez Max Grondin, Bernise ne partage pas son enthousiasme. Depuis des jours qu'elle a le cœur lourd ; elle ne veut que pleurer.

– Non, Julia, je crains que Tom ait vu juste. Plus j'y pense, plus ça me semble plausible.

Devant l'air grave de son amie, Julia tire une chaise.

– Assieds-toi, Bernise. Raconte-moi tout.

Bernise prend place à la table. Est-ce le besoin urgent de partager ses craintes qui la rend aussi docile ? Très vite, incapable de rester tranquille, elle se relève.

– Je ne t'ai pas tout révélé... Max m'a dit de belles choses. Des mots inoubliables, du genre qui te saisissent le cœur, tu vois ?

– Tu me perds... Je ne comprends pas en quoi c'est un problème.

– Tom me les a répétées *mot à mot*. Les paroles exactes de Max ! « Ma seule peur est que tu ne me croies pas sérieux » l'imite-t-elle d'une voix exagérément grave.

– Comment cela est-il possible ?

– Parce que Max chante la même chanson à toutes les femmes, voilà comment ! C'est exactement ce que Tom m'a laissé entendre d'ailleurs. Il le connaît depuis si longtemps !

Julia se cale contre son dossier, songeuse. Elle a rencontré Max à plusieurs reprises sans jamais avoir eu l'impression qu'il pourrait être du genre à perdre son temps à chanter la pomme aux innocentes. Surtout pas à répéter la même rengaine ! Non, il y a anguille sous roche.

– Rappelle-le quand même, Bernise.

– Julia..., je crois que je ferais mieux de le laisser tout de suite. Je ne suis pas assez forte, je vais tomber dans son piège. Quand il est là, je ne suis plus moi-même. Déjà, tu vois, il me perturbe et je ne le connais même pas ! Non, je dois passer à autre chose, c'est mieux comme ça.

Julia secoue vivement la tête, déterminée à faire entendre son avis.

– Écoute-moi. Je sais que je ne suis pas une référence en matière de relations amoureuses, mais des Maxime Grondin, tu ne vas pas en rencontrer des dizaines dans ta vie. Après lui, c'est fini, tu ne trouveras pas beaucoup de mecs de sa trempe. Si tu ne le saisis pas immédiatement, tu passeras des années à te demander s'il était sincère. Même si c'est vrai, même si Max a une phrase fétiche qu'il a déjà servie à d'autres, qu'est-ce que ça peut bien faire ? Peut-être que, pour lui, tu es différente ! Dans le cas contraire, tu dois lui prouver que tu l'es !

Perplexe et déboussolée, Bernise ferme les yeux. Évidemment, elle désire désespérément s'accrocher aux paroles de son amie.

– Mais…

– Bernise. Arrête de penser au pire, songe plutôt à la belle relation que vous pourriez avoir tous les deux. Ce genre d'homme, ce n'est pas gratuit ! Et puis, Max Grondin n'est pas le bon Dieu. Il a un grand cœur, il est intelligent, charmant, mais c'est aussi un homme. Il a besoin d'aimer, d'être surpris, charmé… Si tu restes passive, si tu te sauves, il sera déçu. Voilà la seule garantie dont tu puisses être certaine.

Chapitre 16
Extreme make-over

En ce deuxième jeudi de septembre, vers 9 h, Sylvain arrive chez Sophie. Elle n'est plus surprise de le voir apparaître de si bonne heure ; il a même pris l'habitude de passer par les escaliers arrière, tel un vieil ami. Comme il est d'agréable compagnie, elle ne se plaint plus de ses visites, s'étant faite à l'idée qu'elle a probablement exagéré la nature de ses intentions. Au contraire, sans lui, sa convalescence lui serait sans doute beaucoup plus pénible.

Comme Guillaume s'est lui-même désigné cuisinier de service, il se pointe tous les soirs vers 17 h avec ce qu'il faut pour préparer le repas. Soit Sylvain est déjà sur les lieux ou il arrive à point pour manger. Et il mange beaucoup ! De toute évidence, sa femme n'est pas revenue, et il refuse avec obstination de se retrouver seul dans son immense maison vide.

De façon générale, Sylvain est un être ouvert, amusant, naïf et coloré. Il a aussi son côté sombre. Sa tendance à se dénigrer est de plus en plus claire. Par ailleurs, il s'excuse beaucoup. D'être là, d'être en retard, de donner beaucoup de travail à Sophie, de ne pas avoir songé à cette facture, à ce client... Souvent, il rit avec nervosité sans raison apparente.

De taille moyenne, il dépasse Sophie de quelques centimètres tout au plus. Son adorable visage un peu rondelet et ses yeux bleus lui donnent un air de comédien. Tout le contraire de son aîné.

Philippe lui, affiche un air fermé, grave, sérieux et distribue ses sourires avec parcimonie. En taille, il dépasse son cadet d'une bonne tête. Bien que les deux hommes aient des airs de famille, le visage de Philippe est plus anguleux, plus carré. Un peu comme celui de Max. Ah! Cavalier34, ce visage de dur à cuire. Non, vraiment, Sylvain semble avoir été catapulté dans la mauvaise famille...

– Bon matin, j'ai apporté des muffins. Triple chocolat, comme tu les aimes.

– Parfait, merci! Tu sais, je pourrai bientôt retourner au bureau.

Sylvain semble contrarié.

– Je croyais qu'on t'enlevait ton plâtre seulement en octobre?

– Oui, mais j'ai fait ajouter un petit talon de plastique, regarde! Je pourrai au moins marcher lentement, même avec mon plâtre.

– Tu peux faire ça?

– Mon pied est bien immobilisé, c'est sans danger.

Le visage de Sylvain n'irradie pas de bonheur. Sophie ne tarde pas à le remarquer.

– Je n'ai pas hâte que tu reviennes au bureau, avoue-t-il.

– Pourquoi? demande-t-elle, même si elle n'est pas surprise.

– Parce que sans la présence de mes frères, je suis plus détendu.

Consciente que c'est le temps ou jamais d'aborder la question, Sophie cherche à orienter la conversation. Lui donnera-t-il l'explication qu'elle attend?

– C'est pour cette raison que tu es toujours ici?

– En quelque sorte, oui, murmure-t-il, un peu gêné.

– Rien à voir avec ta séparation, n'est-ce pas?

– J'ai plus de temps le soir, c'est certain...

Il relève la tête.

– Sophie, tu n'as tout de même pas pensé que je...

Brusquement nerveuse, elle sent un frisson d'angoisse traverser son dos. Elle fait mine de ne pas comprendre.

– Que tu quoi ?

– Enfin, que je voudrais te…, tu sais !

– Hein, quoi ? Oh non ! Vraiment pas ! ment-elle.

– D'accord, car ce n'est pas le cas. Rien de personnel, juste le travail et un peu d'amitié.

– Oui, oui, bien sûr ! Hé ! Hé !

Mille trois cent trente-deux dollars et cinquante-trois cents. Voilà ce que les belles paroles remplies de promesses de Julia coûtent à Bernise lorsqu'elle fait ses premiers pas vers une totale métamorphose. Coiffure, maquillage, vêtements, souliers. Un seul ensemble !

Pour elle, la beauté a toujours été synonyme de simplicité, de santé, de forme physique. Mascara, baume à lèvres, point barre. Pour Julia, dont l'exubérance naturelle passe par les frivolités, la beauté, c'est le glamour, les bijoux en or brillant sur son teint de bronze, les bottes dernier cri moulant ses chevilles délicates, le tailleur fait sur mesure contournant son fessier rebondi, sa taille fine et sa poitrine pleine.

« Sors ta carte de crédit, ma chérie, nous allons faire de toi une femme. » En un seul après-midi, Bernise est transformée.

Elle a tenté de refuser l'aventure, puis, après un profond soupir, elle a fini par se lancer corps et âme dans ce projet un peu fou. Pourquoi ne pas se faire belle, après tout ? Pourquoi broyer du noir alors qu'elle peut plonger la tête la première dans un univers fait de couleurs et de textures soyeuses ? Se laisser transporter par le pur plaisir d'éveiller ses sens, sa féminité, sa jeunesse encore glorieuse ! « Tu n'auras pas vingt-cinq ans toute ta vie ! »

Julia a plus d'un tour dans son sac. Elle sait exactement où aller pour le meilleur de tout. Westmount. *Ouch*. Précisément l'univers que Bernise fuit depuis toujours. Les caniches se baladent à talons hauts, dans ce quartier hors de prix ! Pourtant, aujourd'hui, qu'à cela ne tienne, à Westmount, elle ira. Boutique privée sur rendez-vous, chez une dame reconnue, Mrs Campbell. Dans son sous-sol, c'est là qu'elle tient les marques de designers. Provenance des effectifs ? Un secret. On chuchote *New York*. Contrairement à Julia, Bernise s'en fiche.

Il fait nuit lorsqu'elles reviennent avec les paquets. Épuisées, l'une prend possession du divan, l'autre, du fauteuil. Julia affecte un accent british pour commenter son chef-d'œuvre.

– Ta nouvelle coiffure te va à merveille, *darling*. Pour être honnête, je n'avais jamais vraiment remarqué à quel point tu es magnifique.

Bernise, moins assurée d'avoir fait une bonne chose, se questionne encore.

– C'est beau tout ça, Julia, mais maintenant que j'ai l'air d'une star d'Hollywood, je fais quoi ?

Chapitre 17
La fille qui a vu l'homme qui a vu l'ours

Sophie est à deux doigts de perdre la tête. Son plâtre est devenu un réel boulet autant à son pied que dans sa vie. Elle attend le jour de la libération avec une telle hâte qu'elle a placé un calendrier sur la porte de son réfrigérateur pour cocher les jours.

Elle veut retourner au bureau, marcher, conduire sa voiture, faire ses courses et, plus que tout, elle désire prendre une bonne douche pour sentir l'eau sur son corps.

Comme Guillaume travaille ce soir-là – il est barman dans le quartier gay –, Sophie s'amuse à regarder ce qui se trame sur le Réseau Contact. Les uns après les autres, des visages ordinaires défilent sous ses yeux. Plusieurs avec un verre de vin à la main, d'autres sous un palmier, ou même, dans le reflet du miroir de leur salle de bains. Les candidats qui la déridënt le plus sont ceux accoudés à leur voiture sport. Quelle drôle d'idée pour attirer les femmes ! Sportifs, épicuriens, spirituels, ouverts d'esprit et professionnels se succèdent à l'écran.

Elle croit d'abord faire erreur lorsqu'elle s'arrête sur la photo d'un visage familier. Brun aux yeux bruns, le regard profond avec un sourire ravageur dévoilant de petites dents blanches.

Elle redimensionne l'image pour l'examiner de plus près. Elle clique sur son surnom pour voir sa fiche complète.

Vrai homme très ouvert d'esprit, épicurien, recherchant une relation sans attache, vivant à Montréal, avocat, de taille moyenne, aventureux, fougueux, gourmand de la vie et des femmes.

Sophie grimace, et subitement elle se remémore ce visage particulier aperçu au BBQ de Sylvain ! Cet individu était avec la fille aux cheveux noirs. Comment s'appelle-t-elle ? Julia ?

L'amoureux de Julia est à la recherche d'une maîtresse !

Julia est assise devant la télévision, trop préoccupée pour se concentrer sur un film ou une émission. Avec frénésie, elle fait défiler les chaînes. Tom est sorti et Bernise n'est toujours pas rentrée d'une visite chez ses parents. Elle a envoyé plusieurs messages textes à chacun. Depuis, elle surveille son appareil comme une démente. Au premier signal sonore, elle saute sur ses jambes, il est déjà 21 h 30.

– Je rentre bientôt. B.

Ce samedi soir est le troisième d'affilée sans Tom.

Elle secoue la tête, elle s'inquiète sans doute pour rien, il est avec ses « chums ». Rien de bien mesquin.

Sophie voudrait aller déranger Guillaume à son travail le soir même, tant elle est énervée par ce qu'elle a trouvé sur Internet. N'étant pas mobile du tout, elle rumine son impatience lorsqu'elle constate qu'elle doit attendre au lendemain. Elle lui a déjà laissé trois messages d'urgence. Il la rappelle finalement.

– Quoi ?

– J'ai une urgence, Guillaume. Je ne sais pas quoi faire !

– Est-ce qu'il y a le feu ? Un mort ? Du sang ? C'est dimanche, calvaire !

– Pas encore, mais il y a de la fumée !

Le ton de Guillaume se radoucit, Sophie pourrait presque entendre le sourire que Guillaume esquisse lentement.

– Sophie, arrête de niaiser, il y a de la fumée pour de vrai ?

– Métaphoriquement.

– Pas drôle, j'ai failli raccrocher pour appeler le 911...

– Bah, tu me connais mieux que ça.

– Que se passe-t-il ?

– J'ai reconnu quelqu'un sur le Réseau Contact qui ne devrait VRAIMENT pas s'y retrouver.

– Quelqu'un que je connais ?

– Quelqu'un qui connaît quelqu'un qu'on connaît.

À l'autre bout du fil, Sophie visualise Guillaume qui se plaque une main sur le visage, découragé.

– Sophie..., je n'appelle pas ça une urgence de premier plan.

– Oui, oui, tu sais l'ami de mon patron, l'avocat, celui qui était avec la Péruvienne. Julia ! Il se cherche une maîtresse ! Il a écrit qu'il est *ouvert d'esprit*, t'imagines ?

– Ceux-là sont les pires... Tu vas en parler à Sylvain ?

– C'est ça, ma question ! Est-ce que je le lui dis ou non ? Ce n'est pas vraiment de mes affaires !

– Laisse-moi me lever, prendre une douche et j'arrive. Je veux voir sa photo de mes propres yeux.

– Je peux t'envoyer le lien.

– Non, non, j'arrive.

Chapitre 18
Prière au bon Dieu

L'automne commence lentement à s'installer sur Montréal, la brise nouvelle qui souffle sur la rue de Lanaudière permet à Bernise de revêtir ses superbes bottes Louboutin... pour aller à la fruiterie. *Ah et puis zut!* Elle n'en peut plus de voir la lumière rouge de son téléphone clignoter. *Je vais te rappeler, Max Grondin, seulement, laisse-moi me préparer mentalement!*

Elle passe par la porte arrière, celle de la cuisine, croisant par le fait même Julia qui la dévisage, une rôtie à la main.

– Quoi?

– Il a encore appelé. Ça fait des semaines que tu l'évites! Tu vas le laisser sécher encore longtemps?

Bernise plisse les paupières, irritée, puis sort sans répliquer.

Pour Bernise, marcher avec des talons hauts est une corvée en soi, mais se balader avec des Louboutin est une expérience bénie des dieux. Jamais elle n'aurait cru se faire prendre à aimer autant des bottes dispendieuses. Pour elle, en temps normal, c'est inutile et superficiel! Sauf qu'aujourd'hui, même avec ses vieux jeans et son vieil imperméable, Bernise sent que toute sa démarche est différente. Sur le trottoir qui mène vers la rue Beaubien déambule une Bernise au déhanchement plus souple qu'auparavant. *Wow, ça marche vraiment, ces machins à huit cents dollars!*

Comme si elle était sur Rodeo Drive, elle sourit aux commerçants qu'elle visite toutes les semaines en quête de fruits frais. «Vous voyez une différence sur moi?» a-t-elle le goût de leur demander.

Elle revient au bercail, portée par sa nouvelle démarche, sa confiance en elle décuplée, un sourire radieux sur les lèvres.

Lorsqu'elle atteint sa porte, qu'elle sort sa clé, son cœur s'arrête. Une Volvo gris métallisé est garée devant sa porte.

Oh non… Max. Je ne suis pas prête.

La veille. Dans son salon, Max se sert un scotch. Il ne boit jamais seul, il s'est monté un bar pour la forme, parce qu'il le peut et qu'il possède amplement d'espace pour ce faire. N'est-il pas Maxime Grondin, le célibataire le plus en vue de l'ouest de l'île? Homme du monde et fier hôte de ces dames? Il rit pour lui-même. C'est le titre que Jeannette, sa belle-sœur, lui donne toujours.

Il s'installe dans son fauteuil, saisit la télécommande pour chercher un film de guerre parmi les milliers de chaînes dont il dispose. Très vite, il tombe sur une vieille émission de *Friends*. Son attention s'attarde sur Courtney Cox, l'actrice qui jouait le rôle de Monica. La ressemblance est frappante. De plus d'une façon, il doit l'admettre. Monica était ce personnage un peu intense, qui aimait sans compter, qui se donnait à ses amis, qui les couvrait de son instinct maternel. Méfiante, parfois réservée, exubérante en d'autres moments, mais généreuse et complète.

Que s'est-il produit pour qu'elle le fuie? La soirée qu'ils ont passée ensemble a été magique. Il a été galant, ouvert, franc. A-t-il été trop transparent?

Julia ne lui remet peut-être pas ses messages. Non, ce n'est pas son genre. Elle n'aurait certainement pas négligé de communiquer ses appels à son amie.

Dix missives sans réponse. De longues journées, de longues semaines à attendre. Jamais il ne s'est abaissé à cela. Jamais.

Sophie marche désormais sur son plâtre, le jour de sa délivrance est prévu pour ce jeudi. Elle fait des allers-retours de rangement lorsque des tapotements à la fenêtre de sa porte arrière la font sursauter. Sylvain. Un frisson d'irritation lui parcourt l'échine. Encore lui ! Célibataire de surcroît !

Certains jours, elle l'apprécie, d'autres, moins. Elle sent qu'il s'approche de plus en plus, jouant un jeu de séduction discret, espérant prendre une place dans sa vie, dans sa maison, dans son lit. Que veut-il aujourd'hui ?

– Allo, Sophie, je te dérange ?

– Je savourais ma paix dominicale. Y a-t-il une urgence au bureau ?

Il la dévisage en fronçant les sourcils.

– J'ai besoin d'une urgence pour te visiter ?

Euh… OUI !

Elle soupire intérieurement. À coup sûr, il a quelque chose en tête. Elle n'est pas certaine de souhaiter savoir de quoi il s'agit. Il est pâle et cerné. Son teint a changé depuis quelques jours, sa manière d'être aussi. Comme s'il se détériorait à vue d'œil…

– Je peux m'asseoir ?

– Depuis quand le demandes-tu ?

Il prend place sur une des chaises de cuisine. Il joue avec ses doigts, nerveux.

– Sophie, je dois te parler.

Mon Dieu, s'il vous plaît, faites diversion et j'irai à la messe tous les Noël jusqu'à la fin de mes jours.

La sonnette de la porte avant retentit.

Merci, mon Dieu !

❧ ❧ ❧

Sylvain grimace au timbre de la sonnette. Sophie, de son côté, émet un profond soupir de soulagement.

Entre la porte de son appartement et celle à l'extérieur, il y a un long escalier que Sophie prend une éternité à descendre avec son plâtre. Perturbé, Sylvain hésite plusieurs secondes avant de la devancer pour aller ouvrir. Une haute silhouette se détache du contre-jour. Elle voit le visage de Sylvain se fermer.

– Philippe ?

– Bonjour, Sophie.

Toujours dans l'escalier, il lève son visage vers elle.

– Bonjour…

– J'étais dans le coin. Je voulais m'assurer que tout allait bien.

– C'est bien gentil à toi ! Comme tu vois, on s'occupe déjà de ma petite personne. Monte, j'étais sur le point de faire du café.

Le nouveau venu passe devant Sylvain sans le regarder. Celui-ci fulmine. Sophie est un peu ébranlée. Philippe est-il venu pour intervenir ? Est-il au courant de quelque chose qu'elle devrait savoir ? Leur conversation a été claire sur le sujet, elle ne souhaite pas mêler sa vie personnelle avec celle du travail. Si, au contraire de Sylvain, il a compris le message, que fait-il chez elle ?

Elle ne croit pas à une simple visite de courtoisie. Philippe a autre chose à faire que de s'occuper de sa subalterne en plein week-end. Qui plus est, au moment exact où Sylvain semble être prêt à tout avouer.

Quelle coïncidence !

– Qui prendra du café ? lance-t-elle.

La voix profonde de Philippe réplique en premier.

– J'en prendrais bien un, je te remercie.

Sylvain ne répond pas. Il garde les poings serrés, les bras croisés sur sa poitrine, le visage assombri.

– Toi, Sylvain ? insiste-t-elle.

– Non, merci.

Tout en préparant le café, elle ne peut ignorer la tension qui règne dans la pièce. Les deux frères se jaugent en silence. Une fois la cafetière italienne placée sur la plaque de cuisson allumée, elle s'assied devant eux, son regard allant de l'un à l'autre.

– Maintenant, allez-vous me dire ce que vous faites vraiment là, tous les deux ?

Debout, en position défensive, affichant une attitude taciturne, Sylvain Grondin garde les bras croisés sur sa poitrine. Le regard de Sophie passe de Philippe, d'un calme olympien, à Sylvain, brûlant d'agressivité.

– Pouvez-vous m'expliquer la raison de votre visite ?

Philippe regarde sa montre.

– Nous devrions laisser Sophie profiter de son congé. Merci pour le café.

Sylvain se tient sur un pied, puis sur l'autre, le corps tendu, les mains tremblantes, le front crispé. Il ignore la recommandation de son aîné.

– Philippe, je ne suis pas venu avec toi, je ne partirai pas avec toi ! J'en ai marre de me faire surveiller comme si j'étais un enfant !

– Sylvain…

– Sophie, tu sais très bien pourquoi je suis ici, lance ce dernier en évitant le regard de son frère.

– Non, ne fais pas ça…, murmure Philippe.

Sophie se sent attaquée, elle rugit.

– Non, Sylvain, je ne sais pas VRAIMENT pourquoi tu es toujours ici comme si c'était une vieille habitude ! D'ailleurs, j'aimerais bien que tu éclaires ma lanterne à ce sujet !

Énervée, elle a parlé à un rythme effarant, sur un ton qui ne lui ressemble pas. Voilà des semaines que la question lui brûle les lèvres, mais qu'elle n'ose la poser. Voici enfin l'occasion de faire éclater la vérité.

Philippe regarde son cadet en secouant la tête.

Soudain nerveuse, elle tente de se reprendre.

– Oublie ce que je viens de dire, je suis désolée.

– Non! Parlons-en, Sophie. Même devant lui! insiste Sylvain en pointant son frère qui demeure impassible devant la scène sordide qui se déroule sous son nez.

– Parler de quoi, Sylvain?

– Qu'on se fréquente!

À cette déclaration sortie de nulle part, Sophie a pour réaction instinctive de tourner son regard vers Philippe. Celui-ci, impassible, pince les lèvres.

– Qu'on se QUOI? demande-t-elle, désorientée, en s'effondrant contre le dossier de sa chaise.

– Vas-tu me faire croire que tu ne comprends pas ce que je fais ici aussi souvent? Franchement, Sophie...

– Exactement, je ne le sais pas! Tu m'as assurée, qu'on n'était que des amis, il y a seulement quelques jours! proteste-t-elle d'une voix qui tremble malgré elle. Nous ne nous sommes jamais touchés, se sent-elle obligée d'ajouter à l'intention de Philippe qui conserve une mine affectée.

Sylvain s'approche de la jeune femme, ses doigts frôlent son avant-bras, remontant lentement jusqu'à son coude.

– Je suis amoureux de toi, Sophie.

La phrase tombe comme une plume qui survolait leurs têtes depuis des semaines, qui planait autour d'eux, les chatouillant au passage. Maintenant que le mal est fait, Philippe s'éloigne vers le salon, les mains dans les poches.

– Je suis désolée, Sylvain. Je ne sais pas quoi te dire.

Les traits de Sylvain sont crispés, ses yeux, hagards.

– J'ai brisé mon mariage pour toi, ajoute-t-il en désespoir de cause.

– Tu n'aurais pas dû, murmure-t-elle, les yeux brouillés de larmes. Comment oses-tu mettre l'échec de ton mariage sur mon dos?

Elle tourne la tête vers Philippe, l'implorant de l'aider. Ce dernier se rapproche, sa haute stature dominant celle de son frère, qui a désormais le regard dans le vide. Il semble sincèrement compatissant.

– J'étais venu pour tenter de t'empêcher de te faire souffrir pour rien. Tu n'as pas saisi ma perche à temps. Viens, laissons Sophie tranquille.

Sylvain amorce un geste de recul en levant les deux mains. Toujours sans les regarder, il court vers la porte. Quelques instants plus tard, on entend clairement les pneus de son Acura crisser bruyamment sur l'asphalte.

Philippe serre la main de Sophie, la conservant quelques secondes dans la sienne, puis s'incline avant de se diriger lentement vers la sortie. Il est dans l'escalier lorsque Sophie le rappelle d'une voix exacerbée.

– Philippe ! Attends !

Une fois la porte du bas franchie, Bernise monte les marches une à une, le plus lentement possible. Des voix provenant de l'appartement confirment ce dont elle se doutait déjà. Max est bel et bien là. Nerveuse et confuse, elle entre dans le salon et aperçoit l'homme qu'elle évite depuis des semaines.

Il se retourne pour lui faire face, et elle sourit timidement en passant une main dans ses cheveux. Il porte son trench gris pardessus sa chemise blanche et sa cravate dénouée. Son expression est impénétrable. Entre eux se tient Julia, qui les regarde à tour de rôle, les sourcils levés.

– Bon, je vous laisse !

Julia file sans demander son reste. Ils se retrouvent seuls au milieu du salon, incertains l'un et l'autre de l'attitude à adopter. Max respire rapidement, les dents serrées, piégé entre le désir de la prendre dans ses bras et le dépit qui le retient.

Bernise, de son côté, est tiraillée entre deux émotions vives : lui crier sa rage qu'il lui ait servi son baratin remâché ou prendre ses jambes à son cou pour mettre fin à ce supplice. Pourtant, la voix de Julia lui revient, comme un flash éblouissant : « Il a besoin d'aimer, d'être surpris, charmé… »

De très longues secondes passent dans un silence pesant. Bernise hésite, puis, le cœur battant à tout rompre, elle fait un pas vers Max qui allait parler. Levant une main, elle le stoppe.

– Max, ce que je m'apprête à faire me demande beaucoup de courage, s'il te plaît, ne bouge pas, ne dis rien.

Le corps glacé d'appréhension, Max s'immobilise, les poings serrés.

Chapitre 19
Too much ! Too much !

Tout s'est produit si rapidement ! Sophie ne sait plus où donner de la tête ! D'abord, la visite quasi simultanée et plutôt suspecte des frères Grondin chez elle, puis, cette déclaration d'amour de Sylvain. Qu'il soit attiré par elle, d'accord, qu'il veuille coucher avec elle, passe encore..., mais qu'il rompe son mariage, lui mettant, par le fait même, les conséquences de cette décision sur le dos ? *Too much* ! Paniquée, Sophie trébuche, à cause de son plâtre, dans sa tentative de rattraper Philippe. Comme s'il avait anticipé la poursuite, il est de retour dans le cadre de la porte.

– Philippe !

La voix basse lui répond dans la seconde.

– Je suis là, Sophie. Fais attention, tu vas encore te faire mal.

D'une main ferme, il saisit son bras pour l'aider à s'asseoir dans le fauteuil le plus proche. Un meuble dépareillé, acheté seconde main. Elle se félicite de l'avoir recouvert, ça cache les trous et les taches. Son horrible couleur aussi, moutarde de Dijon. Philippe pense sûrement qu'elle habite dans un trou. Une souris grise, voilà ce qu'elle est devenue. Elle est loin, l'époque des chambres d'hôtel...

Il est toujours penché au-dessus d'elle lorsqu'elle reprend enfin son souffle. Peut-être pourra-t-elle aussi tenter de freiner ses illusions. Non, impossible.

Cette proximité trouble la jeune femme déjà énervée.

– Je n'ai rien fait pour que ça arrive. Je suis désolée pour tout! Mais tu sais, j'ai vraiment besoin de mon travail...

Philippe semble surpris. Sophie ne comprend pas. Il n'a qu'à regarder autour de lui pour saisir l'importance que son maigre salaire revêt pour elle. Il n'a donc aucune idée...

– Tu penses que je vais te congédier à cause de Sylvain?

Quoi?... Ça ne lui est pas passé par la tête? Elle est prise de court par la question. N'est-ce pas évident? Elle est un élément perturbateur. D'ailleurs, elle a fait quelques erreurs de débutante récemment, Philippe sait qu'elle a gonflé son expérience professionnelle pour obtenir ce poste. C'est sa chance de se débarrasser d'elle, il devrait la saisir!

– Ben..., euh..., ça me semble logique. C'est une entreprise familiale, ma présence peut être un obstacle. Jeannette, c'est tout de même ta belle-sœur! Les employés jaseront... Il y a un paquet de raisons pour me licencier. Je ne suis même pas une vraie secrétaire...

Même s'il sourcille à sa dernière remarque, il coupe le flot de ses inquiétudes d'un index qui frôle à peine ses lèvres.

– Chhhhh... Tu n'as rien à craindre.

Le temps s'est arrêté, l'espace de quelques secondes. Très vite, Philippe éloigne son doigt, soudain conscient qu'il a commis un geste beaucoup trop familier, ça ne lui ressemble pas.

– T'en es sûr? Je me sens tellement mal. Il est marié! J'ai tout gâché.

– Tu n'es pas responsable des sentiments des autres, ça leur appartient. Tu peux toujours te consoler, puisque je peux te dire que tu l'as fait progresser. Depuis ton arrivée, il est devenu plus facile à vivre pour tout le monde, y compris pour moi.

– Normal, il était toujours ici. Mais, là... Il est furieux!

– Tant pis.

– Il ne voudra plus travailler avec moi!

– Ce n'est pas Sylvain qui prend les décisions, c'est moi.

🍒🍒🍒

Dans le salon de l'appartement de la rue de Lanaudière que Bernise partage avec Julia et maintenant avec Tom, Max se tient immobile devant elle depuis de longues secondes. Négligeant momentanément de respirer, il ne peut pas, ne *veut* pas, détacher son regard du sien. Elle lui a dit d'attendre, de ne pas bouger. Elle a besoin de rassembler son courage. Bien qu'il n'ait qu'une seule idée en tête – celle de prendre sa bouche –, il est déstabilisé, incertain face à ce qu'elle fera.

La beauté de Bernise le saisit d'une façon nouvelle, quelque chose a changé. Ses cheveux sont lisses, ils semblent plus longs. De plus, elle lui paraît plus grande. Une illusion sans doute causée par cette impression de faiblesse qu'elle provoque en lui.

Faible. Voilà ce qu'il est devenu. Même si, devant elle, il se tient droit comme un hêtre, dans son for intérieur, c'est la détresse. À quel moment a-t-il perdu la raison ? Au dixième appel sans réponse ? À la seconde où il l'a embrassée lors de leur dernière rencontre ? Son bon sens s'effrite avec les secondes qui passent, son cœur bat autrement.

Métamorphosée, elle le regarde sous ses longs cils. Sa nouvelle frange cache ses paupières et ses yeux d'un vert incandescent. Pourtant, il sent son hésitation. Comment peut-elle être si craintive ? Par quoi est-elle donc effrayée ? Par lui ? Il ne souhaite que la protéger, la garder contre lui, ne jamais laisser un autre homme l'approcher ! Ah ! Le voilà macho, puéril, complètement troublé, en réalité.

Si l'un d'eux doit avoir peur, c'est bien lui.

De plus, elle est si jeune… presque, quoi, dix ans de moins que lui ?

Elle fait un pas. Sur ces talons de plusieurs centimètres, elle a maintenant le visage presque à la hauteur du sien. Il baisse les yeux pour suivre ceux de Bernise. Il reste de marbre lorsqu'elle dépose ses doigts fins sur sa poitrine, maudissant le coton de sa chemise de l'empêcher de sentir son toucher.

– Max…

Tel qu'elle l'a exigé, il ne dit ni ne fait quoi que ce soit. Il vit un véritable supplice. Alors que son corps lui rappelle durement qu'il est un homme, il ne se lasse pas de contempler chaque parcelle du visage si féminin levé vers lui. La peau lisse de son front, la courbure légère de son sourcil droit, la pointe adorable de son nez, ses lèvres…

Au moment où Bernise se hisse sur la pointe des pieds pour approcher sa bouche de la sienne, le plancher grince derrière eux. Un pas, deux pas, un raclement de gorge. Julia.

Celle-ci arrive comme un cheveu sur la soupe, une épine dans le pied, une roche dans le soulier ! Max fulmine d'une frustration qu'il doit contenir de peur d'effrayer Bernise. Alors qu'il consent à regret à diriger son regard vers Julia, il constate rapidement que cette dernière est manifestement troublée. Les cheveux noirs de son chignon improvisé sont défaits. Elle paraît essoufflée.

Bernise se replie aussitôt, telle une enfant prise en faute. Même si Julia semble avoir une bonne raison de les déranger, Max n'a qu'une envie, celle de crier sa rage et de balancer l'intruse par la fenêtre.

Il détourne son attention vers la nouvelle venue, et celle-ci n'hésite pas, elle déballe sa nouvelle.

– Sylvain s'est barricadé dans sa maison, Jeannette est en pleurs.

Abandonnant ses bonnes intentions, Max maudit les circonstances, fermant les paupières, les poings serrés. D'une main qu'il ne contrôle plus, il saisit Bernise par la taille, la tire à lui avec force.

– Je regrette, je dois y aller, murmure-t-il contre son oreille.

Il dépose un baiser sur le front de la jeune femme avant de dévaler l'escalier.

Chapitre 20
Il y a une dernière fois à tout !

Seule devant sa maison, Jeannette fait les cent pas. Son premier appel, Max, son second, Philippe. Pas un court instant, elle ne songe à la police. Non. Les gars sauront s'occuper de Sylvain. Ce n'est pas comme si c'était chose rare ! Les rechutes de Sylvain, sa consommation sporadique d'un mélange dangereux de cocaïne, d'alcool et d'autres pilules multicolores font partie depuis longtemps de l'univers du clan Grondin. Ces dernières années, il semblait s'être calmé. Malheureusement, et Jeannette s'en rend compte aujourd'hui, ce n'était que partie remise.

Une Volvo gris métallisé tourne le coin dans un crissement de pneus qui ne manque pas de la faire sourciller, avant de s'arrêter promptement devant elle. Enfin, Max est là. Il n'a pas refermé sa portière qu'elle se jette dans ses bras.

– Hé, du calme, ça va aller…

Énervée, Jeannette colle son front contre le manteau de Max.

– Tu étais dans le coin ?

La paume de Max se dépose doucement sur la nuque de sa belle-sœur dans un geste fraternel.

– J'étais chez Bernise, j'ai brûlé tous les feux rouges. Que se passe-t-il ?

– Il détruit tout… Qu'est-ce que tu fais, attends ! le supplie Jeannette, alors que Max, la mâchoire serrée, se détache d'elle.

– Je vais lui casser la gueule, à ce petit *bum* !

– Non, Max, ça ne servira à rien, laisse-le se calmer, il est enragé ! Il a fracassé quelques bibelots. Il a crié pour que je sorte...

– Je dois l'immobiliser avant qu'il ne fasse trop de dommages.

– Attends Philippe, ça me rassurerait que vous soyez ensemble, tous les deux. Excuse-moi, j'ai taché ton imper avec mon mascara qui coule.

De son mouchoir, Jeannette tente d'essuyer les dégâts sur le tissu.

– Arrête ça, le nettoyeur s'en chargera.

– Est-ce que tu as remarqué un changement de comportement chez lui dernièrement ? l'interroge-t-elle.

Max secoue la tête.

– Je sais qu'il y a quelqu'un d'autre ! N'essaie pas de me ménager, ce n'est vraiment pas le moment.

Max la considère un instant, avant de capituler. Autant lui révéler ce qu'il sait. Jeannette peut être très perspicace. Max sait d'office qu'il est inutile de lui cacher ses doutes.

– Il était souvent avec Sophie ces dernières semaines, notre nouvelle employée, admet-il.

– Alors, c'est donc elle, murmure Jeannette. Il aurait pu faire moins cliché que la secrétaire, franchement. Cette fille cause bien des problèmes. Vous auriez dû engager Maïté !

– Il n'a jamais été question d'engager Maïté. Et concernant Sophie, rien n'est moins sûr, Jeannette, réfute Max. Je ne l'ai même pas encore rencontrée. Ça peut être n'importe qui.

Jeannette plisse les paupières d'un air presque désabusé.

– Max, tu es bien gentil, mais je l'ai vue. Pas besoin d'être un génie pour constater ce qui l'a attiré vers elle.

Max serre Jeannette dans une étreinte délicate. Elle n'a déjà que trop subi les tourments que lui inflige son frère le plus jeune. Souvent, il se demande pourquoi. Jeannette est si vive, si intelligente, jolie sans être une beauté classique... Mignonne, voilà le mot pour décrire Jeannette. Elle mérite beaucoup mieux. Si seulement son cousin Étienne ne s'était pas volatilisé...

– Je dois aller vérifier ce qu'il fabrique… Pourquoi n'as-tu pas appelé la police ?

– Je n'y ai même pas pensé. Je préférais régler ça en famille.

– C'est la dernière fois, affirme Max.

– Oui, je suis d'accord.

Une autre Volvo, celle-ci de couleur noire, tourne le coin de la rue à cet instant.

– Ah ! Voilà Philippe. Allons voir les méfaits de notre voyou.

C'est à ce moment que la fenêtre de la chambre principale vole en éclats. Max saisit sa belle-sœur par le col, juste à temps pour éviter le pire.

Bernise est affalée contre les coussins du divan, démoralisée. Attentionnée, Julia lui a apporté une couverture ainsi qu'un grand verre de cola « même pas diète ». Dans un élan d'impatience, Bernise lance d'un coup de pied ses bottes si précieuses, l'une après l'autre, au bout de la pièce.

– Hé, oh ! Calme-toi, Berny !

– Pour une fois que je prenais mon courage à deux mains.

– Oui…

Julia essaie de la féliciter, mais Bernise lui coupe la parole pour renchérir.

– J'allais réellement faire les premiers pas, tu sais. J'étais à un cheveu…

– Je comprends. Tu n'as pas idée comme je me battrais de vous avoir interrompus.

Bernise perçoit un malaise dans le ton de son amie.

– De quoi avez-vous discuté en mon absence ? Vous avez bien eu quelques minutes pour jaser, non ?

– Bien sûr.

– Alors ?

– Bah, tu sais, ce n'est pas moi qu'il venait voir, alors…

Des pas sur le vieux plancher de bois attirent leur attention.

– Vous parlez de Max, encore? fait la voix de Tom dans le couloir.

– Certainement pas de toi, dit Julia avec un clin d'œil pour Bernise.

– A-t-il laissé une enveloppe pour moi? Il était censé la déposer en passant.

Sous son teint mat, Julia rougit. Elle pointe de son index vernis une enveloppe brune. Bernise, qui blêmit, se redresse vivement.

– Tu veux dire que Max était ici pour Tom?

Ce dernier fait une mine étonnée.

– Quoi, tu croyais qu'il était là pour te voir? Après avoir ignoré ses appels, tu pensais vraiment que Max Grondin se rabaisserait à venir te retrouver jusqu'ici?

Bernise se sent rétrécir, mortifiée.

– Non, bien sûr...

– Arrête donc, Tom! Il l'a embrassée sur le front avant de la quitter, il voulait rester! proteste Julia.

Tom éclate de rire.

– Ma pauvre Julia, tout le monde sait qu'un baiser sur le front, c'est le *kiss of death*.

– Je ne comprends pas...

– Le baiser de la mort. Il n'est plus intéressé, Bernise. Max fait toujours ça. Je suis désolé d'être celui qui te l'annonce.

🍒 🍒 🍒

Après avoir fait admettre Sylvain dans un centre de réhabilitation, Max et Philippe retournent avec Jeannette dans sa maison située à Outremont. La bataille avec Sylvain a été de courte durée. À eux deux, les aînés de la fratrie Grondin ont formé une équipe invincible, même pour un homme en pleine crise.

Ils l'ont d'abord cloué au tapis, d'où il s'est débattu. «Arrête de bouger!» a grincé Max entre ses dents, tandis que Philippe lui immobilisait les jambes d'une poigne de fer. En quelques secondes, leur cadet était piégé. « Nous sommes prêts à rester comme ça pendant des heures, s'il le faut. Abandonne tout de suite et tout ira bien », a assuré Max à l'oreille de son jeune frère. « Va *chier,* Max ! Tu me fais mal ! », « Alors, arrête de bouger ! »

Le corps de Sylvain s'est ramolli peu à peu, puis, dans un gémissement étouffé, il a abdiqué.

Maintenant de retour dans la résidence, ils parcourent les pièces une à une pour constater les dégâts. Le rez-de-chaussée est intact. L'étage supérieur, par contre, semble avoir été saccagé par une bête furieuse. Plusieurs cadres ont été retirés – dont leur photo de mariage, ce qui trouble Jeannette profondément –, deux vases antiques gisent en morceaux, trois trous dans le mur de la chambre, témoins silencieux du poing de Sylvain.

Quelques instants plus tard, Philippe, qui est descendu, retrouve sur le terrain le presse-papier – une massive boule de verre qui aurait pu assommer Jeannette si Max ne l'avait pas éloignée à temps de la trajectoire.

De retour à l'intérieur avec l'objet, Philippe le tend à son frère.

– J'ai trouvé ça sur le gazon.

Max prend la sphère translucide entre ses mains, la brandit devant sa belle-sœur.

– La prochaine fois, c'est la police. Compris, Jeannette ?

Elle hoche la tête, les larmes aux yeux.

– Nous avons toujours pu nous en tirer sans les policiers, murmure-t-elle.

– Il a failli te tuer !

– Tu as raison, souffle-t-elle. De toute façon, c'est terminé. Nous divorçons.

– Je suis désolé, Jeannette.

Elle tente de rire.

– Oh ! tu n'as pas à l'être, tu sais ! Ce n'est pas ta faute.

– Tu pourras refaire ta vie, maintenant, dit Max, un grand sac-poubelle noir à la main.

– Attends, Max, ne jette pas tout. Je veux récupérer les morceaux du vase vert, il était à ma grand-mère.

– Il valait cher ?

La jeune femme émet un rire discret, sarcastique.

– Il était évalué à douze mille dollars.

– Sylvain était au courant de ce petit détail ?

– Bien sûr qu'il le savait.

Les deux frères se regardent, découragés.

– Allez, ramassons ce bordel avant la nuit.

🍒🍒🍒

Il est bientôt minuit lorsqu'ils sortent enfin de chez Jeannette. Philippe se frotte les mains.

– Voilà une bonne chose de réglée ! Demain, je vais lui envoyer un service de nettoyage pour le reste. Une chance que j'étais là quand il a tout avoué à Sophie ! Il passe son temps chez elle, il faut que ça cesse !

Max l'arrête, saisissant son épaule.

– Dis-moi, Phil, que faisais-tu chez notre employée par un beau dimanche matin ?

Philippe le fixe quelques secondes avant de donner une réponse plausible.

– Je me doutais que Sylvain serait là, je viens de te le dire.

Max secoue la tête lentement sans quitter son cadet des yeux.

– Qu'en avais-tu à foutre, qu'il soit chez Sophie ?

– Je savais qu'il avait recommencé à consommer. J'ai eu peur qu'il perde le contrôle avec Sophie, pourquoi ?

Les deux hommes maintiennent leur regard l'un sur l'autre, en silence. Dans l'espoir que, pour la première fois depuis deux ans, son frère s'ouvre un tant soit peu, Max fronce les sourcils, l'invitant à parler. Stoïque, Philippe pince les lèvres, ne dévoilant que sa résistance à dialoguer. Découragé, Max le lâche.

– Rien... rien du tout.

Chapitre 21
Puisque la psy l'a dit

Dans son bureau du cinquième étage qui offre une belle vue sur le centre-ville de Montréal, Jeannette s'est donné pour tâche de se changer les idées. En outre, elle a hâte de rencontrer Bernise Tousignant. Curiosité ou simple attrait pour cette jeune intellectuelle à laquelle Max semble s'attacher, elle ne saurait l'avouer.

Leur rendez-vous a été fixé à 10 h. Elle a l'intention de lui offrir un poste à temps complet, mais s'est bien gardée de laisser la nouvelle arriver aux oreilles d'Annie. Celle-ci est encore fragile et sensible à tout ce qui touche de près ou de loin Maxime Grondin. Même si Annie est sa plus vieille amie, Jeannette met une sourdine à ses remords. La rencontre est purement professionnelle, après tout! *Vraiment*.

À sa demande, c'est Julia qui accueille son amie à l'entrée.

– Ça fait drôle que tu sois ici!

– Bernise! s'écrie une voix féminine du bout du couloir.

Jeannette salue Bernise d'une bise effleurée sur chaque joue avant la traditionnelle poignée de main.

– Bonjour, Jeannette. Je suis contente de te revoir.

– Moi aussi! On y va?

Au lieu d'entraîner Bernise vers son bureau, Jeannette l'attire dans l'ascenseur.

– Marchons jusqu'au petit café du coin. Avec les événements du week-end, j'ai recommencé à fumer. Il n'y a qu'Alfred qui me le permette sans que j'aie à traîner sur le trottoir.

– Je suis désolée pour ce qui est arrivé, je veux dire... avec Sylvain, la maison...

– Max m'a dit qu'il était chez toi quand j'ai téléphoné, je suis morte de honte de vous avoir dérangés!

Bernise se sent rougir encore. *Ouais, moi aussi, je suis humiliée...*

– Tout le monde est au courant qu'il se trame quelque chose entre vous, ajoute Jeannette.

– Ah, c'est compliqué, tu sais.

– Quoi que tu entendes à son sujet, Max est un bon gars, Bernise. Tu as trouvé une perle rare. Très, très rare.

Elles arrivent au café. Jeannette lui ouvre la porte pour la laisser entrer. Elles commandent chacune un cappuccino avant de choisir une banquette.

– Alors, Bernise Tousignant, es-tu consciente que tu es l'une des meilleures traductrices que nous ayons jamais embauchées?

– Merci, je suis ravie.

– Arrête la modestie, ma chère, tu es super. Tes mots sont justes et fidèles au contexte de l'histoire, tes adaptations sont toujours bien trouvées et adéquates. Tu améliores le texte original, mais ça, il ne faut pas le dire. Heureusement, la plupart des auteurs anglophones ne comprennent rien au français!

Bernise regarde Jeannette avec un mélange de gêne et de satisfaction. On ne l'a jamais complimentée de cette manière sur son travail. Cette petite dame est très directe, son regard franc la met lentement en confiance. Avec Jeannette Plouffe, il n'y aura pas d'ambiguïté, Bernise en est certaine.

– Nous souhaitons t'engager à temps plein, ajoute Jeannette sans détour. J'ai plusieurs idées en tête pour toi... si tu es prête à sortir de ton confort.

– Tu veux me donner une permanence?

– Ça t'intéresse ? Avec bénéfices et tout le tralala.

– Je suis ouverte à lire l'offre…

– Génial.

Jeannette avale une gorgée de café, toise Bernise d'un regard espiègle, s'allume une cigarette et se lance.

– Maintenant que cela est réglé, concentrons-nous sur les choses sérieuses. Que se passe-t-il vraiment entre Maxime Grondin et toi ?

La semaine suivant son intervention auprès de Sylvain, Max effectue un retour au bureau plus que mouvementé. Son absence prolongée s'est fait sentir au travail. Un contrat litigieux dont les paiements sont en souffrance a particulièrement écopé. Donc, pour rassurer leur plus important client sur leur capacité à garder le rythme, il a dû se rendre à Toronto, puis à Calgary, et faire appel à Tom Turner pour de nombreuses questions juridiques. Maintes fois, les communications de son avocat en titre s'affichent sous les coordonnées de Bernise, lui procurant à chaque nouvelle occasion de fâcheuses palpitations. Toutefois, ce n'est jamais la voix douce de la jeune femme qui tinte à son oreille, mais bien celle, arrogante, de Tom Turner.

– Non, elle n'est pas ici, grommelle Tom, lorsqu'il le lui demande.

– Tu peux lui dire de me contacter, s'il te plaît ?

– Ça fait trois fois, déjà. Tu veux vraiment passer pour un imbécile ?

– Je m'en *câlisse* ! Fais-lui le message !

Hors de lui, il raccroche sans attendre la suite. L'embarquement pour Montréal commence.

Le premier jour d'octobre, Julia entre dans l'appartement en courant. Tom est à la cuisine et prépare le souper. Adorable avec son tablier sur lequel est inscrit «Séduisant Chef», elle le prend par la taille et regarde par-dessus son épaule pour voir ce qui mijote.

– On mange quoi?

– Un spécial Tom, plein de légumes, bœuf en cubes arrosés de vin rouge... Lâche mes chaudrons!

Sur quoi, il se retourne, cuillère de bois à la main pour embrasser sa douce. Sous ses lèvres, Julia parle quand même.

– Verrnie ba trvail...

– Quoi?

– Bernise va travailler avec moi!

Tom fronce les sourcils.

– Tu es certaine que c'est une bonne chose?

– Ben, oui...

– C'est l'idée de Jeannette?

– En grande partie, dit-elle en lui piquant l'ustensile de bois pour prendre un peu de bouillon de la marmite.

– Julia, ça ne sent pas bon, cette histoire.

Julia souffle sur le liquide chaud, évitant ainsi d'avoir à répondre. Tom hausse les épaules.

– Vous êtes assez grandes pour savoir ce que vous faites.

– Bernouuu! brame-t-elle en entendant la porte avant claquer. Salut, collègue!

– Woah, pas trop vite Juju. Je n'ai pas encore accepté. Salut, Tom.

– C'est quoi, ton problème? demande Julia, irritée.

– Excuse-moi, je suis fatiguée.

– Tu soupes avec nous?

– Je n'ai pas très faim.

– Allez, Bernise, Tom s'est forcé! Tu dois manger quelque chose, tu as encore maigri!

– J'ai mal à la tête, Julia. Je vais me coucher.

– Tu veux des Tylenol ?

– Non, juste un peu de repos. Tu prendras mes messages si j'ai des appels ?

– Bien sûr. Et si Max téléphone ?

Bernise ouvre la bouche, elle allait dire « surtout Max ».

– Je ne sais pas, Julia.

Dès qu'ils se retrouvent seuls, Julia dévisage Tom.

– Ne me regarde pas comme ça, c'est ton amie ! Moi, je n'en ai aucune idée, dit Tom.

Énervée, Julia fait un large geste de la main.

– Mais, je fais quoi, moi, si Max appelle ? Berniiiise !

Sophie jubile. Dans vingt-quatre heures, elle doit voir le médecin pour retirer son attelage. Depuis presque un mois qu'elle traîne ce boulet, elle pourra finalement se mouvoir librement. Dernier jour à travailler dans son salon, et enfin elle pourra revenir dans le monde.

Sa joie est cependant assombrie par une terrible nouvelle qui confirme les doutes qui commençaient à la tenir éveillée la nuit : Sylvain est toxicomane.

Son échec cuisant avec elle a déclenché un état de crise. Il a même causé des dommages ! Comment ne pas se sentir responsable ? Elle a bien vu qu'il s'attachait à elle ! Peut-être aurait-elle dû intervenir plus tôt. « Tu n'es pas responsable des sentiments des autres, ça leur appartient… », lui a dit Philippe. Malgré cela, le poids des conséquences reste le même.

La Terre n'arrêtera pas de tourner à cause du sort malheureux de Sylvain Grondin. Il faut se retrousser les manches. Elle est déjà heureuse d'avoir pu conserver son emploi ! De plus, comme Sylvain sera absent plusieurs semaines, de nombreuses activités sont à réorganiser. Elle devra communiquer les projets de Sylvain à ses frères. Surtout, elle devra travailler avec Max Grondin, alias

Cavalier34 ! À l'idée de le revoir en personne, elle frémit à la fois d'angoisse et de hâte !

Elle a conservé la photo de ce dernier. Toute à sa contemplation de l'image imprimée sur du papier bon marché, elle revoit le regard sombre, sérieux. Ainsi, il est son patron. C'est un bien petit monde ! Un petit, petit monde. Elle songe à la très sympathique Bernise. Soudain, la lumière se fait dans son esprit. Cavalier34 a disparu d'Internet à cause d'elle ! Ah, comme elle espère que ce soit pour elle. Et non parce qu'il aurait été horripilé en la voyant !

Dire qu'elle lui a fait part de la partie la plus sombre de sa vie ! Ils ont dévoilé leurs secrets, ainsi que chaque squelette dans leur placard. C'était mignon sur le coup, ces échanges à cœur ouvert avec un inconnu. Cette impression d'être comprise, reconnue, rassurée, le tout dans un anonymat approximatif, a été grisante pendant un certain temps.

Elle vit un instant de panique. Croira-t-il qu'elle a cherché à l'espionner en se faisant engager dans son entreprise ? Oh ! non… Elle n'aurait pas dû envisager cette possibilité ! Elle est blanche comme neige, s'il fallait qu'elle passe pour une maniaque, elle en serait mortifiée.

Le lendemain matin, aux petites heures, Sophie est déjà debout. Elle se lave pour une dernière fois à la débarbouillette – prendre une simple douche est une affaire complexe en termes d'organisation –, sauf que ce jour-là, le cœur y est. Elle voit la lumière au bout du tunnel, elle pourra marcher librement, c'est désormais une question d'heures.

– Soph ! appelle Guillaume dans le combiné.

– Guillaume, salut, je ju-bi-leeeeuh !

– Moi aussi, j'arrive.

– Tu viens avec moi, minou ?

– Oui, ma guimauve.

– Tu es trop gentil.

– N'est-ce pas ?

Sophie l'attend sur le trottoir. Ils prennent la voiture de la jeune femme, abandonnée depuis des semaines. Guillaume blasphème en reculant le banc du conducteur au maximum pour pouvoir se mettre à l'aise.

– Arrête de jouer avec mes miroirs, tu vas bousiller mon installation !

– Mais, je ne vois rien, moi ! On dirait une voiture de nain.

– Naine.

– Naine ! À un mètre soixante-dix, tu fais une belle naine.

– Si tu ne te grouilles pas, je vais grignoter ce plâtre moi-même.

– Patience, l'écureuil.

Trois heures plus tard, Sophie, une jambe plus mince que l'autre, sort de la clinique avec un sourire radieux, Guillaume à son bras.

🍒🍒🍒

Depuis le départ en réhabilitation de Sylvain, Jeannette a regagné ses quartiers. Sa maison lui a manqué, sa solitude aussi. Quelle étrange semaine !

À la seule pensée que Sylvain s'enlise à nouveau dans l'enfer de la drogue, elle ressent des frissons dans le dos. Il fut un temps où elle souhaitait le sauver à tout prix. Cette époque est révolue. *Qu'il se sauve lui-même !*

Elle est reconnaissante de la réaction prompte de sa famille. Tolérance zéro, tout de suite en traitement, il n'y a pas d'autre façon d'agir. Elle le laissera revenir, puis demandera rapidement le divorce. Elle ne veut plus partager ses pots cassés. À ce stade de sa vie, elle a beaucoup trop à perdre. De plus, même si elle tente de se convaincre du contraire, son profond désir de maternité ne la quitte pas. Il lui faut s'assurer de prendre la direction souhaitée.

Avant de trouver un père potentiel, il est nécessaire à tout le moins d'en finir avec celui qui lui cédera sa place.

Maintenant, la petite Sophie. Bon, pas si petite physiquement, puisque cette dernière la dépasse d'une tête. C'est tout de même ainsi qu'elle la perçoit. Minuscule, innocente, naïve. Elle l'a invitée à souper. La drôle d'idée !

Il faut garder les intruses sous surveillance. D'abord Sophie, puis Bernise. Elle l'aura au bureau, celle-là.

Elle n'a pas dit à Annie qu'elle a offert un poste permanent à Bernise, certaine que son amie la semoncera vertement. Pour Annie, la jeune traductrice est une rivale, une ennemie ! Elle est trop émotive pour entendre raison. Quoi qu'il en soit, Jeannette est sûre d'avoir la situation bien en main. Annie ne saura rien avant très longtemps.

Dès son arrivée au bureau, elle verrouille soigneusement sa porte avant de composer le numéro de Maïté.

– Salut, Maïté, *long time no speak*.

La voix feutrée de son amie résonne dans l'appareil.

– Ça va ?

– Oui, super. J'ai découvert la fort probable identité de ma rivale. Laisse-moi te déclarer, ma chère, que nous avons un point en commun.

Une onomatopée exprimée à haut volume par Maïté dans le combiné force Jeannette à éloigner le dispositif de son oreille.

– Ne me dis pas…, cette Sophie !

– Bingo.

– *OH SHIT !* D'abord mon poste, maintenant, ton mari ! Elle ne me plaît pas ! Ça non !

– Ce n'est pas ce que tu crois. Elle ne veut pas de Sylvain, Philippe me l'a confirmé.

– Qu'est-ce que je t'avais dit ? C'est une opportuniste, elle vise plus haut ! Évidemment, Philippe est un bien meilleur parti ! Je trouve qu'il accorde beaucoup d'attention à cette fille. Je ne vois pas ce qu'elle a de *SI* spécial !

– Tu ne la connais pas, objecte Jeannette.

– Depuis quand es-tu rendue une grande âme ? Je te dis qu'elle n'est pas à sa place.

Jeannette ne peut que sourire.

– Et c'est quoi, sa place ?

– Ailleurs que dans mon chemin. Voilà sa place !

– Tu n'es pas commode, Maïté Roy.

Maïté devient songeuse.

– Quoique… j'aimerais bien la voir de près, m'en faire une idée par moi-même.

– Tu auras ta chance, je ne voulais pas te le dire tout de suite, mais… je l'ai invitée à notre prochain souper.

– Pardon ? Répète ça, un peu !

– Libre à toi d'y être ou non. Mais si tu ne penses pas pouvoir te tenir tranquille, je préfère que tu ne viennes pas.

– Pourquoi l'as-tu invitée ? Je ne comprends pas !

– Je repars ma vie à zéro. Ma psy m'a suggéré de faire face à tous mes démons. Sophie Bertrand est mon premier exercice pratique.

Le silence au bout du fil dure quelques secondes.

– OK.

– OK, quoi ? Tu viens ou non ?

– Mmmm, grogne-t-elle.

– Maï !

– Oui… et je serai gentille.

Silencieusement, Jeannette grimace.

– Y a autre chose.

– Quoi, encore ?

– J'ai offert un poste à temps complet à Bernise Tousignant.

– Jeannette !

– Quoi ?

– Franchement !

– Il n'y a pas de quoi fouetter un chat ! Elle est douée, je l'engage, point à la ligne. Annie n'aura qu'à l'accepter.

– Elle va te piquer une de ces crises.

– Elle ne doit pas forcément être mise au courant ! Et puis, tu m'aideras à la calmer. Tu es plus grande que moi, je me cacherai derrière toi si elle explose, d'accord ?

❦ ❦ ❦

D'une humeur morose, Bernise attend que Tom et Julia soient partis pour sortir de sa chambre. Une fois son café versé, elle s'installe devant son ordinateur. Elle réussit à atteindre un état de concentration intense pendant les premières heures de la matinée, jusqu'à ce que son estomac vide la dérange suffisamment pour la forcer à se lever.

Du couloir, elle pivote vers la cuisine. Un plat Tupperware gît dans le frigo avec un Post-it jaune au nom de *Bernise*. Les restes de la veille. *Super*. Le repas est placé dans le four à micro-ondes. Tout à coup, une ombre sur le balcon la fait sursauter.

– Max ! s'écrie-t-elle en ouvrant la porte vitrée, tu m'as fait peur !

Il entre lentement, c'est la première fois qu'elle le voit dans sa cuisine, elle recule par réflexe.

– Je ne voulais pas t'effrayer, je suis désolé.

Les poings serrés, Bernise n'a en tête que les derniers propos de Tom, le « baiser de la mort » et ses phrases toutes faites, prévisibles… Pourtant, le voir là l'émeut, elle le trouve beau, non, plus que ça… impressionnant, magnifique ! Malgré cela, elle tâche de regarder ailleurs.

– Tom n'est pas ici.

– Quoi ?

– Tom, il n'est pas ici. C'est bien lui que tu viens rencontrer, non ?

Chapitre 22
Un beau lapsus

Max hausse les sourcils, stupéfié par l'accueil froid. Il s'approche d'elle, mais hésite à la toucher. Il paraît confus.

– Tom ? Pourquoi viendrais-je ici pour rencontrer mon avocat ?

Elle recule, mal assurée de la tournure que prend la conversation. La voilà qui le pique encore et encore. Il lui semble ne faire que ça, irriter Max Grondin. Pourtant, il est encore là. Sa patience s'éteindra à petit feu. Elle a envie de pleurer. Agir de la sorte, c'est plus fort qu'elle. Tester, pousser, chercher les failles. Elle y perdra au change, elle en est consciente. Mais elle doit savoir, aller au fond des choses, sans quoi, cette boule d'angoisse qui monte et qui descend dans son thorax ne se calmera pas.

Même si elle tente d'adoucir le timbre de sa voix, ses mots mordent quand même.

– C'est bien ce que tu faisais ici l'autre jour, non ? N'avais-tu pas une enveloppe à ramasser ?

– Oui, avoue-t-il. Bernise, écoute…

– Elle était importante, cette enveloppe ? le coupe-t-elle.

– D'une importance cruciale.

– Ah ! je suis idiote. Excuse-moi, Max. J'ai pensé que… bah ! J'ai tout faux. Ce n'est pas ta faute. Je lui dirai que tu es venu.

Max panique, il ne sait pas comment lui dire, ni quoi lui dire ! Que faire avec une entêtée pareille ? Laisser tomber et passer à autre chose ? Ne serait-ce pas plus simple ? Seulement, dès qu'il pose son regard sur elle, qu'il sent son parfum, qu'il voit le bout de son nez fin se mouvoir lorsqu'elle parle, même si c'est pour lui faire la vie dure, il ne peut que l'admirer. Elle est coriace, pour une si petite chose...

Et il était là pour l'enveloppe, c'est vrai. Mais il espérait tellement l'entrevoir, elle. Comment cela ne peut-il pas être évident ? Après cette seconde où Bernise s'est presque lancée dans ses bras, et son regret manifeste lorsqu'il a dû la quitter subitement, Bernise aurait-elle changé son fusil d'épaule ?

Cette fille est si imprévisible. Tantôt secrète, tantôt ouverte, souvent méfiante, toujours si attirante... Max est aussi orgueilleux. Même Tom ne cesse de lui répéter qu'il perd la tête lorsque Bernise Tousignant est concernée. Il doit garder son sang-froid s'il ne veut pas qu'elle lui glisse de nouveau entre les doigts...

– En passant pour l'enveloppe, j'espérais te croiser. Comme tu ne retournais pas mes appels, je n'ai pas voulu t'importuner.

– Tom m'a assurée que c'était lui que tu tentais de contacter !

Fermant les yeux, Max place le bout de ses doigts sur l'arête de son nez. Il secoue la tête.

– Quoi ? Je vais le tuer... Oh ! Bernise, non, comment as-tu pu le croire ? Ne t'ai-je pas dit que j'étais sérieux en ce qui te concernait ?

Max est furieux. N'a-t-il pas été clair ? Il lui faut quoi, une bague ?

Bernise est émue par ses paroles, pourtant, elle se sent si impuissante.

– Je ne te connais pas... Comment pourrais-je séparer le vrai du faux ? Tom m'a dit des choses... Il sait tout de ton passé, de la façon dont tu agis avec les femmes...

– Il est peut-être temps de faire connaissance ! s'exclame-t-il en avançant vers elle, la dominant de toute sa hauteur.

Devant le courroux de l'homme, sa prestance dont il abuse pour l'intimider, elle plisse les yeux, prête à rétorquer.

– Max, qu'est-ce qui te prend ?

Au son de la voix de la jeune femme, à ce ton apeuré, il s'arrête. Il perd la tête, il n'y comprend plus rien. Cette fille le rendra fou. Tom aurait-il eu raison depuis le début ? Il passe une main nerveuse sur son visage. Il ne se laisse jamais submerger par ses émotions !

– Je crois que je ferais mieux de partir.

– Peut-être, oui…

– Au revoir, Bernise.

Dès qu'il disparaît, Bernise se rend compte qu'elle a complètement perdu l'appétit. Le premier miroir qu'elle croise lui rappelle cruellement qu'elle est en robe de chambre, les cheveux en bataille et que ses yeux portent toujours les traces disgracieuses de son maquillage de la veille. En bref, elle a l'air d'un raton laveur. Et les larmes qui s'ajoutent à ce désastre ne font rien pour l'aider. Son cœur lui fait mal…

🍒🍒🍒

La matinée s'est déroulée avec une lenteur intolérable. En l'absence de Sylvain, Sophie a dû répondre elle-même à plusieurs clients qui cherchaient à discuter avec lui des promesses vides de sens qu'il leur a faites. La tête endolorie par une migraine naissante, Sophie lave ses plats du déjeuner dans la cuisine du bureau, lorsqu'elle doit faire face à Maxime Grondin pour la première fois.

Denise le précède avec un sourire narquois. Au son des voix amusées, elle se retourne. L'homme qui marche vers elle avec assurance est grand et costaud, il porte un dispositif *bluetooth* à l'oreille droite, ses cheveux d'un brun très foncé ne détonnent pas avec sa peau basanée et ses iris d'une couleur difficile à définir, entre le vert, l'or et le caramel. Maxime Grondin, enfin.

– Bonjour.

– Bonjour, bafouille-t-elle.

Denise, qui ne manque jamais une occasion de l'humilier, roule des yeux vers le ciel.

– Mais présente-toi, Sophie, voyons ! C'est Maxime Grondin.

Sans même jeter un second regard à la réceptionniste malcommode, Sophie lève le menton, essuie ses doigts à une serviette avant de lui tendre la main droite.

– Sophie Bertrand, enchantée.

– Max Grondin, moi de même !

Apparemment, il ne la reconnaît pas. Son soulagement est énorme, surtout qu'elle n'a qu'une envie, celle de fermer les yeux et de se masser les tempes.

– Lorsque tu auras terminé de dîner, tu passeras à mon bureau, d'accord ?

– Sans problème, j'arrive dans quelques minutes.

À l'autre bout de la ville, Julia cogne doucement à la porte du bureau de Jeannette, comme elle a l'habitude de le faire depuis les deux années qu'elle travaille pour l'entreprise.

– Entre !

– Café ?

Jeannette fait mine de réfléchir, une cigarette serait bien appréciée… Avec Julia sur les talons, elle descend dans la rue. L'air d'automne leur remplit rapidement les narines. La jeune femme s'empresse de sortir son paquet.

– J'ai hâte que tu arrêtes ça !

– Ma vie est à l'envers, l'autodestruction me calme les nerfs.

– Parlant d'autodestruction, qu'advient-il de Sylvain ?

– J'ai demandé à Philippe de ne pas me donner de ses nouvelles. Selon ma psy, je dois lâcher prise.

– Des nouvelles de Bernise, alors ?

– Non. Et toi ?

– Elle était plutôt moche hier soir, mais je ne l'ai pas vue ce matin.

– Elle reviendra sur sa décision, tu penses ?

– C'est difficile à dire. On croirait que c'est Tom qu'elle évite. Ou moi, je ne sais plus. Elle est tellement secrète.

Le regard de Jeannette se fait plus intense, comme chaque fois qu'un sujet l'excite.

– Ah ? fait-elle mine de s'étonner avec un demi-sourire qu'elle a pourtant tenté de retenir.

– Juste une impression. Il m'a semblé qu'ils s'entendaient mieux dernièrement, Tom et elle. Mais tu sais, depuis le début, elle n'approuve pas ma relation avec lui. Elle s'en fait pour moi. Et Tom n'est pas toujours de tout repos. Bon, tu le connais.

– Le gars est encore marié, précise Jeannette.

– Oui. N'en rajoute pas ! Il divorcera bientôt.

Mais sa patronne ne lâche pas prise.

– Nous parlons ici de l'homme qui n'a laissé sa femme que lorsqu'il s'est fait prendre dans les bras de sa maîtresse.

– Arrête, Jeannette ! Sérieusement, Bernise m'inquiète. Il y a aussi qu'avec Max ça n'a pas l'air de fonctionner. Il semblait bien l'aimer, pourtant. C'est à rien n'y comprendre, soupire Julia.

– Mais... ils sont ensemble ou non ?

– Je te dirais que c'est très compliqué. Je préfère ne plus m'en mêler.

Jeannette inhale sa boucane profondément avant de changer de sujet.

– Au fait, j'ai invité la petite Sophie à un souper de filles avec Annie et Maïté.

Julia lui lance un regard sarcastique.

– Pourquoi donc ? La manger tout rond pour faire du macramé avec ses os ? Vous allez vous mettre à trois pour détruire cette pauvre fille ! Ah ! Maïté et ses ragots ! Tu ne devrais pas l'écouter, Jeannette !

– Philippe m'a raconté ce qui s'est passé entre elle et Sylvain.

– Qu'est-il arrivé ? demande Julia.

Même si elle en avait déjà eu vent par une employée, une nouvelle version du potin servirait à valider la première.

– Il lui a fait une déclaration d'amour qu'elle a rejetée sans même hésiter.

– Et c'est ce qui a provoqué sa crise quand tu m'as appelée en pleurs !

– Oui, tu as bien compris.

– C'est quoi, cette idée de tomber amoureux ? On croirait qu'il a quinze ans ! Drôle que ce soit moi qui dise une chose pareille…, ironise Julia.

– Sylvain est un grand émotif, il ne peut pas simplement me tromper et revenir à la maison. Non. Il se doit de faire un mélodrame. Il doit tout casser, tu vois ?

– Il a dû manquer d'attention quand il était jeune, celui-là !

– Pffff, je n'en suis pas si sûre. Madame Grondin l'a toujours trop couvert. Le patriarche n'était pas très doux, à ce que j'ai cru comprendre, les gars ont reçu quelques volées. Enfin, Max et Philippe. Ne répète ça à personne, d'accord ?

– Non, non, bien sûr…

Peu assurée que Julia soit digne de confiance, Jeannette hésite. Puis, dans un élan de confidences, elle déballe l'histoire familiale.

– En réalité, si Sylvain s'en est tiré pas trop mal, c'est grâce à Philippe. Vers l'âge de quinze ans, Philippe a pris son père au collet, l'a planté dans le mur et lui a signifié que son règne était terminé !

– Il n'a pas répliqué ?

– Max était derrière Philippe avec un bâton, il paraît que monsieur Grondin est sorti de la maison sans y revenir pendant trois jours. Sylvain a tout vu ! Depuis ce jour, il vénère ses frères.

– Avec raison ! Par la suite, qu'a fait monsieur Grondin ?

– Il est mort peu de temps après d'une crise cardiaque.

– Les gars ont dû être soulagés.

– Je ne sais pas. Monsieur Grondin n'était pas un monstre, il avait aussi beaucoup de charisme. Sylvain le craignait, mais il l'adorait en même temps. N'eût été de son alcoolisme, les choses auraient été bien différentes. Alors, tu vois, il ne faut pas se fier aux apparences. Ils ont vécu leur part de misère. Sylvain a dû rester marqué par son enfance. Mais ça n'excuse pas qu'il démolisse ma maison pour une fille qui ne veut pas être sa maîtresse !

– J'aurais bien aimé que Tom en fasse autant pour moi, soupire Julia, pensive.

– Qu'il détruise sa demeure pour toi ?

– Non ! Tu comprends ce que je veux dire... qu'il remue ciel et terre pour être avec moi ! Il me semble que ce n'est pas trop demander, non ?

– Ton Tom, c'est une autre sorte de bête.

– Ça ne m'explique pas pourquoi tu souhaites avoir Sophie chez toi pour un souper !

Jeannette soupire. C'est vrai, son petit projet peut sembler bien bizarre. Elle s'explique.

– Je fais face à mes démons. Elle est accessoirement la cause de ma rupture, je dois savoir à qui j'ai affaire ! C'est idiot, mais j'ai cette drôle d'impression que je dois la remercier de m'avoir libérée de lui.

Julie hoche lentement la tête devant le discours de sa patronne, mais elle n'est pas dupe une seule seconde.

– N'y aurait-il pas un peu de curiosité vis-à-vis de la fille qui a ensorcelé ton mari, par hasard ?

– Oui, un peu de ça, peut-être. Tu ne serais pas curieuse, toi, à ma place ?

Sophie arrive près du bureau de Max comme il le lui a demandé, mais la porte de ce dernier est fermée. Elle s'approche pour voir par la vitre si elle pourrait lui faire signe avant d'entrer.

Elle constate aussitôt que leur petit entretien vient d'être remis. Philippe ainsi que leur mère, Anna, sont debout devant lui. Tous parlent en gesticulant. Il est facile de deviner leur sujet de discussion : Sylvain. Personne ne s'aperçoit de sa présence. Elle pivote rapidement pour retourner à sa place.

En parcourant la distance entre le bureau de son patron et le sien, elle remarque que plusieurs personnes réagissent à son passage, quelques sourires, des hochements de tête lui font découvrir qu'on a remarqué son retour.

Rien n'indique si les employés connaissent les événements des derniers jours. Seule la mine éternellement renfrognée de Denise a changé. Elle ne la surveille plus. La réceptionniste a tendance, au contraire, à l'éviter.

🍒 🍒 🍒

Ce même vendredi, Jeannette doit mettre au point les détails du souper du lendemain. Comment rassembler Annie, Maïté et Sophie sans créer de malaise ? Y ajouter Julia ? Celle-ci est toujours partante pour une rencontre. Elle pourra s'assurer que les filles, ainsi qu'elle-même, se tiennent à leur place.

De plus, elle pourra enfin présenter Julia à Annie et à Maïté en bonne et due forme. Qu'Annie réagisse parce que Julia est la maîtresse de Tom par solidarité envers Chantal n'a que peu de chances de se produire, elle verra à ce que sa blonde amie ne s'emporte pas ! Elle lui servira sa boisson préférée, animera la conversation avec les potins du jour, fera causer les invitées. Ce sera ni vu ni connu !

Excellente idée.

Elle appuie sur la touche mains libres de son téléphone pour contacter Julia directement par l'intercom.

– Que fais-tu demain soir ? demande-t-elle sans autre préambule.

– Euh…, fait Julia entre deux gorgées de café.

– Voilà, j'aimerais que tu viennes à mon souper.

D'un déclic perçu sur le haut-parleur, Jeannette sait que Julia vient de saisir le combiné, elle fait de même.

– Celui avec Sophie ?

– Oui.

– Ah, comme garde du corps.

– Non…, enfin peut-être. Je préfère que tu sois là, histoire de préserver la paix.

Ou la guerre, songe-t-elle avec une pensée pour Annie.

– J'y serai. C'est où ?

– Chez moi, 18 h.

– Sans escorte, j'imagine ?

– Naturellement ! Un homme n'a rien à faire dans un souper de filles !

– Je rougis d'avoir posé la question.

– Ça va.

🍒🍒🍒

De son poste à la réception, Denise dépose son café bruyamment sur la table. Stupéfaite, Sophie ne peut que lever les yeux vers elle.

– Ça va, Denise ?

– Oui.

– Certaine ?

Denise repousse ses lunettes sur son nez, ses verres d'hypermétrope grossissant sa prunelle noire.

– En fait, non ! Ça ne va pas !

– Tu veux qu'on en parle ? demande la jeune femme en soupirant.

– Pas ici.

La dame se lève et fait silencieusement signe à Sophie de la suivre. Une fois isolées dans la salle de conférences, Denise vide son sac.

– Tu sais qu'il y a des rumeurs te concernant qui circulent?

– Non, je suis revenue hier seulement. Naturellement, personne ne m'en a parlé.

– Alors, tiens-toi bien. J'espère qu'à moi, tu diras la vérité!

Est-ce un ordre? Un sourire nerveux crispe le visage de Sophie.

– Denise, je n'ai rien à cacher. Raconte-moi de quoi on jase à mon sujet, je pourrai te confirmer si c'est exact ou non.

– On rapporte que tu couches avec Sylvain et que c'est la raison de sa séparation.

Prévisible. Facile.

Seigneur!

– Alors, tu peux répandre la bonne nouvelle. C'est faux.

– Il était tout le temps chez toi, à ce qu'il paraît, renchérit la quinquagénaire.

– Pour le travail.

– Sophie, tu me prends pour une cruche?

– Non, Denise, jamais je ne ferais ça. Je t'estime énormément, je serais donc déçue de constater que ce n'est pas réciproque. Je n'ai jamais touché à un seul cheveu de Philippe Grondin.

– Philippe?

– Oh, j'ai dit Philippe? Je voulais dire Sylvain.

Elle a rougi malgré elle, elle le sent sur son épiderme.

– Alors, c'est Philippe que tu veux!

– Denise, ne me mets pas des mots dans la bouche!

– C'est toi qui l'as dit, pourtant.

Sophie secoue la tête.

– C'était un lapsus. Cette conversation ne va nulle part. Je n'ai jamais touché ni à l'un ni à l'autre. Fais-en ce que tu veux, Denise, et pense ce que tu souhaites, moi, je n'ai rien à me reprocher.

Chapitre 23
Souper de filles, intruse incluse

Si Denise Archambault était pincée avec Sophie dans le passé, elle l'est encore plus en ce vendredi après-midi. C'est avec une mine hautaine qu'elle annonce à la jeune adjointe que Max désire la voir.

Sophie, qui désormais se fiche éperdument de l'attitude de sa collègue, la gratifie d'un « merci » rapide avant de se diriger vers le grand bureau.

Max se lève dès son entrée. Sophie sourcille. Il lui semble qu'il est plus grand qu'elle ne l'avait perçu. Avec ce visage taillé dans du roc, il serait intimidant si ce n'était de ce sourire accueillant. La photo qu'elle a de lui ne rend pas justice au personnage en chair et en os.

– Bonjour, Sophie. Désolé pour hier. Comme tu t'en doutes, les histoires de familles sont un peu intenses ces temps-ci.

– Bien sûr. Puis-je demander comment se porte Sylvain ?

Max passe ses doigts dans son épaisse chevelure sombre.

– Il va comme il peut.

– C'est dommage...

– Vous étiez proches, n'est-ce pas ?

– Pas comme vous l'entendez, proteste Sophie.

– Non, je suis au courant. On m'a raconté ce qui est arrivé le matin même de l'intervention.

Il s'est appuyé sur son bureau, les bras croisés ; elle est toujours debout et tortille nerveusement ses mains, ne sachant quoi dire. Max reprend sur un ton plus léger.

– Philippe me jure que tu es très efficace.

– Il exagère ! Mais je lui retourne le compliment.

– Je lui passerai le message. Ne t'inquiète pas au sujet de Sylvain, il ne t'incommodera plus. Alors, ce sera tout pour l'instant, Sophie. Continue ton excellent travail. Je suis content de te rencontrer, enfin.

– On s'est déjà croisés.

Ah ! merde, pourquoi avoir révélé ça ? Le regard de Max change, il devient songeur, la jaugeant soudain avec attention.

– À la soirée BBQ chez Sylvain, ajoute-t-elle prestement.

– Dans des moments peu opportuns, en effet. Je ne me souviens pas t'avoir vue ce soir-là, j'étais occupé...

Puis, il fronce les sourcils, s'approche d'elle. Il la fixe avec tant d'insistance que Sophie en a les mains moites. *Il va me reconnaître... Il va me reconnaître...*

– Tes traits me sont familiers...

La gorge sèche, le cœur battant, Sophie ravale sa salive.

– Ppp... pardon ?

– Oui, je t'ai déjà vue quelque part... Tu portes du maquillage, parfois ?

– Non, jamais !

– Bon, ça me reviendra, mais je sais que je t'ai aperçue auparavant.

Dès 16 h le samedi, Maïté et Annie sont déjà chez Jeannette. Fébriles pour la soirée à venir – nouvelle amitié ou confrontation déguisée –, chacune se demande quelle saveur prendra la conversation. Nul ne craint que la *petite* Sophie se révèle une tigresse redoutable. Toutefois, elle possède le charme innocent qui envoûte tout le monde sur son passage. Tous, sauf ses rivales potentielles.

Maïté, qui a déjà forgé sa propre opinion, se délecte à l'avance de la tournure des événements. Cette fille a piqué son job et le mari de son amie. Elle est de trop dans le décor.

Jeannette, de son côté, prend sur elle pour faire face à l'ultime affront, la femme qui l'a surpassée dans le cœur de son mari. Mais qu'est-ce qui lui a pris de l'inviter ? Sa psy doit être folle à lier !

Annie sert le champagne aux copines. Jeannette, qui a l'estomac noué, en avale une trop grande gorgée qu'elle doit recracher.

– Relaxe, fille ! fait Maïté en lui tapotant le dos. Ce n'est qu'une rencontre amicale.

– C'est ce que j'essaie de me dire depuis ce matin. Je crois que je ne devrais pas boire d'alcool ce soir. J'ai peur de dire des vacheries.

– Bonne idée, Jeannette, on va au moins diluer les doses d'alcool de tes cocktails, renchérit Annie avec un clin d'œil.

– Nous sommes là pour te soutenir, quoi qu'il arrive, continue Maïté sans cesser de lui frotter le dos. Cette gamine ne te mangera pas.

Il est 18 h lorsque Sophie, suivie de Julia, fait son entrée chez Jeannette. Toutes s'embrassent avec courtoisie et amabilité. Même Annie, qui ne souhaite pourtant pas connaître la maîtresse de Tom Turner, accueille Julia avec détachement, chose que Jeannette surveille du coin de l'œil avec angoisse. *Tout va bien… Tout va bien !*

De son côté, Sophie respire à petites bouffées en se concentrant pour régulariser son souffle. Elle espère que rien n'y paraîtra.

Maïté darde Sophie du regard avant d'aller se poster derrière le bar d'où elle peut jouer les barmans tant les tablettes sont bien garnies en alcools de toutes sortes. Jeannette entraîne les filles au salon où elles prennent place dans les fauteuils qui ont été déplacés pour l'occasion. Sophie pose les fesses sur le bout d'une chaise droite, tandis qu'Annie s'installe confortablement dans le divan de l'hôtesse.

– C'est amusant, cette idée de *barwoman*, dit Julia pour détendre l'atmosphère. Faudra-t-il laisser un pourboire ?

Les filles s'esclaffent à l'humour facile de Julia, Maïté étire un sourire coquin.

– Tu me paieras en confidences bien salées. Bon, j'attends les commandes ! lance Maïté. Mettez-moi au défi !

– OK, alors, moi je vais boire un mojito, commence Julia d'un ton coquin.

– Un mojito pour madame Fiore ! *Coming up* !

– Tu as les ingrédients pour faire ça ? demande Julia, surprise.

– Certainement. C'est le *drink* favori de Philippe, alors, Sylvain en garde toujours.

Jeannette fusille Maïté du regard. « Quoi que tu fasses, ne mentionne pas Sylvain. » *Raté*.

– Sophie, tu prendras quoi ?

– Un Pepsi pour moi.

Maïté la regarde comme si elle venait de la planète Mars.

– Tu n'es pas sérieuse, Sophie ? Un Pepsi ?

Elle rougit, ça part mal.

– Je ne bois pas souvent. Que me proposez-vous ? demande-t-elle à la ronde.

– Attends, je te prépare un *drink* de mon cru. Tu vas adorer !

Maïté lui présente la boisson d'un brun incertain agrémentée d'un parasol rose miniature. Tous les yeux se tournent vers elle lorsqu'elle prend sa première gorgée. Le goût est si répugnant que Sophie fait une grimace.

– Alors, c'est bon, Sophie ? l'interroge Maïté.

– Honnêtement, non, c'est affreux !

Toutes rient de bon cœur devant sa candeur.

– Merci pour ta franchise, c'était une blague, tu peux le jeter. Champagne ? lui offre Maïté en lui adressant un clin d'œil.

Durant l'apéritif, les cinq filles discutent à bâtons rompus comme de vieilles copines. Jeannette, pleine de bonnes intentions, cherche des sujets d'ordre général, évitant avec soin tout ce qui concerne de près ou de loin les Grondin. Les discussions sur les faits divers des journaux et la mode ne sont pas des terreaux fertiles pour les malaises.

– Sophie, parle-nous de toi ! lance tout à coup Jeannette.

– Oui, d'où viens-tu ? renchérit Annie.

– Crois-tu en Dieu ? demande Maïté.

Toutes la dévisagent. Maïté lève les mains et les sourcils.

– Ben quoi ?

Sophie regarde autour d'elle, quatre paires d'yeux la détaillent.

– Il n'y a pas grand-chose à dire…

– Tu as étudié en quoi ? s'enquiert Maïté, soudain intéressée.

– Musique… théâtre.

Maïté ne peut retenir un sourire malin.

– Donc, avec de telles études, on devient adjointe administrative ?

Sophie plisse les yeux. Oh, l'hostilité prend forme. Elle est surprise que ce soit Maïté qui passe à l'attaque, elle se serait attendue à ce que Jeannette lui lance les premières pointes. *Ne pas marcher dans son piège… Ne pas marcher dans son piège…*

– Quand on ne les termine pas, oui. Et toi, Maïté, que fais-tu dans la vie ?

Cette dernière change d'air.

– Non, mais, attends une minute ! Tu n'as donc pas étudié en secrétariat ?

– Non, pas du tout.

– Tu as travaillé en administration avant, alors ?

– Pas vraiment…

– Commis de bureau ? Faiseuse de photocopies ? Réceptionniste, peut-être ?

Lorsque Sophie secoue la tête à toutes les questions, Maïté lance un regard de biais à Jeannette.

– T'as entendu ça, Jeannette ? Zéro expérience... et pourtant, ils l'ont engagée. Une « décision d'affaires », mon cul !

Maïté est hors d'elle. Philippe Grondin a donc MENTI !!!

– Toi, Maïté, tu as fait des études ? la coupe Sophie, sentant que la situation dérape.

– J'étudie en sciences religieuses.

Sophie détaille cette femme rousse, au foulard vert autour de la tête. Son nez est mince, et son visage anguleux est avantagé par des pommettes saillantes, une bouche pleine et de grands yeux bruns. Maïté est une beauté atypique, ce qui la rend franchement intéressante à regarder. Elle fait penser à ces mannequins élancés des magazines de mode. Celles qu'on maquille outrageusement d'ombre à paupières noire, et à qui on sculpte une frange bizarre.

– C'est super, c'était mon second choix, ment-elle. J'ai toujours eu une fascination pour le bouddhisme. D'ailleurs, je compte mieux me documenter. L'hindouisme me fascine aussi. Ils sont si... zen. En fait, je me suis arrêtée au taoisme, les concepts sont plus universels. Ne trouves-tu pas ? Ah ! L'énergie qui émane du *Tao Te King*. Ce bouquin, c'est incroyable !

Maïté toise Sophie, les yeux plissés, incertaine si la jeune femme se moque d'elle.

– Oui...

Devant l'hésitation de Maïté, Sophie continue sur sa lancée.

– Si j'en avais eu les moyens, j'aurais étudié toute ma vie. J'aurais aimé voyager davantage, aller discuter avec de vrais moines. Malheureusement, J'ai atteint le bout des ressources en prêts et bourses, alors j'ai dû travailler à la sueur de mon front pour survivre... et pour payer mes dettes.

Sophie cache délibérément son passé d'artiste. Elle se méfie de Maïté. Autant rester sur le territoire de cette dernière, la prendre à son propre jeu. Si jeu il y a.

Annie, Jeannette et Julia, qui ont retenu leur souffle durant la première partie de la conversation, respirent désormais plus librement. Sophie a désamorcé la *bombe Maïté*. Si on écoute avec attention, on peut presque entendre leurs applaudissements muets.

Lorsque les convives passent à table, c'est Julia qui fait la première gaffe monumentale lors de la dégustation de l'entrée, la salade tiède aux noix de cajou de Jeannette.

– Alors, Jeannette, il paraît que Bernise va travailler avec nous à partir de lundi matin?

Jeannette renverse son verre, Maïté avale sa gorgée de travers, Annie lâche sa fourchette. Sophie regarde le jeu de dominos s'effondrer sans avoir le temps d'en réchapper un seul.

Annie, qui n'a pas été très bavarde depuis le début de la soirée, ne participant que par monosyllabes aux conversations, se lève.

– Tu as engagé Bernise Tousignant? LA Bernise dont je ne peux entendre parler?

– Tu en connais plusieurs, toi? demande Maïté qui est manifestement ignorée.

Annie et Jeannette sont maintenant seules dans le ring.

Julia s'adosse à sa chaise, laissant s'échapper un «*oh zut*». Jeannette ne ramasse pas les dégâts qu'elle vient de faire. Elle s'assied à sa place au bout de la table, Annie lui fait face. À l'autre bout, les trois filles se retrouvent au milieu de la scène, impuissantes.

Jeannette tâche de mettre du velours dans sa voix.

– Annie, ce fut une décision purement professionnelle prise de concert avec mon associé. Bernise fait de l'excellent travail, nous la voulions dans notre équipe pour un mégaprojet sur lequel nous misons toutes nos subventions. Ce n'est rien de personnel!

– Tu vas travailler avec elle tous les jours, tu es ma meilleure amie, ma confidente. Elle est… avec *lui* !

– Aux dernières nouvelles, ils n'étaient pas vraiment ensemble !

Annie est à court d'arguments. Décidément, personne ne conçoit toute la douleur qu'elle éprouve chaque fois que Max Grondin est évoqué.

– Tu ne comprends pas, dit-elle, les yeux dans l'eau. Tu ne peux pas comprendre ! profère-t-elle entre deux sanglots, avant de sortir de table pour aller s'enfermer dans la salle de bains.

Chapitre 24

On appelle ça une peine d'amour

Toutes les filles se sont levées pour emboîter le pas à Annie, chacune voulant la réconforter mais, contre toute attente, Sophie les invite à se rasseoir.

– Laissez-moi y aller, propose-t-elle d'un ton ferme que le petit groupe ne lui connaît pas.

Surprises par le cran de la jeune femme, Jeannette, Julia et Maïté se recalent sur leurs chaises.

– Versez-vous du vin, relaxez, ordonne-t-elle avec aplomb. Je reviens dans quelques minutes.

Sophie enfile le corridor sur les traces d'Annie, puis s'arrête devant la porte fermée sous laquelle elle aperçoit de la lumière. Elle s'appuie au mur avant de se laisser glisser en position assise près de la porte. Levant les yeux, elle remarque les photos de mariage de Sylvain et Jeannette, accompagnés de Philippe et de Max. Elle secoue la tête, tout ceci est fou. Le simple fait d'avoir été invitée dans cette maison lui donne le vertige.

L'espace de quelques secondes, Sophie se perd dans ce monde parallèle représenté par les nombreuses images encadrées. L'histoire d'une famille, d'un clan, se forme sous son regard fasciné.

– Qui est là ?

La voix d'Annie la fait sursauter, elle l'avait presque oubliée !

– C'est Sophie, je peux entrer ?

– Non merci, tu peux rejoindre les autres, ça va aller.

Irritée, voire agressive, apparemment, Annie n'a aucune envie de discuter avec elle.

– Annie, s'il te plaît.

Un filament de lumière se forme. Sophie ne se fait pas prier, elle pousse la porte comme un vendeur d'aspirateurs.

– Je peux ?

Annie esquisse un geste impatient de la main.

– Comme tu veux.

Ne tenant pas compte de l'attitude belliqueuse de son interlocutrice, Sophie s'assied sur le tapis à ses côtés. Elle ramène ses jambes contre son corps avant de les entourer de ses bras.

– C'est un homme merveilleux, n'est-ce pas ?

– De qui parles-tu ? grince Annie.

– De Maxime Grondin, dit Sophie, très calme.

Annie lui adresse un regard blasé.

– Écoute, ma puce, tu joues dans la cour des grands.

Avec un sourire qui n'illumine pas ses yeux, Sophie, loin de se laisser impressionner, y va pour le fond de sa pensée. Qu'elle l'apprécie ou non, elle n'a rien à perdre avec Annie Simard !

– C'est toi qui vas m'écouter. C'est vrai, je suis hors circuit à côté de vous toutes. J'ai l'air d'avoir dix ans de moins, je n'ai pas terminé mes études, je ne suis pas très *glam*, je ne porte pas de talons aiguilles. Je ne suis jamais sortie avec un président de compagnie, non plus. Au bout du compte, si tout ça mène à pleurer dans une salle de bains, je préfère ma petite vie !

Alors qu'elle saisit un nouveau mouchoir pour sécher ses larmes et essuyer son mascara, Annie pince les lèvres, l'air mauvais.

– Tu ne sais rien de moi !

Tâchant de ramener la jeune femme attristée à un échange plus aisé, Sophie adoucit le ton.

– J'étais au BBQ, ici même, il y a un mois. Cette scène est du déjà-vu. Sauf que, cette fois, Max n'est pas ici pour te consoler.

Annie lui décoche un regard incendiaire. Pendant un moment, Sophie croit qu'elle lui sautera dessus. Il faut rectifier le tir et vite.

– Cette fois-ci, c'est moi qui suis là.

– Va-t'en.

– Non.

Sophie entend les pas des filles qui s'approchent. Elle ferme la porte du bout du pied.

Elle considère la beauté blonde un court instant. C'était donc d'elle dont Cavalier34 parlait, lorsqu'il lui a confié qu'il en avait plus que marre d'être le sujet des lubies féminines.

J'ai appris avec l'expérience que le charme d'une femme s'inscrivait dans le respect qu'elle avait d'elle-même, dans la fierté qu'elle tenait de ses accomplissements personnels, dans sa capacité d'aimer sans capturer, d'être heureuse sans avoir l'attention constante d'un homme. La compagne idéale sera celle qui m'allouera le temps de laisser monter en moi mon désir d'elle. Elle sera celle que je pourrai admirer de loin autant que de près. Elle ne me prendra pas pour son psy, n'essaiera pas de me mettre le poids de ses problèmes sur les épaules, tout en me permettant de la protéger à ma façon.

Voilà, c'est soudain clair. Celle qui trimballe le malheur sur ses épaules, c'est elle, Annie. Or, Sophie sait une chose, personne n'aime être malheureux pour le simple plaisir, cela découle toujours d'autre chose. Que faire ? Lui en parler ? Au point où elle en est… aussi bien se lancer.

– Je ne suis pas médecin, mais d'après ce que je vois… tu devrais consulter. Tu sais, pour la dépression, il y a des solutions et…

Annie émet un rire sarcastique.

– Regardez-moi la demoiselle je-sais-tout ! Non, justement, tu n'es pas médecin ! Pour qui tu te prends, venir me lancer au visage ce que personne n'ose me dire depuis des mois ? J'ai mal à l'âme. Il me manque, c'est tout ! Alors, ne viens pas m'annoncer que je suis malade, tu ne sais même pas de quoi tu parles. Non, mais !

– Pourquoi ne l'avoues-tu pas ? As-tu peur de demander de l'aide professionnelle ?

Quelques secondes passent, les deux femmes se jaugent. Sophie sait que si elle parle la première, elle perdra la bataille. Elle retient son souffle.

Contre toute attente, Annie explose.

– J'ai honte ! Ma mère a toujours été dépressive, ç'a été l'enfer pour toute la famille, mon père a pratiquement gâché sa vie pour elle. Encore aujourd'hui, plus je la regarde, et moins je veux lui ressembler.

Derrière la porte, les trois filles s'assoient sur le bois franc, appuyées au mur du couloir. Aucune d'elles n'a jamais entendu Annie parler de sa mère. Stella a toujours été si soignée, si belle, si passionnante ! À leurs yeux, du moins.

Alors que Sophie et Annie continuent leur discussion, les filles restent silencieuses dans le couloir. Julia est retournée à la cuisine pour aller chercher leurs verres qu'elles avaient laissés en plan. Plus personne ne parle, toutes écoutent, oreilles tendues, lèvres serrées.

– Tu fais quoi dans la vie ?

La réponse, bien qu'évasive, semble quitter difficilement les lèvres d'Annie.

– Je suis ingénieure.

Sophie se contente de lever les sourcils avec un léger rictus moqueur.

– Quoi ? s'impatiente Annie en éloignant son mouchoir détrempé de son nez.

– Tu es magnifique, éduquée, entourée d'amies, et tu t'apitoies sur ton sort.

– On appelle ça une peine d'amour.

– Qui dure depuis quand ?

– Je ne sais plus, je n'ai pas calculé.

– Plus de huit mois ! fait la voix impatiente de Jeannette en provenance du couloir.

Annie relève la tête, dévoilant des yeux démaquillés par les larmes, le gris du mascara dessinant des sillons sur ses joues.

Sophie frappe la porte de sa paume, leur indiquant de s'éloigner.

– Ne t'en fais pas avec elles. Parlons encore.

Annie ferme les yeux, elle est fatiguée. Lasse de pleurer, de parler, de tenter d'expliquer le mal qui étreint son âme en permanence. Elle voudrait dormir pendant des jours, des semaines…

– J'aimerais être seule un moment. Je vais me ressaisir et venir vous rejoindre, murmure-t-elle.

Sophie hésite. Comme Annie lui sourit avec un signe de la tête confirmant qu'elle va mieux, elle se lève. Elle lui serre les épaules, la frictionnant doucement, avant de lui donner la boîte de mouchoirs qui traîne sur le meuble-lavabo.

Dès qu'elle a regagné la salle à manger, Sophie voit trois têtes se retourner vers elle. D'un air amusé, elle les interpelle.

– Alors, on écoute aux portes ?

– On n'avait pas le choix, vous chuchotiez, argumente Maïté.

– Elle s'en vient, dit Sophie en ignorant le commentaire ironique.

Sophie tend la main vers le Pepsi qu'elle s'était versé juste avant d'aller rejoindre Annie. Maïté l'intercepte.

– Oh ! Lâche-moi ce verre de cola ridicule, je te sers un martini.

– Je ne pourrai pas conduire…

– Qui parle de conduire ? Personne ne quittera ces lieux ce soir, ordonne Jeannette. Je vous garde toutes à coucher, la maison est bien assez grande.

– Je veux un martini aussi, aux pommes, s'il te plaît, lance Annie en faisant son apparition sous l'arche qui sépare la salle à manger du couloir, les yeux bouffis, mais rieurs.

Jeannette se précipite vers son amie.

– Je suis désolée, j'aurais dû t'en parler…, de Bernise, balbutie-t-elle en l'embrassant.

– Ça va. Je vais essayer de ne plus vous embêter avec ça.

Alors que Jeannette desserre son étreinte, Sophie tend à Annie le verre que Maïté vient de verser.

La soirée a pris un second souffle, une fois le mélodrame passé. Jeannette se lève en cognant le dos d'une cuillère sur sa coupe. Le tintamarre du métal contre le cristal fait taire les invitées.

– Je porte un toast. À Annie, pour ton courage malgré ta peine et pour ton sourire qui ce soir vaut de l'or dans mon cœur, dit-elle en se mettant la main sur la poitrine et en se penchant vers son amie. J'aimerais tellement que tu trouves le bonheur que tu mérites.

Les filles approchent leurs lèvres de leur verre. Jeannette les interrompt.

– Je n'ai pas terminé !

– OK ! Mais si tu continues sur cette lancée, on va toutes pleurer comme des Madeleine ! bafouille Julia.

– Je disais donc je porte un toast aussi à Sophie... que j'ai mal jugée.

Elle regarde l'intéressée droit dans les yeux avant de reprendre.

– Je te remercie d'avoir accepté de te joindre à nous. Honnêtement, je n'étais pas certaine d'avoir eu une bonne idée en t'invitant ici. Je ne savais pas comment les choses allaient se dérouler. Finalement, j'ai fait une trouvaille. Pour être honnête... Oh mon Dieu, je ne peux pas croire que je vais dire ça, mais je t'avais crue intéressée par mon mari. J'ai su que ce n'était pas le cas, merci à Philippe. Et ce soir, tu nous as montré ton grand cœur, ta sollicitude et ton caractère ! Annie, je t'adore, ma belle, mais tu n'es pas facile à affronter. Sophie, tu lui as tenu tête comme je n'ai jamais osé le faire moi-même. Ça prend parfois une personne audacieuse pour nous remettre à notre place.

Elle marque une pause et continue, s'essuyant l'œil gauche du bout de sa manche.

– Ça y est, c'est moi qui braille ! murmure-t-elle en regardant son vêtement mouillé.

Sophie n'a rien à ajouter. Elle pleure aussi.

Chapitre 25
Quand on parle du loup...

Dans le brouhaha des conversations qui vont maintenant dans tous les sens, Julia s'approche discrètement de Sophie.

– Toi, quand tu entres quelque part, tu fais des vagues, hein !

– Parle pour toi... la super gaffeuse, répond-elle en souriant.

– Elle aurait vraiment pu faire de la purée avec toi, tu sais.

Oh ! Ça, Sophie ne le sait que trop.

– J'ai l'air si vulnérable que ça ?

– Oui, c'est vraiment l'impression que tu donnes. Je vois qu'on s'est toutes trompées à ton sujet.

Julia laisse glisser son regard sur la peau parfaitement claire, sans défaut, de Sophie. Ses yeux marron, pleins d'une vivacité peu commune, et cette façon qu'elle a de tenir ses épaules droites sans avoir l'air de forcer, ce port de tête gracieux ! Cette fille a fait de la danse, c'est évident, et fort probablement du ballet classique. Il y a aussi autre chose, mais Julia est incapable de mettre le doigt sur la facette de la personnalité de Sophie qui l'intrigue le plus. Peut-être cette façon de foncer vers l'inconnu, de s'impliquer là où elle aurait pu passer son tour. Comme intervenir auprès d'Annie Simard, alors qu'elle ne la connaît pas du tout ! Même elle qui n'a jamais eu la langue dans sa poche n'aurait pas osé parce qu'elle n'est qu'une étrangère.

Sentant bien que Julia la dévisage, Sophie reprend la parole comme si elle n'avait rien remarqué.

– Souvent, ça joue contre moi, mais ce n'est pas grave, je vis avec. Annie avait besoin de faire une autre crise, on dirait.

– Pauvre elle. J'espère qu'elle va trouver le bon gars. Ou au moins, apprendre à vivre avec elle-même.

Julia sent que ses mots sonnent faux, mécaniques, et pour cause, elle en est encore à détailler Sophie, fascinée. L'arc de ses sourcils lui rappelle quelqu'un... Marilyn Monroe ? Non... quand même ! Mais ceux d'une actrice, c'est certain.

– Moi aussi, affirme Sophie.

Elle regarde Julia de biais.

– Et toi ? Tu l'as trouvé, le bon gars ? demande-t-elle.

Sophie anticipe la réponse. Elle espère tant que Julia ait mis Tom Turner au rancart. Elle explore la question pour s'en assurer.

À sa grande déception, les yeux de Julia se mettent à briller. Comme si évoquer son « homme » était la seule chose au monde qui aurait pu la sortir de sa distraction !

– Oui, j'ai vraiment trouvé le bon. Mais tu l'as déjà vu, le mois dernier. C'est toujours Tom Turner. L'avocat principal de Grondin Transport. Tu dois l'avoir vu au bureau à quelques reprises, non ? demanda-t-elle.

– Un peu plus grand que toi, cheveux bruns, yeux bruns, le regard moqueur, un peu l'air italien ?

– Italien de mère, en effet.

– Je n'ai pas eu le plaisir de le croiser au bureau, j'ai surtout travaillé de la maison dernièrement. Je viens tout juste de faire ôter mon plâtre, précise-t-elle en pointant sa jambe droite.

Pour avoir vérifié de nombreuses fois si la fiche de Tom Turner est toujours sur le site de rencontre, elle a son visage inscrit très profondément dans sa mémoire. Il a même changé sa photo au cours des derniers jours, preuve d'une activité récente sur le site. Sophie a le cœur gros pour sa nouvelle amie. Elle ne la connaît pas encore assez bien pour lui dévoiler ce qu'elle sait, elle doit se mordre la langue.

Un peu plus tard, en sortant de la salle de bains, Sophie, comme si cela l'obsédait, s'attarde encore une fois aux photos qui ornent les murs du couloir. Elle n'en a jamais vu autant dans une seule et même maison. S'approchant pour regarder de plus près les clichés plus anciens, elle reconnaît facilement une jeune Anna Grondin accompagnée d'un très bel homme aux cheveux en broussaille, sûrement monsieur Grondin père. La jolie Anna, d'un blond presque platine, étreint par la taille son cavalier qui lui entoure les épaules de son bras droit. Elle, si petite à côté de son mari. Un peu plus loin, un encadré de trois gamins, placés par taille ; ils doivent avoir entre six et treize ans. Max est facile à reconnaître avec ses cheveux brun foncé et son regard déjà vif. À ses côtés, presque aussi grand que son aîné, Philippe fixe l'objectif d'un air sérieux, ses mèches blondes vont dans tous les sens autour de ses oreilles et la frange qui lui tombe dans les yeux cache la moitié de son visage. Il faut regarder plus bas sur la photo pour voir le petit Sylvain portant une épée de plastique à la ceinture. Anna a dû en avoir plein les bras avec ces trois garnements !

– Ils sont mignons, n'est-ce pas ? fait une voix derrière elle.

Sophie sursaute à l'arrivée de Jeannette.

– En effet. Madame Grondin a dû en voir de toutes les couleurs.

– Tu sais, pour avoir entendu les histoires de famille au fil des ans, je peux t'assurer que c'est une femme très courageuse. Elle a eu de la chance.

– Si on ne compte pas les problèmes de Sylvain…, ose murmurer Sophie.

Sophie n'a pas le temps de regretter son intervention indiscrète que Jeannette se fait généreuse en confidences.

– Quand je l'ai connu, il se tenait déjà avec… disons des gens peu recommandables. Je crois qu'il était las de se faire comparer à ses frères trop… performants.

– Performants ?

– Max et Philippe étaient bons dans tout. Le hockey était leur sport par excellence, mais aussi le ski alpin et le baseball. Ils étaient talentueux à l'école et, naturellement, trop populaires pour leur propre bien. Il y avait aussi Étienne, leur cousin avec qui Max faisait les quatre cents coups. Étienne était comme leur frère, ce qui laissait souvent le pauvre petit Sylvain derrière. Il s'est souvent senti rejeté. Et dans tout ça, Max s'accommodait très bien de sa renommée, alors que Philippe cherchait plutôt à se fondre dans la masse.

L'allusion concernant Philippe ranime l'intérêt déjà grand de Sophie.

– Est-ce qu'il réussissait ?

– À quoi ? À se fondre dans la masse ? Pas vraiment, non..., répond Jeannette en riant.

Sophie revoit Philippe en pensée. Même lorsqu'il traverse le couloir avec un manuel en main, la tête penchée sans cesser de lire malgré l'animation environnante, elle le remarque, c'est plus fort qu'elle !

– Ça ne me surprend pas.

– Sylvain avait de grands souliers à chausser.

– Je peux imaginer.

– Peu à peu, il a fléchi sous la pression et s'est fait des amis corrompus au passage. Il a obtenu l'attention qui lui manquait tant grâce à ses mauvais coups.

– Quand tu l'as connu, il était comment ?

– Gentil, jovial, mignon comme trois. Je le connaissais depuis longtemps puisque nos mères se fréquentaient. J'ai donc grandi avec les Grondin dans mon univers. Je me souviens surtout de Max, il était déjà plus grand et il me faisait tellement rêver ! Plus tard, j'ai revu Sylvain au cégep. Il était le Sylvain que tu as connu, il y a quelques semaines. À cette époque, il buvait pas mal et fumait du pot, comme la plupart des jeunes qui nous entouraient. Mais tu sais, nous avions dix-huit ans, c'était la vie d'étudiants.

– Ça, je peux m'y référer, dit Sophie.

– Pour te faire une histoire courte, j'étais en grande peine d'amour lorsqu'on a commencé à flirter au café étudiant. J'aimais à m'en fendre le cœur leur cousin, Étienne Grondin. Donc, Sylvain m'a courtisée quelques mois, puis, j'ai changé de branche et d'école. Je suis allée étudier en lettres au cégep Saint-Laurent, laissant Sylvain derrière moi au Vieux-Montréal. On s'est retrouvés deux ans plus tard, un peu par hasard, alors que j'étais à l'Université de Montréal. Sylvain avait décroché pour partir avec son sac à dos faire le tour du monde. Il revenait tout juste, et sa vie n'allait nulle part.

– C'est là que tu es tombée amoureuse ?

Jeannette affiche un sourire rêveur.

– Il m'a eue à l'usure. Le *charme* des Grondin, tu sais. Seulement, Sylvain doit toujours travailler un peu plus fort que ses frères, ajoute-t-elle d'un ton plein de sous-entendus. Peut-être avais-je l'impression de retrouver un peu d'Étienne dans Sylvain.

– Mais, il t'a vraiment charmée.

– Oh ! Absolument ! Il a fini par m'attendrir. Seulement, ce que j'ai vu plus tard, un peu trop tard d'ailleurs, c'est qu'il consommait plus que du simple cannabis à ce moment-là. Je te passe les détails des hauts et des bas que nous avons connus, mais une chose est sûre, n'essaie jamais de sauver un homme de lui-même. Tôt ou tard, ça te retombera dessus.

– Pourtant, vous avez eu de bonnes années, non ?

Jeannette ne répond pas à cette question, au lieu de quoi elle continue de regarder les photos. Sophie pointe celle de Philippe.

– Qui est cette petite ?

– Dorothée. La fille de Philippe. Elle a douze ans, maintenant.

– Je ne savais pas que Philippe avait des enfants !

– Seulement une. Sa femme est morte il y a deux ans, ç'a été un grand drame, Philippe a failli y laisser sa santé mentale. C'est Max qui a pris en charge Dorothée pour lui permettre de se remettre.

Sophie sent son cœur se serrer et une tristesse profonde l'envahir. Voilà donc pourquoi Philippe est ainsi, sombre et inaccessible.

– Il a dû vivre l'enfer.

– C'était le plus beau couple que je connaissais. Tiens, voici Caroline, indique Jeannette en montrant du doigt une femme aux longs cheveux blonds.

– Elle était splendide, on dirait Annie.

Si Sophie avait un quelconque espoir de tomber dans les goûts de Philippe Grondin, il venait de s'effilocher.

– Curieux hasard, en effet. Elle était très gentille.

– C'est vraiment triste.

Jeannette hésite quelques instants, puis, comme la question lui brûle les lèvres, elle décide de se lancer.

– Comment le trouves-tu ?

– Qui ?

– Philippe.

Sophie ravale sa salive. Est-ce que Jeannette peut avoir vu, remarqué ? Comment ? Non, c'est impossible.

– Je n'ai jamais rencontré quelqu'un comme lui. C'est un ange, répond-elle simplement.

– Tout comme toi, renchérit Jeannette en lui serrant le bras avec affection.

– Merci, Jeannette.

– Mais, de quoi donc ?

– Pour cette soirée et pour m'avoir laissée entrer dans ton univers, précise Sophie en caressant de sa main gauche l'avant-bras qui l'étreint.

Il doit être 1 h du matin lorsque Bernise, restée seule pour la nuit, entend quelqu'un entrer dans l'appartement. Après une soirée complète à travailler sur un document que Jeannette attend pour le lundi suivant, le picotement intense de ses yeux la force à tout fermer. Elle s'apprête à se mettre au lit quand la porte vitrée de la cuisine s'ouvre.

– Julia ?

Les pas qui viennent vers elle sont irréguliers, titubant.

– Non, fait une voix masculine. C'est Tom.

– Oh, Tom. Salut, j'allais me coucher.

Passant devant lui, elle doit se faire petite pour se glisser dans le couloir.

– Bernise ! J'aimerais qu'on discute, tous les deux.

Lorsqu'elle voit ses yeux vitreux imbibés d'alcool et sa tenue débraillée, elle grimace.

– Je ne crois pas que tu sois en état. Va dormir, nous parlerons demain matin. Dis donc, tu n'as pas pris ta voiture, j'espère ?

– Bien sûr que non.

– Tant mieux, bonne nuit.

– Hé ! Minute, Bern. Bernyyyy.

– Tom…

Bernise serre les poings. Le ton de Tom vient de changer drastiquement. Elle n'a jamais été capable de discuter avec quelqu'un en état d'ébriété, ça la dégoûte. Et cette odeur familière d'alcool fort lui rappelle l'inconnu insistant de ce soir où elle a rencontré Max.

– Max… Tu le vois toujours ? demande-t-il de sa bouche pâteuse.

– C'est compliqué… Enfin, tu le sais, c'est toi qui me mets toujours en garde.

– Tu es une fille compliquée, toi. Belle, mais *oh! boy!* compliquée !

– Moi ? Je ne suis pas compliquée ! Tu dis n'importe quoi.

– T'as couché avec Max ?

– Tom, ça ne te regarde absolument pas ! Laisse-moi passer !

– J'ai toujours su qu'il n'avait aucune idée de la façon de s'y prendre avec les femmes.

Il s'approche dangereusement. Bernise écarquille les yeux.

– Tu divagues, Tom ? Tu n'es pas sérieux, là ?

– Je sais que tu parles dans mon dos à Julia. Tu penses que je ne le sais pas, Berny ? Tu crois que Julia ne me raconte pas vos histoires ? Elle me dit tout, tu vois, et je sais que tu es une petite sainte-nitouche mal baisée.

– Elle n'aurait pas dit une chose pareille !

– Oh, que oui !

– Tu mens !

– C'est ma parole contre la sienne. Vous êtes vraiment *vaches* entre filles, les couteaux volent bas lorsque vous avez le dos tourné ! C'est fascinant.

– J'ai toujours protégé mon amie !

– Toi, peut-être... mais elle ? Tu crois qu'elle veille sur toi ?

– Elle n'a pas à le faire ! Je n'ai pas de coureur de jupons dans ma vie, moi. Et puis, tu es soûl comme une botte, tu déparles. Va te coucher !

– Tu crois que Maxime Grondin est parfait ? continue-t-il, ignorant ses paroles. Tu te mets le doigt dans l'œil, Berny. C'est un coureur de jupons, comme tous les autres. C'est d'ailleurs ce que j'essaie de te dire depuis le début.

– Y compris toi, hein, tu viens de l'admettre. Tu as couru combien de jupons ce soir, Tom ?

– Est-ce que tu le vois toujours ? demande-t-il, ignorant sa question.

– Non.

Il s'approche, lui effleure la joue du bout des doigts.

– Tant mieux...

Il fait un autre pas vers elle, se tenant à quelques centimètres à peine.

– Tu sais que tu es vraiment belle ? Plus les jours passent, plus tu m'attires...

– Tom ? Qu'est-ce qui te prend ?

–Je t'ai vue me regarder, Berny. Cessons de tourner autour du pot… Tu ne dois rien à Julia, avec tout ce qu'elle raconte à ton sujet…

De toutes ses forces, elle le gifle. Surpris, il porte une paume à sa joue endolorie, l'air mauvais. Bernise est maintenant plus près du mur derrière elle, elle se sent piégée. Lorsqu'il met la main autour de sa taille pour la ramener et la serrer contre lui, un élan d'horreur s'empare de ses sens.

Son dégoût est à son comble lorsqu'il pose ses lèvres humides sur les siennes et que sa langue tente de forcer sa bouche. Il goûte l'alcool de mauvaise qualité. Enragée, elle lui assène un violent coup de genou entre les jambes avant d'agripper le cellulaire qu'il vient de laisser tomber en s'écroulant. Nerveuse, elle compose le premier numéro qui lui vient à l'esprit.

–Julia… où es-tu?

Même s'il est amoché, Tom se relève lentement. Bernise recule d'instinct, se projetant vers la porte qu'elle ouvre brusquement. Dans son élan pour sortir, elle se heurte, juste avant d'atteindre l'escalier de fer forgé, à une haute silhouette que découpe l'éclat des lampadaires de la ville. Dans la pénombre, Bernise ne peut voir son visage, mais sait, dès que les bras puissants l'enveloppent, que son cauchemar est terminé.

Chapitre 26
Roman-savon

Une énergie toute nouvelle vient animer la soirée. Toutefois, Julia est la première à abdiquer sous l'effet des martinis et à réclamer sa paillasse. « Ce n'est pas que je vous aime pas, les filles, mais ma patronne m'a fait damner toute la semaine. Je suis mooooorte ! » Sans être surprise de voir sa collègue tomber au combat – puisque le tyran du travail n'est autre qu'elle-même –, Jeannette la conduit dans la chambre d'amis où trône un lit double très douillet. Une fois seule, Julia se déshabille à moitié ; le sommeil s'empare d'elle dès la tête sur l'oreiller. Jeannette lui retire ses bas doucement avant de recouvrir la belle endormie d'un édredon piqué à la main.

Dès son retour au rez-de-chaussée, Jeannette entreprend l'attribution des places. Elle se glisse entre ses invitées telle une organisatrice d'événements, pointant du doigt les différentes pièces, donnant ses ordres.

– Maïté et Annie, prenez mon lit. Sans arrière-pensée ! précise-t-elle avec un clin d'œil à l'intention de Sophie. Coudonc, Maïté, as-tu mis quelque chose de louche dans le verre de Julia ? Elle dort déjà ! Je vais m'installer à côté d'elle, elle ne risque pas de bouger durant la nuit ! Sophie, ce divan s'ouvre sur un matelas d'appoint, je vais t'apporter des couvertures.

– Hé *Gère-mène*, la soirée est terminée? Ce n'est pas parce que t'as tué Julia au boulot que nous sommes toutes devenues des mémés! proteste Maïté.

– Pour moi, elle s'achève, je suis crevée! Y a pas que Julia Fiore qui a couru comme une folle toute la semaine, affirme Jeannette. Je la talonnais!

– Je peux rester quelques instants encore, l'assure doucement Sophie. Va te coucher, Jeannette, on saura s'arranger.

– Oui, on sait où tu caches les draps… et les bouteilles! Mais qu'est-ce qui sonne comme ça?

– C'est le téléphone de Julia. Ça vient de son sac, indique Sophie.

– Vaut mieux le prendre, ça doit être important!

– C'est sûrement un appel de son amant qui veut une b…

– Maïté! la coupe Annie, scandalisée.

Celle-ci fouille dans le sac sans hésiter. En découvrant le numéro sur l'afficheur, elle blêmit. *Max Grondin*.

– Allo?

– Julia?

– Non, c'est Annie.

La voix grave de Max résonne dans la pièce, même si le téléphone n'est pas en mode «mains-libres».

– Que fais-tu avec le téléphone de Julia?

– Max, qu'est-ce qui se passe? Julia est couchée, nous sommes chez Jeannette.

– Tom a fait une connerie, une vraie, cette fois. Je le ramène chez moi ce soir. Dis-lui que je vais la rappeler demain. Inutile de la réveiller.

– Quoi? Max! De quoi parles-tu?

– Fais-lui le message, s'il te plaît.

Une demi-heure plus tôt

Max dépose Tom à l'appartement de Julia et Bernise. Ils viennent de rencontrer monsieur Hopkins, un éventuel client, sans doute le plus important. L'entretien a été ardu, mais malgré les difficultés avec Hopkins Foods, l'entente sera bientôt scellée, en grande partie grâce à Tom. Monsieur Hopkins est un vieux loup, il ne tourne pas les coins ronds. Il lui faut des réponses précises, sans équivoque. Max Grondin est l'homme de la situation, Tom Turner, son fidèle acolyte, assure ses arrières.

C'est dans un café un peu sombre, mais chic, rue Saint-Laurent, qu'ils passent la soirée. « Soûlons le vieux, ça ira bien ! » suggère Tom, avec un clin d'œil assuré. « Si tu crois qu'il va tomber dans ton panneau, tu te trompes. Ne fais que ton travail, c'est tout ce que je te demande », a répondu Max.

Comme prévu, le vieil homme d'affaires se contente d'une petite gorgée de chaque coupe en dégustation. Tout comme Maxime. Tom, par contre, s'indigne devant le gaspillage de ces bons spiritueux. À la minute même où Hopkins les quitte, il se lance sur les fonds de verres pour célébrer leur réussite.

Un peu plus tard, le regard vitreux de Tom ainsi que ses manières désorganisées indiquent de façon claire à Max que son avocat est incapable de conduire. Il doit le raccompagner. « Tu viendras chercher ta voiture demain ! » Tom proteste : « Non, ils la remorqueront ! » Max n'en a que faire. « Tant pis ! »

Parce que, comme toujours, Max a le dernier mot, ils arrivent au pied de l'immeuble à bord de la Volvo gris métallisé de ce dernier. Max est surpris de voir de la lumière à l'étage. Il est plus d'une heure du matin ! « Les filles ne sont pas couchées, on dirait », commente-t-il. « Ah, c'est sûrement Bernise qui travaille encore ; Julia est chez Jeannette, elle va certainement y passer la nuit ! » le corrige Tom. Le jeune avocat le regarde de travers. « Hé, ne me dis pas que tu l'as encore dans la peau, celle-là. Fie-toi à moi, elle est vraiment chiante. Tu t'en rendras compte bien rapidement ! »

Malgré tout, Max n'a qu'une envie, celle de suivre Tom pour jeter un coup d'œil, juste le temps de fixer dans sa mémoire une nouvelle image du visage de la jeune femme. Il rit pour lui-même. *Tu l'as encore dans la peau.* Tom ne croit pas si bien dire. En réalité, il n'est plus qu'une caricature de lui-même.

Il l'a laissé derrière l'immeuble, là où un tortueux escalier de fer forgé le force à tenir la rampe à deux mains. Tom ne marche pas droit et marmonne des paroles incohérentes. Inquiet, Max attend dans la voiture que son vieil ami soit monté.

Une à une, le jeune homme gravit les marches, manquant perdre pied à deux reprises. Perplexe, Max sort de son véhicule pour s'assurer de le voir rentrer. Lorsque la porte est refermée, il marche jusqu'au dépanneur ouvert 24 heures pour un café.

Au bout de quelques minutes, il revient et s'installe derrière le volant de sa Volvo, allume la radio pour se changer les idées. Juste avant de tourner la clé de contact, un doute l'assaille. Suivant ce que son instinct lui dicte, il sort de sa voiture, puis monte l'escalier à son tour quatre à quatre. Il atteint enfin le balcon, mais contre toute attente, Bernise se jette dans ses bras avant même qu'il ait eu le temps d'ouvrir la porte.

Son cœur se serre lorsqu'il s'aperçoit qu'elle tremble.

Blottie contre le torse de Max, Bernise respire à fond pour la première fois depuis plusieurs minutes. Ses paumes couvrent ses yeux secs, alors que les doigts de l'homme glissent dans ses cheveux pour caresser sa nuque. Ne sachant ce qui vient de se produire, il la berce plusieurs secondes, son menton appuyé sur sa tête. À son contact, il oublie toutes ces heures à l'attendre, à rager contre il ne sait quel obstacle qui se dresse toujours entre eux. Sa proximité l'émeut, il ne veut pas se poser de questions ! Une seule toutefois doit être clarifiée.

– Pourquoi trembles-tu ? murmure-t-il.

Bernise hésite, les mots ne sortent pas. Elle ne comprend pas ce qui vient de se produire, alors comment l'expliquer ? Pour l'instant, elle ne saurait être cohérente. Les événements se représentent en boucle dans sa tête. Rien n'a de sens ! Ni l'assaut de Tom ni ses paroles dures à son endroit. Elle n'a fait que l'accueillir chez elle, rien d'autre ! N'a-t-elle pas naïvement suivi ses conseils ? Certes, elle le surveillait, elle le confrontait, mais rien de tout cela ne justifie les gestes de ce soir. La maudite boisson, voilà la cause !

Elle réfléchit davantage, creusant sa mémoire. Tom l'observait beaucoup, et ce, tous les jours. Lorsqu'elle sortait de la salle de bains, après un long bain chaud, il était dans le couloir. Dès qu'elle s'installait au salon pour regarder la télévision, Tom prenait place non loin d'elle, soudainement intéressé par la même émission. Souvent, il était distrait, il la fixait, détournant le regard dès qu'elle s'en apercevait.

Elle est fatiguée de penser, d'être sur ses gardes. Elle ne veut que conserver ses paupières closes, sentir sur sa peau la chaleur réconfortante des bras de Max, se laisser porter par le rythme.

Lorsqu'elle perçoit la douceur des lèvres de Max sur son front, le mouvement si furtif, si léger, comme si elle était fragile, elle trouve enfin l'énergie d'organiser sa pensée, de s'expliquer. Sa bouche est sèche, elle se racle la gorge.

– C'est Tom... Il a seulement... Il est soûl. Il a voulu m'intimider. Je lui ai donné un coup, mais il n'est pas calmé, explique-t-elle, passant volontairement sous silence le détail de l'intrusion de sa langue dans sa bouche.

À cet instant, Tom se matérialise à la porte. Il se fige lorsqu'il constate la présence de Max. Celui-ci saisit Bernise par les épaules pour la glisser derrière lui, sans cesser de soutenir le regard vitreux de son ami.

– Max ! Je te croyais déjà parti !

Dans son dos, ses doigts trouvent ceux, délicats, de la jeune femme. D'instinct, il les frictionne parce qu'ils sont frigorifiés. Toutefois, pas une seule seconde, il ne détache son attention de Tom Turner.

– Pourquoi ne suis-je pas surpris ? Bernise, descends, s'il te plaît.

Max s'avance vers Tom, ses narines sont contractées, ses yeux, assombris par la rage. À sa vue, Tom, qui connaît très bien le tempérament de son vieil ami, recule d'un mouvement automatique. Il l'a déjà vu se bagarrer, il ne veut pas s'y frotter!

– Elle t'a raconté n'importe quoi! Je n'ai rien fait...

– Comment sais-tu ce qu'elle m'a raconté?

– Elle est capable d'exagérer!

– La seule chose qu'elle a exagéré, c'est ton innocence. Que lui as-tu fait?

Tom recule de quelques pas. Soudain nerveux, malgré son état d'ébriété, il trébuche sur une chaise de cuisine. Son sens de l'équilibre émoussé, il tombe en position assise en levant les paumes.

– Calme-toi, Max! On se connaît depuis l'adolescence, toi et moi... Elle n'est qu'une étrangère!

Max n'est pas de cet avis. De sa main gauche, il empoigne le bras de Tom, le serrant si fortement que celui-ci laisse échapper un cri de douleur. Son poing se serre en une masse menaçante, dangereuse, qui frappe Tom en plein visage. Les doigts de Max craquent sous l'impact, mais la douleur passagère lui fait du bien!

Tom tente de répliquer, mais ne réussit qu'à toucher le vide. Il tombe à genoux, pétrifié de stupeur. Il est engourdi par l'alcool. Du coup asséné par Max, il ne voit que les étoiles qui brillent devant ses yeux. Une main de fer se pose sur son épaule, écrasant ses muscles ramollis. D'un seul élan, il est relevé par une force qu'il reconnaît bien, Max le tient par la chemise.

– Tu me suis sans dire un seul mot, compris?

Défait, Tom hoche lentement la tête. Dormir, il ne veut que dormir... Le visage de Bernise Tousignant revient à son esprit, elle est si belle, si inaccessible...

Non! Ce n'est qu'une salope.

En quelques minutes, Max redescend avec Tom, le tenant fermement, le bousculant au bas des marches. Il le pousse à l'intérieur de la voiture, puis claque la portière.

Bernise se tient sur le trottoir, les bras croisés autour de sa poitrine, le dos courbé. Elle a froid, c'est évident. Max s'approche sans hésiter pour l'entourer des pans de son imperméable. Lorsqu'il sent le souffle tiède dans son cou, il laisse sortir de ses poumons une longue expiration pleine du regret de devoir la laisser. *Tu t'attaches trop vite, Grondin. Trop vite.*

– Tu peux rester seule ? Je vais l'emmener avec moi.

– Tu viens de lui en coller une, n'est-ce pas ? Son œil !

Ses lèvres esquissant un demi-sourire, il lui caresse la joue droite de sa main endolorie.

– Il s'est cogné contre le cadre de la porte.

Malgré la tristesse qui éteint son regard d'habitude si vif, Bernise rit doucement.

– Bien sûr… Fais attention à toi.

– J'en ai vu d'autres.

D'un mouvement au ralenti, Tom vient de sombrer dans l'inconscience sur le siège arrière. Max se promet de lui faire nettoyer tout fluide indésirable qui sortirait par sa bouche en chemin.

Avant de prendre le volant, Max attend que Bernise remonte chez elle. Lorsqu'elle disparaît dans son appartement, il compose le numéro de Julia.

Il est près de huit heures lorsque Julia ouvre les yeux. Sa tête est lourde, plus jamais elle ne boira autant. La promesse s'envolera au prochain verre, elle le sait et sourit à l'idée. N'empêche que sa bouche est pâteuse et elle plaint quiconque l'approchera avant qu'elle ait pu se brosser les dents. Même s'il lui manque, Tom n'est pas là pour être témoin de son lendemain de veille, merci Seigneur.

Un grincement suspect du matelas lui annonce qu'il y a tout de même une présence à ses côtés ! A-t-elle bu à ce point, hier ?

Elle frémit de surprise avant de reconnaître Jeannette à son parfum doux et sucré. Celle-ci est déjà réveillée.

– Salut, beauté.

– On a dormi ensemble ? Je n'en ai pas eu connaissance.

Jeannette a revêtu un pyjama de flanelle bleu clair. Julia porte encore son chemisier de la veille ainsi que sa culotte. Ses cils sont collés, sa peau, huileuse, elle ne se souvient pas avoir retiré ses bas. Elle a besoin d'une douche et de quelques heures de sommeil supplémentaires.

– J'espère que tu as une brosse à dents à me refiler.

– En paquet de douze. Allez, je vais faire le café.

Dès qu'elle descend, le son des voix féminines lui indique qu'elle ne sera pas la première à la cuisine. Annie et Sophie jasent devant leur tasse fumante.

– Salut, Jeannette. Je viens de partir un nouveau perco, tu auras ta dose dans environ quatre minutes.

– Merci…

– Il est super, ton café, Jeannette, confirme Sophie.

Jeannette jette un rapide coup d'œil à Sophie, puis se fige. Elle est fraîche comme une rose, son visage est ravissant, même au lever du jour. La vie est injuste.

– Que Maïté t'entende ! Elle pense que son Maxwell House fait l'affaire.

– Ouch.

– En effet.

Julia apparaît au bas des marches, la main dans ses longs cheveux en bataille.

– Bon matin, Julia.

– Salut, les filles…, café…

– Ça s'en vient. Au fait, ton téléphone a sonné hier.

– Pendant que je dormais ? C'était Tom ?

– Pas exactement, balbutie Annie. C'était Max. C'est moi qui ai répondu.

– Oh ! Es-tu correcte ?

Annie sourit à l'allusion. Tout le monde sait que la seule pensée de Max l'émeut encore ! Même Julia qui la connaît à peine s'informe de son état ! Décidément…

– Oui, oui, moi ça va, la rassure-t-elle.

Annie toussote, semble s'étouffer faussement. En réalité, elle achète du temps. Comment lui annoncer ?

– Julia…, Max n'a pas appelé pour rien…

Sans vraiment la regarder parce qu'elle est occupée à former un chignon improvisé avec sa longue tignasse noire, Julia plante un stylo dans l'amas de cheveux. Étonnamment, tout tient en place !

– Qu'a-t-il dit ? demande-t-elle en tapotant son œuvre pour en tester la solidité.

– Quelque chose comme « Tom a fait une bêtise qui lui a valu un coup dans les gosses et un œil au beurre noir », énonce-t-elle finalement d'un ton monocorde.

Les yeux noirs de Julia deviennent des billes incandescentes, l'esprit latin qui l'habite s'anime. Sous son hâle naturel, elle devient blême.

– QUOI ?

– Euh…, bien, ce n'est pas mot pour mot, mais quelque chose qui revient au même. Je n'en sais pas plus. Tu devrais le rappeler. Il est chez Max.

– Chez Max ? Mais qu'est-ce qu'il fait chez Max ? Ça n'a aucun sens ! s'écrie Julia en cherchant à recomposer le numéro du dernier appelant.

– Julia ! fait la voix de Max au bout du fil.

– Salut, Max, qu'as-tu fait de mon chum ?

Un silence intenable perdure au bout du fil. Même Max semble hésiter. Julia sent une chaleur envahir sa nuque, des taches vertes, rouges, bleus, se promènent sous ses paupières maintenant fermées.

– Max…, s'il te plaît…, murmure-t-elle.

– Longue histoire. Julia…, je crois que tu devrais venir ici.

– Pourquoi ne pas nous retrouver chez moi ?

– Tom ne peut plus retourner chez toi.

– Quoi ? Mais qu'est-ce qui se passe, Max ? hurle-t-elle.

– Tu as besoin de l'adresse, Julia ? demande Max en ignorant ses questions.

– Non, ça va. Je serai là rapidement.

Julia raccroche, blafarde.

– Tom ne peut pas revenir chez moi et je ne sais pas pourquoi. Il a dû arriver quelque chose avec Bernise. Je dois aller chez Max ! Immédiatement !

– Tu veux que je t'accompagne ? offre Sophie.

Julia ignore la proposition, son visage passe du blanc au verdâtre.

– Excusez-moi, je ne me sens pas bien.

Déjà nauséeuse des abus de la veille, Julia est prise d'un violent haut-le-cœur. Elle court à la salle de bains et arrive juste à temps.

🍒 🍒 🍒

Bernise n'a pu fermer l'œil du reste de la nuit. Comment l'aurait-elle pu ? On aurait dit une scène tordue de roman-savon d'après-midi à CTV. Elle se sent abusée, agressée, harcelée. Son cours d'autodéfense aura finalement servi. Elle se posera longtemps la question de savoir jusqu'où il serait allé si elle n'avait pas agi à cet instant précis ? Peut-être pas bien loin, Tom n'est pas un fou furieux, il était soûl, frustré, voilà tout. Encore là, difficile d'en être certaine. Cherchait-il à la séduire depuis le début ? Ou entretenait-il une espèce de haine maladive à son endroit depuis des mois ? Pire, est-il simplement un maniaque sexuel qui n'attendait qu'une proie ?

Elle secoue la tête, le cœur confus. Tout son baratin concernant Max était donc du vent. Comment a-t-elle pu le croire si facilement ? Les images de Max tentant de l'approcher, de mieux la connaître, tout lui revient, l'étourdissant d'un sentiment de perte, de culpabilité. Les souvenirs s'entremêlent à ceux de la veille, lorsque Max l'a rassurée, protégée, bercée… Son cœur se serre à l'idée qu'elle ait pu le traiter avec autant de hargne ! Même si tout cela n'explique pas comment Tom a pu deviner les paroles de Max qui l'ont convaincue qu'il récitait le même poème à toutes les femmes !

Au petit matin, alors que l'aurore se pointe et qu'elle commence enfin à somnoler, le téléphone sonne. C'est Julia.

– Bernise, je suis en route pour aller chez Max. Sophie est avec moi parce que j'ai trop la trouille de ce que je vais me faire mettre en plein visage, j'ai besoin d'un soutien moral.

Bernise expire avec dérision. Pour le soutien moral, elle est loin d'être la meilleure ressource.

– Bonne idée…

– Comment ça, *bonne idée* ? Dis-moi ce qui s'est passé !

– Il est arrivé tard hier soir, vers une heure du matin. Soûl, agressif…

– Je pensais qu'il était sorti avec Max ? Comment a-t-il pu se soûler ? Pourquoi aurait-il été agressif ? Il ne t'a pas frappée tout de même ? Ça ne lui ressemble pas ! Tom ne ferait jamais une chose pareille !

Évidemment, Julia est incrédule, elle résiste devant l'évidence. Bernise se doute que son amie n'acceptera pas la vérité avec facilité. La réalité fait trop mal, parfois.

– Non, pas exactement. C'est moi qui l'ai frappé… entre les jambes…

– QUOI ?

Quoi, quoi, quoi ? Julia s'impatiente. Il lui semble n'avoir que ce mot à la bouche depuis son réveil !

– Écoute, c'est difficile de raconter une histoire pareille au téléphone. Reviens vite à la maison tout à l'heure, je te dirai tout.

– Bernise, je dois savoir avant de lui parler.

Le combiné maintenu entre son épaule et sa joue pendant qu'elle se sert un verre d'eau, Bernise ferme les yeux, hésitante. Elle doit s'y prendre avec doigté. Julia est forte, mais si sensible en même temps !

– Ton Tom, ce n'est pas l'homme que tu crois. C'est un menteur, un manipulateur…

– Ben tiens ! Voyons, Bernise, tu n'en mets pas un peu, là ?

– Il a essayé de m'intimider. Il m'a tassée au mur, Julia…

Bernise grimace. Le simple fait d'avoir à rapporter les événements de la veille à son amie lui brise le cœur.

– Il t'a touchée ?

– Je me suis trouvée coincée, j'ai réagi. Il sentait la tonne à plein nez, il était vulgaire.

– Avoue que ça ne t'en prend pas beaucoup pour accuser quelqu'un d'être vulgaire…

– Julia !

Bernise crie suffisamment fort dans l'appareil pour que Sophie, qui tente tant bien que mal de se concentrer sur la route, l'entende.

– Bon, je te laisse, je verrai par moi-même.

– C'est ça.

– Bye !

Julia raccroche brusquement, puis lance son portable derrière son épaule ; il atterrit contre la vitre arrière.

Chapitre 27

Les « je t'aime » qui font mal...

Grande âme, Sophie, même si elle n'est pas habituée à conduire dans l'ouest de Montréal, même si elle est morte de fatigue, même si elle n'aura pas assez d'essence pour toute la semaine, s'est chargée d'emmener Julia chez Max.

– Prends la sortie du boulevard Saint-Charles, ensuite monte vers le nord, jusqu'au bout, bougonne Julia, contrariée. Je suis désolée, Sophie, de te faire assister à ça. Je panique un peu, là.

– Ne t'en fais pas, j'ai le don d'être toujours au mauvais endroit au bon moment. Si je peux me rendre utile...

– J'espère que tu n'avais rien de prévu aujourd'hui, je te revaudrai ça.

– Ça va... Guillaume comprendra.

Seigneur, je n'ai pas de vie.

– Tu as beaucoup de chance d'avoir un ami comme lui, dit Julia.

– Tu as Bernise.

Julia secoue tristement la tête.

– Des fois, je me demande...

– Comment ça ?

– Dès que je suis heureuse, elle s'arrange pour me gâcher la vie. Du moins, c'est l'impression que ça me donne. Quelqu'un qui est toujours parfait, à la longue, c'est gazant.

Tout en gardant son attention sur la route, Sophie hausse les sourcils, intriguée.

– Tu crois qu'elle pourrait être jalouse?

Julia roule des yeux en passant une main baguée d'or dans sa tignasse.

– Entre femmes, tout est possible… Pfff!

– Je ne connais pas Bernise, je ne l'ai rencontrée qu'une fois, et je l'ai trouvée très douce, très attentionnée. D'après moi, elle s'inquiète pour toi.

– Dès qu'il s'agit de Tom, elle n'est pas très tolérante. Dire que je pensais qu'elle commençait à bien l'aimer! Tourne à droite ici, nous allons suivre cette petite route.

Sophie s'exécute, préférant désormais ne plus intervenir, évitant ainsi de trop s'impliquer dans l'histoire épuisante de Julia. Heureusement, plus elles s'approchent de chez Max, plus Julia s'enfonce dans son silence.

La maison de Max Grondin donne sur l'eau. Les derniers vestiges des arbres et arbrisseaux qui ornent le terrain devant la demeure témoignent que l'automne balaie sa route. Les murs de pierre encadrent de grandes fenêtres carrelées, la structure est certainement centenaire. Sophie sourit au souvenir d'une photo qu'il avait partagée avec elle, lorsqu'il était Cavalier34. Cette maison, ce ciel, ce décor, c'était donc ça! Dire qu'en rêve, elle avait presque été tentée de venir vivre là, comme si la vie de Cendrillon était la sienne. Un château, un prince, une vie heureuse. La vie prend parfois de drôles de tournants.

Elles n'ont pas besoin de sonner, la porte s'ouvre dès qu'elle coupe le moteur. Sophie n'a pas le loisir de contempler le décor tant l'atmosphère est tendue. Max les reçoit avec un sourire triste, embrassant Julia sur chaque joue et la serrant contre lui quelques secondes. Il lui murmure quelque chose à l'oreille que Sophie ne peut déchiffrer. Elle suit tel un automate, regrettant de ne pas pouvoir attendre dans la voiture. Max l'embrasse aussi.

– Je peux patienter dehors, chuchote Sophie à Max tandis que Julia prend les devants, connaissant la maison.

– Arrête de niaiser, viens.

Il lui offre son bras pour l'entraîner vers le salon. Julia et Tom discutent déjà dans la cuisine.

– C'est joli chez toi, tu as fait la décoration ?

D'une question sans importance pour alléger l'atmosphère, Sophie tente de faire sourire Max.

– À vrai dire, Annie m'a aidé.

– Elle a beaucoup de goût.

Le visage fermé de Max la fait taire, soulagée qu'il soit trop préoccupé pour de nouveau l'observer de près. Tant qu'il ne la reconnaît pas en tant que Coraline, elle est tranquille. Entre-temps, il reste obstinément à l'écoute de la conversation provenant de la cuisine. Sophie s'assied sur le sofa pour patienter. Elle n'est vraiment pas désireuse d'entendre les détails de leur dialogue. Lorsqu'elle détecte les mots *pétasse* et *conne*, l'expression de Max devient inquiétante. Elle peut voir les muscles de sa mâchoire se crisper. Pourtant, il n'intervient pas. Du moins, pas encore. Le ton des voix commence à monter, si bien que Sophie ne peut plus les ignorer.

– Bernise est mon amie,Tom !

– C'est une crisse de folle ! Elle va nous séparer. Elle *cherchait* à me prendre en défaut ! C'est une *pimbêche* qui se prend pour une sainte ! C'est une salope méprisante !

À ces mots, Sophie voit Max pencher dangereusement la tête vers l'avant, les yeux fixés droit devant lui tel un taureau prêt à bondir. La jeune femme sait que même si elle est dans son champ de vision, il ne la voit plus. Tel que Sophie l'a prévu, il enjambe les quelques mètres qui le séparent de la grande cuisine de style champêtre. Si elle n'entend aucun bruit de violence, elle n'entend plus de voix non plus.

Tom Turner est escorté dehors par un homme qui semble en parfait contrôle de sa colère. Il ne le lâche que lorsqu'ils atteignent les marches de pierre. Tom, qui perd momentanément l'équilibre, frotte son bras endolori en serrant les lèvres. Julia les a suivis jusqu'à l'entrée, Sophie derrière. Elles demeurent à l'intérieur, le vent d'octobre refroidissant le vestibule.

Tom ressemble à un gamin effronté devant Max. Les cheveux en désordre, les traits tirés, le regard rendu fou par le sentiment d'être jugé injustement, il fulmine.

– Personne ne traite Bernise de salope dans ma maison, intime Max entre ses dents.

– Ouvre les yeux, mon ami, c'est ce qu'elle est ! Elle veut ma peau depuis mon arrivée. Elle te manipule comme une marionnette depuis la première fois que tu as posé les yeux sur elle !

– Tom, tu devrais vraiment te taire.

– Alors, fais-moi taire ! Toi qui contrôles la vie de tous ! Ô Grondin tout puissant !

Max avance vers lui, le dominant de toute sa taille. Julia prend peur.

– Max ! Non !

Max se retourne vers Julia, sa voix se fait forte. Il en a assez.

– Julia, il est temps que tu regardes les choses en face. Tu veux vraiment continuer cette histoire ?

Julia s'appuie contre le mur, les larmes envahissent ses joues.

– Je l'aime…

Tom connaît un regain d'espoir momentané qui lui permet de lancer un regard victorieux à son adversaire. Il se faufile pour aller rejoindre la jeune femme.

– Julia, mon amour, tu me crois, n'est-ce pas ? Tu le vois que je suis traqué !

Il l'attire dans ses bras, elle s'y abandonne mollement. Julia n'a plus de jugement, plus d'énergie, seulement un grand vide où s'entremêlent certitudes et doutes.

Laissant le couple sur place, Sophie fait signe à Max d'entrer.

– J'ai besoin d'aller sur Internet, Max. *Tout de suite.*

– Pourquoi ?

– Permets-moi de te montrer quelque chose, tu comprendras vite. C'est vraiment un menteur, viens voir.

Il la dirige vers son bureau, où un ordinateur portable est allumé en permanence. La jeune femme prend place devant l'écran, pianote rapidement le lien menant au site de rencontres. Max suit chacun de ses mouvements avec grand intérêt. Les lèvres de Sophie forment un sourire victorieux lorsqu'elle clique sur le pseudonyme de Tom. Sa fiche est encore là ! Alors que la pendule numérique les fait patienter, Tom a l'arrogance de se réintroduire dans la maison. Julia se tient debout derrière eux.

– Qu'est-ce que tu fais, Sophie ? demande-t-elle.

– Rien. Je ne fais rien, Julia.

Sophie lance à Max un air désespéré. La page est intacte, mais la photo a disparu, remplacée par un *x* rouge dans un carré blanc.

Tom ne sourcille pas. S'il a vu et reconnu sa propre fiche, il a l'intelligence de ne rien en laisser paraître. Le regard de Sophie passe de Tom à Julia, les lèvres pincées et les sourcils arqués.

Julia prend la parole.

– Que se passe-t-il entre vous deux ? implore-t-elle en regardant tour à tour Sophie et Max. Vous cachez quelque chose !

– Julia..., commence Sophie.

Max l'interrompt.

– Cette comédie a déjà assez duré. Tom, hors de ma maison. Julia, tu le suis si c'est ce que tu veux, c'est ta vie.

– Ma voiture est encore sur Saint-Laurent, ils ont dû la remorquer ! proteste le jeune avocat.

– Prends un taxi. À partir de cet instant, tu t'arranges avec tes problèmes. Comme tu ne peux pas remettre les pieds chez Bernise – si tu oses, c'est à moi personnellement que tu auras affaire –, je vais l'appeler pour qu'elle mette tes valises sur le balcon arrière. Tu te trouves une chambre d'hôtel, un motel, un trou, je m'en moque, mais tu sors de nos vies. Ah oui, et tu es renvoyé.

– Trou de cul ! s'écrie Tom. Tu parles d'un ami ! Tu vois ça, Julia ?

Tom cherche sans le trouver le regard triste de Julia. Malheureusement pour lui, elle lui tourne le dos, les épaules sautillantes, mues par ses sanglots.

– Julia ?

– Pars, Tom. Laisse-moi du temps.

– Tu ne vas pas, toi aussi, croire que je..., tu me connais, Julia ! Je t'aime...

– Trop de gens me donnent trop de doutes à ton sujet. Va-t'en vite, dit-elle en pleurant maintenant à chaudes larmes.

Sophie se précipite sur elle pour la serrer dans ses bras, Max bloque Tom de toute sa taille pour qu'il ne l'atteigne pas.

– Tu l'as entendue, Tom. Décâlisse.

Chapitre 28
Il n'est pire aveugle que celui qui ne veut pas voir

Sortir ses vêtements, ses affaires, trouver des boîtes ! Bernise doit tout exécuter avant qu'il n'arrive, elle veut ne rien oublier, verrouiller, puis sortir de la maison. Elle court dans l'appartement, fourrant pêle-mêle dans un bac chemises repassées, cravates, pantalons et vestons. Il se tapera une belle séance de repassage, tiens ! En réalité, elle constate que Tom ne possède pas grand-chose à part quelques vêtements et sa grande gueule. Il a dû en laisser beaucoup chez son ex-épouse lorsqu'il l'a quittée en catastrophe.

Elle rafle sur le comptoir de la salle de bains ses produits de beauté pour hommes, les tassant dans un sac réutilisable. Avec un sourire malicieux, elle dévisse légèrement sa bouteille d'eau de Cologne. Un accident bête si toutes ses choses s'en trouvent imprégnées ! Retournant avec satisfaction à sa besogne, elle dépose même les restes de sa caisse de Budweiser sur le balcon. Une fois sa mission accomplie, que tout est empilé sans soin, elle enfile son manteau et sort par la porte de devant. Survolant les marches, elle compose le numéro de Max.

– Salut.

– Bernise, tu as tout balancé dehors ?

– Oui, j'ai foutu le bordel, mais ça y est, tout est là. Je descends à l'instant!

– Parfait, je te rejoins au resto.

– Où sont les filles? Julia et Sophie?

– Julia est avec moi. Un peu ébranlée, mais je crois qu'elle va s'en remettre.

– Et Sophie?

– Elle retourne chez elle.

Tout en jasant, elle marche jusqu'au coin de la rue.

Bernise n'a pas à attendre, la silhouette de Max se découpe dans le contre-jour de la porte, accompagnée de celle de Julia, pendue à son bras. Elle n'hésite pas un instant à se lever pour courir vers son amie et la serrer contre elle.

– Je suis désolée, Julia!

– Ce n'est pas ta faute. J'aurais dû le remarquer par moi-même. Ça fait longtemps que son comportement cloche, mais je l'aimais tellement...

– Allons nous asseoir, intervient Max.

Les deux filles s'avancent, toujours enlacées, vers la banquette que Bernise a choisie. Les rayons du soleil entrent par la grande vitre, on peut voir danser les grains de poussière au-dessus de la table. L'instant est figé dans le temps alors que le trio, sans mot, reprend ses esprits. La serveuse leur remet des menus qu'aucun ne consulte. Elles sont assises l'une contre l'autre devant Max qui se réjouit de leurs retrouvailles paisibles.

– J'ai cru que tu allais me détester, murmure Bernise.

– Je l'ai fait pendant environ trois minutes. Je t'ai détesté toi aussi, Max, ajoute-t-elle en se tournant vers lui avec un sourire en coin.

– Je sais, confirme-t-il tristement.

– Merci d'être intervenu, soupire Bernise en lui tendant la main au-dessus de la table. La nuit a dû être longue.

Surpris, mais ravi, Max saisit les doigts offerts, savourant la sensation de quiétude à leur contact. Ainsi finalement liés, ils échangent un regard troublant. Max doit s'éclaircir la gorge avant de raconter les dernières heures.

– Il a *déparlé* une partie de la nuit. Il bafouillait que je me faisais avoir comme un amateur, que tu étais dangereuse... On en a maintenant la preuve d'ailleurs, ajoute-t-il avec un clin d'œil faisant référence au coup violent que Tom a reçu entre les jambes. Ce matin, il était plus facile à vivre. Il voulait rentrer, je l'ai retenu, naturellement. De toute façon, sa voiture est restée en ville, il était à pied.

Alors que Max termine sa phrase, Julia, dont la mascarade de bonne humeur ne tient qu'à un fil, s'effondre en pleurs.

– Ju ! Ça va ?

– Je suis désolée, je me sens tellement cruche. Êtes-vous réellement certains que ceci n'est pas un énorme malentendu ?

La naïveté de sa question rend le couple perplexe et fait de l'adage *Il n'est pire aveugle que celui qui ne veut pas voir* un signe de fumée blanche dans le ciel.

Guillaume se pointe avec un sac d'épicerie dans l'escalier arrière menant à l'appartement douillet mais modeste de Sophie. Il tourne la poignée d'une main, puis pénètre accompagné d'une bourrasque automnale dans la cuisine.

– Soph ! Ta foutue porte était encore débarrée !

– Je savais que tu passerais par là.

– Ouin, mettons, marmonne-t-il, suspicieux.

– Je te jure !

– Tu habites seule à Pointe-Saint-Charles et tu laisses tes portes ouvertes à quiconque voudrait entrer ! Ça fait combien de fois que je te le dis ?

– Oh ! Arrête !

– Dis, tu as des nouvelles de Sylvain ? demande Guillaume.

– Avec tout ce qui s'est passé, j'ai complètement oublié de poser la question à Max. Il doit bien lui parler de temps en temps !

– Max… il ne t'a pas encore reconnue, alors ?

– *Nope* !

– Donc, ce souper de filles ? Je vois que tu es toujours en un seul morceau. Personne ne t'a mangée tout rond ?

– En fait, j'ai failli. Mais par aucune d'elles.

– Par qui, alors ?

– Tom Turner.

– Je suis confus, là. Il y a trop de personnages dans ta vie.

– Le gars qui trompe sa blonde sur Internet.

– Ah oui ! Lui. Mais il n'était pas au souper de filles ?

– Non, tantôt, ce matin… Aujourd'hui.

Guillaume s'installe sur le divan, ouvre une Corona, tirant sur la manche de son amie pour qu'elle arrête de tourner en rond et qu'elle s'assoit.

– Bon. Recommence du début.

– Alors, je ne commence pas avec Tom, mais avec Annie.

– Annie, c'est laquelle, celle-là déjà ?

– La belle blonde en peine d'amour.

– Ah oui ! Celle qui a fait une crise à Cavalier34.

– Ça, c'est Max.

– Oui. Le beau Max. Quel gaspillage, ce gars-là !

– Tu ne peux pas tout avoir.

– Son frère n'est pas piqué des vers non plus.

– Lequel ? Philippe ? demande-t-elle.

– Oui. Très *homme*. Il ferait un bon amant…

Sophie roule les yeux.

– Tu veux mon histoire ou non ?

– Je fantasmais tout haut quelques instants, laisse-moi donc ma dose de bonheur. Tu as vu cet homme en jeans ? De dos…

Oui, elle a vu, elle ne voit que ça depuis des semaines !

– C'est beau, tu as terminé ?

– Oui, vas-y.

– Donc, le souper allait très bien, les filles étaient très gentilles avec moi, largement au-delà de mes attentes.

– Qui était là, déjà ?

– Julia, celle que son amoureux trompe. Annie, celle en peine d'amour, Jeannette, la femme de Sylvain, et Maïté, leur amie excentrique.

– Beau groupe.

– Donc, on était chez Jeannette, tu te souviens, à Outremont, dans la belle maison. Celle de Sylvain en fait.

– Oui, dit Guillaume.

– Alors que je m'estimais chanceuse de ne pas être le point de mire de leurs sarcasmes et blagues pernicieuses, Julia a fait la première gaffe.

– C'est-à-dire ?

– Annie ne savait pas que Jeannette avait engagé Bernise pour travailler avec elle.

– Bernise ? demande Guillaume.

– La nouvelle flamme de Max. Prends des notes.

– Oh oui, la belle intellectuelle gênée. Les beaux yeux en amande.

– Oui, c'est ça. Donc, Julia a annoncé sans le vouloir que Bernise allait travailler avec elles.

– En quoi est-ce une gaffe ? Je ne comprends pas…

– C'est ton côté masculin qui ne comprend pas, soupire-t-elle. Tu es sûr que tu es gay ? Annie est en peine d'amour de Max. Tout ce qui se rapporte à lui de près ou de loin la fait paniquer. Donc, que sa meilleure amie engage sa rivale l'a perturbée, explique-t-elle. Moi, je crois que Jeannette l'a fait exprès, mais passons !

– Je vois la crise d'ici. Comme l'autre fois au party ?

– Oui, mais cette fois-ci, Max n'était pas là pour la consoler. Alors, j'ai pris la relève.

– Toi ? Tu ne la connais même pas.

– Justement et n'oublie pas, à ce moment-là, on avait déjà pas mal bu et tu sais comment je supporte mal l'alcool. Donc, finalement, à force de parlementer, elle a fini par sortir de la salle de bains, et la soirée a pu continuer. Le bon côté dans tout ça est que personne ne m'a achalée à propos de Sylvain.

– Qu'est-ce que Tom a à voir là-dedans ?

– Pendant ce temps... chez Julia, Tom et Bernise avaient une grave altercation. Ce que j'ai compris plus tard.

– Veux-tu bien me dire comment tu t'es encore mise dans des affaires qui ne te regardent pas ?

– Ma bonne âme. Mon grand cœur. Ma malchance...

– Continue.

– Durant la nuit, alors qu'elle dormait à poings fermés, le téléphone de Julia a sonné. V'là t-il pas que c'est Max Grondin au bout de la ligne et que c'est Annie qui répond.

Guillaume grimace.

– Donc, Max demande à parler à Julia à son réveil. Quand Julia s'est levée, elle a rappelé Max, évidemment. C'est là qu'elle a su que Tom était dehors.

– *Menute !* Comment ça, dehors ?

– Il est arrivé soûl, il a été vulgaire avec Bernise, elle lui a donc placé un coup entre les jambes. Max a complété son œuvre d'un coup de poing, mais ça, on n'en parle pas. Il a l'œil gros de même ! mime-t-elle formant un poing devant sa propre paupière.

– Bernise, c'est la coloc de Julia ?

– Oui.

– Tom vivait avec les deux ?

– Oui, tu notes ?

– Je suis à la veille d'aller chercher un calepin.

– Donc, pour te faire une histoire courte, Max a emmené Tom dormir chez lui.

– Pourquoi ?

– C'est son vieil ami et c'est son avocat. Je pense qu'il a perdu sa job, d'ailleurs. Dommage, il paraît qu'il est super bon.

– Ah.

– Donc, ce matin, Julia devait aller voir Tom chez Max, mais elle était très énervée, alors j'ai conduit. Et là, Tom lui a fait le grand jeu pour tenter de se racheter. Comme elle lui tombait encore dans les bras, j'ai voulu lui montrer la fameuse fiche. Dis-moi, t'aurais dix dollars à me prêter ? Je pense que je vais manquer d'essence cette semaine.

– Ouais… La fiche…, murmure-t-il en sortant distraitement son portefeuille de la poche arrière de ses jeans.

– Le maudit salaud, il avait ôté sa photo. Mais il a bien vu que j'avais essayé de la dévoiler. Julia n'a rien su parce qu'il a fait l'innocent, mais il a failli me tuer du regard.

– Finalement, elle est restée avec lui ?

De ses longs doigts, il dépose un billet de vingt dollars sur la table.

– Non ! Elle l'a flushé. Pour l'instant du moins. Je me demande si ça va durer. Tu sais, les femmes, des fois, c'est un peu stupide. Merci pour les sous, ajoute-t-elle en marquant le montant sur le tableau blanc aimanté à son réfrigérateur.

– Je sais, et de rien ! raille-t-il.

La sonnerie du téléphone met un terme à leur conversation.

– Allo ?

– Sophie, c'est Sylvain.

– Sylvain ? Comment vas-tu ? Le Centre, c'est bien ?

– Il faut que tu me sortes d'ici, Sophie ! Je pense que je vais mourir.

C'est déjà le 5 octobre. Pour la première journée de Bernise en tant que salariée, Julia a préparé une présentation de la compagnie.

– Tu te mettras dans le bain en un rien de temps, dit-elle en fermant son ordinateur. Tu auras surtout de la lecture à faire. Beaucoup de lecture ! ajoute-t-elle en pointant la pile d'enveloppes brunes et blanches alignées sur la longue table.

– Ouf ! T'as raison, c'est beaucoup !

– Ouaip ! Mais attends, toi tu n'as que la pile de livres qui est ici. Tu vas traduire des nouvelles érotiques, chanceuse…

Bernise hésite un instant, puis interpelle son amie d'une voix faible.

– Julia ?

– Oui.

– Pendant qu'on est seule à seule, j'aimerais te remercier.

– Pourquoi me remercier ? C'est Jeannette qui t'a engagée…

– Non, pour hier, pour, euh…, Tom. Je sais que c'est difficile pour toi.

Julia se rembrunit.

– Oui… C'est sûr. En passant, il m'a appelée ce matin.

– Oh.

– Il est temporairement chez des amis, il cherche un appart.

– Tant mieux pour lui…

– Écoute, Bernise, ce n'est pas un mauvais gars. Il a juste déconné.

Bernise sent la peau de sa gorge et de ses lobes d'oreilles s'échauffer. Certaine que ses pupilles se sont dilatées à cause de ce mécanisme biologique de panique, elle détourne son regard vers ses mains.

– OK, je crois qu'on va éviter ce sujet. Je t'adore trop pour te perdre à cause d'un homme.

– Mais j'aimerais en parler ouvertement, insiste Julia.

Pourquoi ? songe Bernise.

– La conversation va prendre une tournure difficile, Julia… je préfère vraiment qu'on tourne la page.

– Bernise, est-ce que tu m'as tout dit ?

– Bien sûr, ment-elle.

🍒🍒🍒

– Ça y est, *elle* est là ?

– Oui, elle est ici, dit Jeannette dans son combiné, enfermée à double tour dans son bureau.

– OK, je te laisse…

– Annie ! Ce n'est pas la fin du monde. Bernise, en tant qu'employée, n'a rien à voir avec toi.

– Je sais, c'est ce que je n'arrête pas de me répéter, soupire Annie.

– Tu te sens trahie ?

– Je me retiens pour ne pas aller faire des graffitis sur son édifice.

– Respire, Annie. Je sais que je sonne comme un disque rayé, mais je vais le dire encore, tu pourrais avoir n'importe quel homme. Tu le sais, ça, hein ?

Le silence d'Annie dure plusieurs secondes.

– Il n'y a qu'un seul Max Grondin en ce bas monde.

– Et une seule Annie Simard. Il y a un autre monsieur Parfait qui sera là pour toi, le moment venu. Ton prince charmant est seulement encore occupé présentement, il doit être en train de se séparer d'une mégère pour devenir libre et enfin rencontrer la femme de sa vie, TOI.

Même si Annie rit doucement dans le combiné, Jeannette reconnaît le fond de tristesse dans sa voix claire.

– Tu as l'imagination bien fertile ce matin, je vais tâcher de te croire. Donc, comme ça, l'homme de ma vie est simplement *occupé* à se préparer pour me rencontrer ?

– Exact.

– Et le tien, il est où ?

– Quelque part entre le pôle Nord et le pôle Sud, soupire Jeannette.

– Tu fais allusion à qui là ? Oh ! Étienne… Mais Jeannette, ça fait presque dix ans déjà…

– Non… Étienne est un rêve avec un grand R. Je ne perds pas mon énergie à l'espérer ! Il y a des jours où je pense à Sylvain, au confort qu'il m'apportait, à la stabilité émotionnelle. Je n'en sais rien. Il y a des moments où je m'ennuie de lui. De nous. J'aimais être un *nous*, tu sais ?

– Il en aime une autre. Et toi aussi !

– Qui ne veut pas de lui, proteste Jeannette. Et mon « autre » à moi a disparu depuis longtemps, on vient d'en parler.

– Oui… disparu…, soupire Annie. On l'a sous-estimée, cette Sophie, dit-elle pour changer de sujet.

Jeannette ne peut qu'acquiescer. Sophie, un ange s'il en existe. Sylvain a bien pu tomber sous le charme ! N'était-ce pas exactement ce qu'il lui était arrivé à elle aussi ?

– Oh oui. Je te laisse, Julia est à ma porte.

– OK, je te parle ce soir, dit Annie en guise de salutation. Euh…, Jeannette ?

– Oui, Annie ?

– S'il y a une justice en ce bas monde… Étienne reviendra…

– Les contes de fées n'existent pas, Annie.

– C'est pourtant toi qui viens de m'en raconter un… Ça me donne le goût d'y croire.

🍒 🍒 🍒

En catimini, Sophie longe le corridor vers le bureau de Philippe. Rien à faire, Denise l'a déjà repérée de son regard de lynx. Philippe Grondin est penché sur un dossier, visiblement très concentré. Elle cherche à faire demi-tour, mais Tanya, un des contrôleurs, la salue avec énergie.

– Salut, ma belle Sophie ! Je ne t'avais pas vue depuis ton retour au bureau ! La jambe, ça marche ?

Sophie respire lentement, les nerfs à vif. Pourquoi Tanya parle-t-elle si fort ? Pourquoi doit-elle s'approcher à quelques centimètres de son visage pour lui parler ? Reculant instinctivement, Sophie sourit.

– Oui, Tanya, merci.

– Je te vois tout à l'heure au lunch !

– Oui, sans faute.

– Tu vas tout me raconter, hein ! roucoule Tanya avec un clin d'œil lourd de sous-entendus.

Sans demander son reste, la jeune femme à l'allure masculine continue son chemin vers la réception de son pas cadencé. Mais qu'a-t-elle encore entendu, celle-là ? Que veut-elle l'entendre lui raconter ?

– Sophie, dit Philippe. Entre.

– Je ne voudrais pas te déranger.

– Trop tard, dit-il avec un sourire, le mal est fait. Assieds-toi.

– Je peux fermer la porte ?

– Oui, bien sûr...

Sophie ferme délicatement, comme elle le fait toujours sans trop savoir pourquoi quand elle entre dans le bureau de Philippe.

– Que se passe-t-il ? demande-t-il sans changer de position.

– Sylvain m'a téléphoné hier.

Philippe soupire et frotte ses yeux de ses paumes, levant la tête vers le plafond. Il marque une pause.

– Il t'a dit quoi ?

– Il voulait que je le sorte de là. Il dit qu'il va mourir.

Il expire en soupirant.

– Et qu'as-tu fait ?

– Je ne savais pas quoi faire, j'ai jasé avec lui, tenté de le raisonner. Il dit qu'il n'a pas besoin d'être enfermé dans cet endroit, qu'il n'a rien consommé.

– Bien sûr qu'il a dit ça. Et il aurait détruit l'étage supérieur de sa maison à jeun ! Et tu l'as cru ?

– Je n'en sais rien. Il a dit qu'il avait eu la drogue un peu par accident et qu'il l'avait gardée au cas où je lui...

– Au cas où tu lui briserais le cœur, c'est ça ?

Sophie laisse ses épaules s'affaisser.

– Je me sens idiote.

– Non, Sophie. Peut-être un peu naïve, mais pas idiote.

– Ça serait déplacé que j'aille le voir là-bas ?

Philippe fronce les sourcils, pensif.

– Vu ta position, oui, ça serait déplacé.

– Bien. Bon, je te laisse travailler. Merci, Philippe.

Elle ouvre la porte pour sortir.

– Sophie !

– Oui ?

– Je vais le voir demain. Je te tiens au courant.

Chapitre 29

D'autres chats à fouetter... ou pas ?

Anna Grondin, matriarche du clan, et Dorothée Grondin, fille de Philippe, ont beaucoup de pain sur la planche. Dorothée a eu une idée de dernière minute pour les trente-trois ans de Philippe. Elle souhaite lui organiser une fête surprise, et surtout, ne pas la manquer.

Naturellement, oncle Max servira d'hôte et de coorganisateur. Il sait qui inviter, Dorothée est perdue sans son aide. Elle a cependant son propre agenda, ses demandes, sa liste et ses douze ans d'expérience à être la seule, unique et valeureuse Dorothée Grondin, petite-fille unique de la notoire Anna.

De Dorothée à Max :
J'ai reçu ta liste d'invités. Je vais appeler Jeannette moi-même puisque tu l'as oubliée. Est-ce que mon oncle Sylvain sera revenu de son petit « voyage » ? Qui sont Julia, Bernise et Sophie ? Laquelle est ta nouvelle copine ? Pas les trois, j'espère. Ha ! ha !
Je trouve la liste pas mal courte. Il n'a pas de vie, mon père ?
Tu me donneras ta clé samedi matin, pour les décorations.
Oublie pas de l'occuper, je ne veux pas qu'il s'en doute !
Bonne nuit, je t'adore même si ça ne paraît pas tout le temps.
Do.

Jeannette répond à la troisième sonnerie, juste à temps avant que la boîte vocale ne s'active.

– Allo ?

– Ma tante, c'est Dorothée.

– Do ! Comment vas-tu, chérie ?

– Tu vas venir ou non, samedi ? demande la jeune fille, ignorant sa question.

– Samedi ?

– La fête surprise pour mon père. Mon oncle Max ne t'en a même pas parlé ?

– Do, tu sais que Sylvain et moi, nous sommes séparés…

– Qu'est-ce que ça a à voir avec moi, ça ? Tu n'es plus ma tante ?

Jeannette sourit.

– Bon point. Tu sais que je serai toujours ta tante préférée.

– Tu es ma seule tante !

– Mais non, ta mère avait une sœur, non ?

– Elle vit à Paris.

– Ah, c'est vrai… Alors, pour samedi, je ne sais pas, là, Do. Est-ce qu'Anna est avec toi ?

– Oui. Elle veut que tu viennes.

– Sûre ?

– Oui, sûre, qu'est-ce que tu crois ?

– Alors, c'est d'accord.

– Et Annie.

– Quoi, Annie ?

– Je veux la voir aussi.

– Je ne crois pas qu'elle va pouvoir, Do.

– Tu vas l'inviter ?

– Je lui demanderai.

– Promis ?

– Oui.

– Et Maïté.

– Ça devrait s'arranger.

– Promis ? insiste Dorothée.

– Si elle peut venir, oui.

– OK, alors je vous attends à 7 h chez mon oncle Max.

– D'accord. Do ?

– Oui ?

– Il veut quoi, comme cadeau, ton père, tu crois ?

– Oh, je n'en sais rien, des boxers, tiens !

– Bon, j'ai compris, je vais me débrouiller.

🍒🍒🍒

Préoccupée par l'état de Sylvain, Sophie traverse péniblement un mardi infernal. Elle a si mal dormi la nuit précédente que chaque effort lui semble une montagne infranchissable, sans parler du fait que sa motivation au travail est à zéro. Elle passe la journée à tendre le cou vers l'entrée pour voir si Philippe arrive. Denise lui demande à plusieurs reprises ce qu'elle a de travers. Chaque fois, elle répond : *« Rien du tout »*. Naturellement, la dame n'est pas dupe.

Ce soir-là, elle est sur le qui-vive devant le téléphone. Philippe doit la tenir au courant. La sonnerie la fait sursauter, elle se rue sur l'appareil.

– Soph ! C'est moi.

– Guillaume, j'attends un appel de Philippe. Je peux te rappeler ?

– Bien sûr que non ! Je suis déjà en route.

Une demi-heure plus tard, Guillaume arrive en même temps que la sonnerie du téléphone. Heureusement, sa porte arrière est encore déverrouillée, Guillaume n'a pas besoin que Sophie lui ouvre.

– Allo ?

– Sophie, c'est Philippe.

– Philippe ! Es-tu allé le voir ?

– Je suis en bas, je peux monter ?

Le cœur de Sophie s'emballe, Philippe Grondin est là. Oh mon Dieu!

– Naturellement que tu peux! Je t'attends.

Guillaume fait des signes d'impatience à Sophie, il trépigne.

– Il est là, curieux que tu ne l'aies pas croisé.

– Merde, avoir su, je t'aurais laissée seule avec lui.

– Pourquoi?

Guillaume n'a pas le temps de répondre, il abrège donc sa pensée d'un clin d'œil. Philippe sonne déjà. Sophie descend ouvrir. Lorsqu'elle arrive devant Philippe, un sentiment quasi irréel de le voir dans sa porte dans l'air frais de ce soir d'octobre s'empare d'elle. Elle oublie la raison de sa présence, l'instant d'une fraction de seconde. *Ah oui, Sylvain.*

– Salut, Sophie, je t'ai amené de la visite.

Derrière lui, plus petit, plus trapu même s'il est amaigri, se trouve Sylvain. Il est un peu cerné, sa barbe date de plusieurs jours, mais son sourire hésitant le rend adorable.

– Sylvain! sourit-elle spontanément.

– Sophie… Je peux monter?

Les deux frères la suivent dans le long et étroit escalier intérieur typique des appartements montréalais. Guillaume fait une accolade empreinte de familiarité à Sylvain.

– C'est bon de te voir, Sophie… Enfin, mieux que la dernière fois. J'ai un peu flippé et je voulais m'excuser de t'avoir mise dans une situation délicate.

– Je t'arrête Sylvain, c'est tout oublié. Enfin, tu vois ce que je veux dire, bafouille-t-elle.La seule chose importante est que tu ailles mieux.

Même si ses paroles sont légères, le regard de Sylvain est d'une lourdeur extraordinaire.

– Je vais bien.

– Ça y est, tu es sorti du centre?

– Non, j'y retourne demain. J'ai eu un congé, ça fait partie de la thérapie. Faire la paix avec les dommages, tu sais…

Philippe se racle la gorge, un message clair pour Sylvain. Ce dernier jette un regard triste à son aîné.

– Dis-lui, ordonne Philippe à son cadet. Tout de suite.

Avec un soupir de résistance, Sylvain s'éclaircit la gorge à son tour, puis il s'exécute.

– Je t'ai menti au téléphone. J'avais effectivement consommé avant qu'on m'envoie au centre.

Sophie considère Philippe l'espace d'un instant, il n'a pas détaché son regard d'elle depuis que son frère et lui sont entrés. Il est difficile à décoder, absent, impassible comme d'habitude.

– Je sais, murmure-t-elle, peu importe. Je suis très contente de te voir, Sylvain.

Il la fixe avec émotion.

– Moi aussi. Je suis désolé de n'avoir pas pu te parler avant que mes deux ogres de frères m'embarquent.

– Des ogres, vraiment ?

– Mettons que je n'ai pas eu le choix.

Philippe reste coi, il continue de scruter Sophie sans participer à la conversation.

– Peux-tu vraiment les blâmer ? hasarde-t-elle, incertaine de la réponse qu'elle recevra.

– Non...

Soudainement impatient, Philippe se lève.

– On doit partir, Anna nous attend.

Sylvain s'approche de Sophie pour lui faire la bise.

– Je tiens le coup grâce à toi, Sophie, lui chuchote-t-il à l'oreille. J'ai pensé à toi tous les jours..., hum, toutes les heures, en fait.

Sur ces mots, il salue Guillaume avant de suivre Philippe qui est déjà dans l'escalier.

Une fois les frères partis, Guillaume se couche de tout son long sur le divan. Sophie s'assied dans le fauteuil en face de lui.

– Épatant. Hallucinant. Je viens d'assister à une scène démente. Je suis tellement content d'être venu ce soir !

– De quoi parles-tu ?

Guillaume sourit, son air espiègle n'a d'égal que l'hilarité dans sa voix.

– Deux hommes s'arrachent ma Sophie, et ce, sous mes yeux.

– Tu fabules. Parle-moi plutôt de ta soirée d'hier. Tu as une photo de ton « prospect » ?

– Ne change pas de sujet. Sylvain est encore gaga de toi.

– Oui, soupire-t-elle, on dirait bien.

Il est difficile de ne pas l'admettre. Comme s'il a autre chose à signaler, Guillaume la dévisage d'un air narquois. Sophie lui rend son regard en levant des sourcils interrogateurs.

– Quoi ?

– Philippe est en transe quand il te regarde, finit-il par déclarer.

Une chaleur soudaine s'empare des joues de la jeune femme. Si seulement Guillaume pouvait avoir raison ! Hélas, Guillaume a de la difficulté à faire la différence entre son imagination et la réalité.

– Il surveillait son frère, il avait hâte de s'en aller.

– Non, non, non. Ce n'était pas son frère qu'il surveillait, c'était toi.

– Il était dans la lune. Philippe a bien d'autres préoccupations !

– En fixation. Énorme nuance. Et s'il a d'autres préoccupations, comme tu dis, eh bien, il vient de s'en trouver une nouvelle ! Toi !

– C'est flatteur que tu croies que tous les hommes me veulent, mais c'est dans ta tête, je t'assure. Philippe me voit tous les jours. Il n'a même pas fait attention à moi.

– Avec son frère qui prend les devants constamment, ça lui rend la tâche difficile, analyse Guillaume pour lui-même en se frottant le menton. Comment prendre ce qu'il veut sans blesser son frère ? Mmmm, il est dans le pétrin parce que c'est un bon gars.

– C'est un homme sérieux, il a une fille à qui penser, une entreprise qui prend tout son temps et son énergie. Crois-moi, il a d'autres chats à fouetter que de courtiser la petite secrétaire naïve !

– Mais encore... Si ladite secrétaire est mignonne... il n'en reste pas moins que Philippe est un homme ! Et il est célibataire !

– Veuf.

– Même chose.

– Non. Il a été marié, il a un passé, il est père ! C'est un homme accompli. Moi, je n'ai que mes mauvais souvenirs, je suis tellement... pas à la hauteur.

– Arrête de dire des conneries, Sophie. Moi je vois un homme, une femme, de la chimie, point.

– Guillaume Landry, c'est toi qui fais de ma vie un roman à l'eau de rose. Ne me mets pas des idées dans la tête, je pourrais devenir folle.

– C'est sans doute à cause de Sylvain qu'il voulait sacrer son camp d'ici. Pas à cause de toi, continue-t-il en ignorant la panique de son amie.

– Ils étaient attendus.

– Ouais, c'est ça. Je vais te laisser mijoter ça dans ton petit monde imaginaire. Alors, tu veux savoir à propos de Roberto ?

– Il s'appelle Roberto ? ricane-t-elle, avide d'en savoir plus et surtout, contente de changer de sujet.

– Ouaip, Roberto Tremblay !

Ce soir-là, en se couchant, Sophie est perplexe. Maudit soit Guillaume avec ses fantaisies prolifiques. Philippe pourrait-il vraiment s'intéresser à elle ? Serait-ce possible ?

Dehors, les wagons appliquent les freins dans un crissement ahurissant qui se termine sur un vacarme prodigieux. Tout à fait semblable à ce qui se produit au fond d'elle-même dans la noirceur de sa chambre.

Chapitre 30
Le pirate débarque en ville

– Annie, j'en ai une bonne pour toi, s'exclame Jeannette.

Avant de dévoiler sa nouvelle, elle se redresse dans son divan, plaçant les coussins d'une main, tenant son téléphone de l'autre.

– Dorothée insiste pour que tu sois présente à la fête de Philippe, samedi ! annonce-t-elle.

– Qu'elle est mignonne ! Invente une excuse plausible.

– Annie, t'es pas drôle.

– Jeannette, tu sais bien que je ne peux même pas considérer cette invitation ! Quel genre de soirée ça serait pour moi ? Max avec Bernise, leurs échanges de regards langoureux, de salive... arrrgh !

Jeannette se plaque la main sur le front devant l'évidence.

– Tu as raison.

Silence. Les deux filles reprennent la parole en même temps.

– Je crois que...

– Tu crois que... vas-y.

– Non, toi, vas-y.

– J'allais suggérer que ça pourrait être thérapeutique pour toi.

De son salon, combiné à l'oreille, Annie fronce les sourcils, incrédule.

– Un peu comme un diachylon qu'on arrache d'un coup ?

– Genre.

–Je vais y réfléchir, mais ne promets rien, d'accord? insiste Annie.

–Je ne promettrai rien.

🍒🍒🍒

– Yellow!

– Guillaume.

– L'authentique, pour vous servir, mademoiselle...

– L'heure est grave, soupire Sophie.

– Attends, je mets ma cape magique. C'est bon! Je suis prêt. Qu'est-ce qu'il y a?

– Un cadeau pour Philippe, je ne sais pas quoi acheter.

– Oh! tu as raison, c'est grave. On va aller magasiner demain soir, OK? Le jeudi, c'est plus facile.

– OK. *Fiou*, je ne savais pas si tu avais encore un rendez-vous galant...

– Un quoi?

– Bien tu sais, Roberto...

– C'est qui ça, Roberto? Ha oui, Roberto Tremblay, jamais revu.

– Déçu?

– Pas vraiment, non.

– OK, alors, je t'attends demain, on ira au centre commercial Angrignon.

– Es-tu folle? On va au centre-ville.

🍒🍒🍒

Sophie entre tôt au bureau le jeudi matin, de façon à pouvoir le quitter plus rapidement le soir et rejoindre Guillaume à la station de métro McGill. Il a eu une bonne idée, finalement. Ça fait longtemps qu'ils ne se sont pas promenés bras dessus, bras dessous rue Sainte-Catherine.

Elle prend place devant son écran, encore Windows qui prend une éternité à digérer son café, sûrement. Ce qu'il est lent à ouvrir ce matin ! La très peu sympathique Denise n'est pas encore arrivée. Le seul bruit provient d'un contrôleur routier qui discute d'une livraison avec un camionneur. Ces gens-là travaillent nuit et jour, elle se demande souvent comment ils peuvent faire ce métier de fou.

Il est tout juste 8 h lorsque Denise arrive. Un bonjour pincé accompagne son entrée en coup de vent. Aussitôt son manteau accroché, Denise a déjà son casque d'écoute sur la tête. Son sourire, elle le réserve pour les Grondin, comme d'habitude. *Tiens, pas de biscuits faits maison pour tes maîtres, aujourd'hui ?*

Même après tout ce temps, leur relation n'a guère évolué. Tout au plus, Denise a dû accepter l'importance que Sophie a prise auprès de ses patrons. Chose qui l'embête au plus haut point.

Le bureau de Sophie est placé près de celui de Sylvain, en biais avec la réception. Dès qu'elle tourne la tête, si Denise regarde dans sa direction, elle est son seul paysage. Depuis l'absence prolongée de Sylvain, c'est Max et Philippe qui empilent les dossiers sur sa table de travail.

Vers 10 h 30, une jeune femme à la chevelure brune, apparemment enceinte de plusieurs mois, avance son ventre arrondi vers le poste de Denise. Sophie tend l'oreille discrètement. L'inconnue exige de voir Max. Denise lui annonce qu'il n'est pas au bureau aujourd'hui. La visiteuse insiste. Denise soupire, puis contacte son patron. Elle invite l'intruse à s'asseoir, lui assurant que monsieur Grondin arrivera bientôt.

De nombreuses idées saugrenues passent dans la tête de Sophie. Serait-il possible que Max... ? Non. Ceci n'a rien à voir avec lui. Elle lance une nouvelle prière au ciel : « Faites que ce bébé ne soit pas de Maxime Grondin et j'irai à la messe de Pâques ! » chuchote-t-elle tout bas. *Puisque ç'a fonctionné la dernière fois...*

Finalement, Max arrive. Il se penche aussitôt vers l'inconnue pour l'embrasser, la serrant dans ses bras de longues secondes.

– Sophie ! appelle Max, de loin.

– Oui ? dit-elle en se tournant vers eux.

– Je te présente Chantal. Nous sortons, je reviens tantôt. Philippe sera au bureau un peu plus tard, tu peux lui dire que notre lunch tient toujours, s'il te plaît ?

– Enchantée, Chantal. D'accord, j'ai le dossier LeSieur en tête de liste à traiter.

– Bien, ça faisait un bout que ça traînait.

– À tantôt. Au revoir, Chantal.

* * *

Rue de Lanaudière, Julia entre dans le bureau de Bernise en trombe.

– Je suis tellement contente ! Mon frère s'en vient de Toronto !

– Erick ?

– Oui ! Tu vas enfin le rencontrer ! Ça t'ennuie s'il loge chez nous pendant quelques jours ?

– Il y a de la place, maintenant.

Julia change d'air. Bernise couvre sa bouche de sa main.

– Je suis désolée, Ju. Je ne faisais pas allusion à tu-sais-qui.

– Non, ça va ! Je sais ce que tu voulais dire. De toute façon, il ne sera pas là longtemps, c'est une comète.

– Toujours en train de voyager ?

– Il suit des pistes. C'est un agent d'artistes, une espèce de Jerry McGuire..

– Oh wow, il a un boulot passionnant ! s'extasie Bernise.

– Il ressemble à un pirate, continue Julia, il porte un cache-œil. Il n'aime pas en parler, mais moi, je le trouve très séduisant.

– Comment c'est arrivé ? Son œil, je veux dire…

Julia s'assombrit.

– Il s'est battu pour moi, nous étions des ados. Ç'a mal tourné, ils étaient trois. Une chance que mon autre frère Marco est arrivé à temps, ils avaient une barre de fer.

Bernise grimace, pleine de sollicitude pour son amie.

– Ton enfance n'a pas été rose, hein ?

– Non, vraiment pas. Tu sais, quand tu viens d'une famille d'immigrants, dans un quartier pauvre en plus... Ç'avait fait les manchettes à l'époque.

Julia hausse les épaules.

– C'est derrière nous maintenant. Il arrive demain.

– Si vite ?

– Hum... quand il a su pour Tom, il a décidé de venir. Il l'a toujours détesté.

Erick est un génie.

– Tiens donc !

– Tout le monde le détestait sauf moi, on dirait.

– Je ne l'ai pas toujours haï...

Julia ne l'écoute plus, de nouveau dans ses rêveries.

– Il ne m'a pas rappelée depuis l'autre fois.

Alleluia ! songe Bernise. Pourtant, elle se tait.

🍒 🍒 🍒

En arrivant dans son petit appartement le jeudi soir, Sophie est trop affamée pour appeler Guillaume. Elle met les restants de sa fricassée de légumes de la veille dans le four à micro-ondes, puis ouvre une boîte de biscuits soda pour calmer sa fringale. Elle saisit le plat chaud avec des gants pour le déposer rapidement sur la table. Elle installe son portable devant elle pour manger en pianotant sur les touches du clavier. Entre deux bouchées chaudes, ses doigts la portent d'instinct vers la fiche de Tom Turner sur le réseau de rencontres. Malin, il l'a effacée en entier, plus aucune trace ! Une chance qu'elle l'a copiée ! Vive Snag it !

❧❧❧

– Tu es sûre qu'il faut absolument emprunter l'autoroute 40 pour aller à l'aéroport ? s'énerve Bernise.

– En fait, non… Merde, je pense qu'il vaut mieux prendre l'autoroute 20, avoue Julia.

– Je t'ai dit que je ne suis pas un bon copilote. Tu aurais dû insister pour que Jeannette t'accompagne.

– Il va falloir passer par Côte-de-Liesse. Je déteste cette route, je ne sais jamais quelle voie suivre ! Y a des fous qui arrivent dans tous les sens, maugrée Julia pour elle-même, ayant désormais déterminé qu'elle est le seul navigateur.

– Je suis désolée… Tu veux un GPS pour ton anniversaire ?

– Hein quoi ? Ben non ! Ne t'en fais pas, je me parlais à moi-même. Erick pourra attendre un peu, c'est un grand garçon.

Une longue heure et trois bouchons de circulation plus tard, elles filent sur l'autoroute 20 en direction de Dorval.

– Il devait atterrir à 9 h 30, le temps de descendre et d'aller chercher sa valise, on réussira peut-être à l'intercepter avant qu'il poireaute trop longtemps.

– Qu'est-il arrivé au *grand garçon* ?

– Bah, il restera toujours mon petit frère, même s'il me dépasse d'une tête et quart.

❧❧❧

Le lendemain, Sophie gravit les cinq marches menant à l'entrée de l'immeuble de Grondin Transport avec fébrilité. Elle a cherché comme une folle pour trouver un cadeau approprié pour l'anniversaire de Philippe. Pas trop personnel, pas trop impersonnel, pas trop cher, pas trop *cheap*. De bon goût. Un livre de recettes de sushis et le *makisu*. En espérant qu'il soit un fin gourmet. Elle devra poser la question à Max.

– Max est-il arrivé ? demande-t-elle à Denise avant même de retirer son manteau.

– Bonjour…

– Bonjour ! Est-ce que Max est là ? répète-t-elle, se foutant éperdument de la sensibilité de sa collègue pour les bonnes manières.

– Dans la salle de conférences.

Sophie marche d'un pas rapide vers le couloir, s'arrêtant brièvement à son bureau. Elle dépose son sac et son manteau sur sa chaise, puis allume son ordinateur. Pendant que Windows s'anime, elle part à la recherche de Max.

Il est effectivement dans la grande pièce, seul, debout près de la fenêtre, cellulaire à la main.

– Chantal est passée me voir, j'espère que tu vas t'en occuper ! dit-il d'un ton courroucé dans le petit appareil.

Sophie stoppe net avant de pivoter sur la pointe des pieds pour retourner d'où elle vient. L'indiscrétion la rend très mal à l'aise, elle ne souhaite pas en entendre davantage.

– Tom Turner, tu vas prendre tes responsabilités ! Tu ne peux pas sauter d'une complication à l'autre et me mêler à tes problèmes. J'ai cessé de te sortir du pétrin le jour où tu t'en es pris à Bernise.

Sophie blêmit d'un coup, sa gorge devient sèche et brûlante, son cœur palpite.

– On dirait que tu as vu un fantôme, fait une voix à sa gauche.

Elle sursaute en laissant échapper un cri strident.

– Philippe, tu m'as fait peur !

– Sophie, est-ce que ça va ?

Max est maintenant à sa droite. Coincée entre les deux hommes qui la regardent du même air inquiet, elle discerne enfin leur incommensurable ressemblance. Cette grande bonté qui les anime tous les deux, et l'importance ainsi que le respect qu'ils lui accordent instinctivement.

– J'étais distraite, je n'avais pas entendu Philippe arriver. Je suis désolée d'avoir crié.

Levant la tête, elle aperçoit le regard sévère de Denise fuser de son poste à la réception.

– Tu es certaine que ça va ? l'interroge Philippe. Tu es blanche comme le mur.

– Je me suis couchée trop tard hier soir, ment-elle.

– Viens, j'allais chercher du café à côté, prendre l'air te fera du bien, propose Max. Philippe, je te rapporte un espresso ?

– Double. Merci.

Sophie abdique. Elle ramasse le manteau qu'elle a lancé sur sa chaise quelques instants plus tôt. En passant devant Denise, elle ne peut résister.

– Denise, tu prends un cappuccino ?

– Non, merci.

– Comme tu veux.

Lorsqu'ils atteignent le stationnement, Max la regarde en face.

– Toi, tu as entendu ma conversation avec Tom.

– Oui ! souffle-t-elle. J'ai eu un choc. Je suis désolée, je ne voulais pas écouter, je retournais à ma place...

– Ne t'en fais pas, Sophie, tu es déjà dans la confidence du phénomène Tom Turner de toute façon. Chantal est sa femme, il se trouve qu'elle était déjà enceinte quand il s'est fait prendre avec Julia.

Ils marchent d'un pas rapide vers le café situé à deux coins de rue de leur immeuble.

– Je peux te poser une question indiscrète, Max ?

– Tout ce que tu veux, Sophie.

– Pourquoi Chantal s'est-elle adressée à toi ? Où est Tom ?

– Tom fait ce qu'il a toujours fait, il sème la tempête. Lorsqu'on l'a chassé, il est retourné directement chez sa femme, la queue entre les jambes. Il s'est vite rendu compte qu'il venait de se jeter dans la gueule du loup. Depuis, il joue avec ses sentiments.

– Pauvre Chantal. Oh mon Dieu, si Julia savait ça ! dit-elle en couvrant son front de sa main gauche.

– Il faudra le lui dire.

– Oui, il faudra le lui dire.

Une demi-heure plus tard, assise à son bureau avec un café fort à la main, elle éprouve toutes les difficultés du monde à se concentrer sur son travail.

Chapitre 31
Mauvais garçon

À force de décrire son frère comme un mystère de la nature, un introverti, un géant capable de violence, mais voué à la paix, surtout à la sienne, Julia a rendu Bernise nerveuse. Un loup solitaire, un séducteur temporaire, Bernise est en peine d'imaginer comment ces qualificatifs peuvent définir une seule personne.

Elle comprend en le voyant.

L'homme qui les attend est vêtu d'une chemise noire et de jeans d'un bleu très foncé. Loin d'incarner la candeur, son cache-œil est difficile à ignorer. L'autre œil, d'un brun très sombre rappelant les prunelles de sa sœur, est chargé d'une énergie indomptée. D'épais sourcils noirs, fièrement arqués et voilant son regard, accompagnent un nez aquilin. S'il n'est pas beau selon les canons de la beauté, il est du moins remarquable, assurément bouleversant.

Bernise entend parler de cet homme depuis des jours. Le cher frère adoré, celui sur qui Julia peut compter, son sauveur. Elle s'attend à des retrouvailles chaudes comme la personnalité de son amie et vives comme ses paroles.

Au lieu de cela, Bernise assiste à une scène déroutante. Julia marche lentement vers son frère, un air gêné sur son visage normalement effronté. Elle se lève sur la pointe des pieds pour lui faire la bise. Erick Fiore se penche pour embrasser sa sœur avec réserve, il la prend dans ses bras avec douceur, la serrant contre lui quelques secondes. Son regard tombe sur Bernise qui, d'instinct, recule d'un pas. Julia s'écarte de son frère à cet instant.

– Erick, je te présente mon amie Bernise.

– Bonjour, Bernise, la salue-t-il avec un très léger accent anglais.

– Enchantée, répond-elle en tendant la main droite. Bienvenue à Montréal, ajoute-t-elle, maladroite.

– Merci.

Ils marchent vers le stationnement intérieur. Erick n'a qu'un sac à l'épaule et un sac à dos.

– J'espère que tu as fait un bon vol, s'enquiert Bernise.

– Super.

Un homme de peu de mots, elle aura été prévenue.

À l'appartement, Julia indique à son frère de s'installer dans ce qu'elles ont improvisé comme chambre d'amis, soit l'ancien bureau de Bernise. Un matelas simple déniché chez Jeannette gît dans un coin. Dans un élan de bonne volonté durant les préparatifs pour cette rare visite, elles ont placé un couvre-lit bleu marine et quelques coussins assortis sur le lit. Maintenant que le visiteur est là en chair et en os dans toute sa splendeur, ces détails se révèlent ridicules.

Jeannette a les jambes croisées sur son bureau, téléphone en main, la nuque appuyée négligemment contre son dossier. Bernise, postée avec un grand sourire dans le cadre de la porte, avance vers sa patronne qui lui fait signe de s'asseoir. Jeannette pointe son combiné en roulant les yeux au plafond, lui faisant signe d'attendre.

– Eh bien, tu vas devoir te libérer, ordonne-t-elle dans son combiné.

– ...

– Je suis allée ouvrir ma grande trappe et j'ai dit à Dorothée que tu ne manquerais pas la fête pour tout l'or du monde ! Maï, tu ne peux pas ne pas venir.

– …

– Tu sais ce que j'en pense, moi, de Dominique de La Durantaye. Et puis, est-ce que c'est son vrai nom ? Je ne serais pas surprise qu'il l'ait inventé !

– …

– Ah ! Et puis merde, emmène-le, puisque tu ne peux pas t'en passer !

– …

– C'est ça ! À demain !

Bernise sourit. Comme elle n'a entendu qu'une partie de la conversation, elle tente de deviner.

– C'était Maïté ? demande-t-elle avec un sourire complice.

– Oui ! Elle sera accompagnée de son *loser*…

– Pourvu qu'elle vienne, c'est ce qui est important, non ?

– Oui, tu as raison, soupire Jeannette. C'est tout ce qui importe.

Jeannette dévisage Bernise avec son air coquin.

– Bon ! Je veux que tu me racontes tout.

– Tu veux savoir quoi ? demande Bernise.

– *Il* est comment ?

– Qui ça ?

– Erick, c't'affaire ! Il ne peut pas être ordinaire ! Julia m'en a tellement parlé, mais là, je suis curieuse d'avoir un avis objectif.

– Ah ! L'étalon à la veste de cuir ! Il n'est pas très ordinaire, en effet.

– Il est beau ?

– Non.

– Laid ?

– Affreux, dans le genre mauvais garçon à ne pas présenter à ta maman sous peine de ne plus jamais voir la lumière du jour. Séduisant comme trente.

– Enfin, de quoi rêver!

– Il ne parle pas, il est déroutant. Je ne sais pas comment je vais faire pour vivre avec lui pendant quelques jours.

– Va dormir chez Max!

Bernise ne répond pas. Jeannette hausse un sourcil.

– Quoi? Tu ne couches jamais chez lui?

– Non... C'est-à-dire que notre relation évolue très lentement. Il s'est passé tellement de choses.

Jeannette s'avance sur le devant de sa chaise pour mettre ses coudes sur son bureau. De ses mains jointes, ses doigts entrecroisés frôlent sa bouche.

– Je n'y crois pas... Tu me jettes à terre.

– Tu n'as rien à croire, ça ne te regarde pas.

– Alors, c'est vrai, tu ne blagues pas? Mais, vous avez déjà...

– Encore une fois, *pas de tes affaires*, Jeannette!

– Wow... Je n'en reviens pas.

– Jeannette, tu gardes ça pour toi, l'histoire de Max et moi, d'accord?

– Naturellement, tu me prends pour qui?

La plus grande potineuse en ville.

Perturbée à l'idée que Sylvain fasse probablement ses valises à l'instant même pour refaire surface, Jeannette se lève tôt, le samedi matin. Le choc de la crise est passé. Elle a fui puis est revenue prendre possession des lieux, de *sa* maison. Maintenant, dans quelle galère se retrouveront-ils?

Elle sait qu'il ne l'aime plus. L'a-t-elle déjà aimé? L'image d'un autre Grondin, Étienne, le cousin de Sylvain, lui revient de nouveau à l'esprit. Depuis combien d'années est-il parti? Huit? Neuf ans? Son premier amour restera-t-il donc marqué à jamais dans sa mémoire? C'est de l'histoire ancienne, aujourd'hui, c'est de Sylvain qu'il est question.

Malgré cette séparation désirée, elle ne reconnait plus ses propres sentiments. Certes, Sylvain l'a écartée pour s'enticher d'une autre, certes, il a laissé leur mariage se détériorer et s'égrainer lentement, toutefois, jusqu'à quel point sont-ils vraiment prêts à jeter aux oubliettes tout ce qui reste de leur relation ?

Ont-ils vraiment retourné toutes les pierres, vu toutes les options, vérifié chaque recoin de leur bagage commun ? En y pensant avec du recul, la réponse est non. Leur amour a déjà été plus fort ! Quelque chose au fond d'elle-même garde encore espoir.

Elle doit cependant s'avouer la réelle raison de son hésitation. Elle ne peut imaginer se séparer officiellement de la famille Grondin. Faire partie du « clan » a été pour elle un bouclier de sécurité contre le reste du monde. Jamais, dans sa vie « d'avant », elle n'a eu le sentiment de vraiment appartenir à une famille.

Dépitée, elle s'assied sur son lit, atteignant avec paresse ses pantoufles en jouant du bout des orteils avec la bordure de fourrure synthétique. Le seul héros dans leur histoire est et sera toujours elle-même. Sylvain n'a fait que suivre la vague qu'elle a engendrée et qu'elle maintient jour après jour à la sueur de son front.

Où serait-il aujourd'hui sans la constante surveillance de ses frères ? Ces hommes si généreux auxquels le benjamin n'a jamais même pu rêver de se comparer. Elle l'a toujours aimé tel qu'il est. Avec son charme et ses folies, ses hauts et ses bas, son infatigable sens de l'humour et sa bonhomie. Il lui manquera. C'est à cet instant la seule certitude qu'elle peut poser sur la table.

Le samedi, jour J de l'anniversaire de Philippe, il n'est pas 10 h que déjà Anna et Dorothée Grondin sont chez Max. La jeune fille n'a pas dormi de la nuit, évidemment.

– Je vous laisse entre femmes. Je serai au bureau jusqu'à ce que Philippe se lève. Il te pense où, Do ?

– Il croit que je suis chez Sabrina aujourd'hui, et que grand-maman Anna m'y a emmenée. Attends ! Tu fais quoi de mon père ?

– Nous allons chercher Sylvain pour le ramener à Outremont, dit-il. Je vais m'arranger pour traîner et revenir pour 18 h. Si jamais je n'arrive pas à le retenir, au pire il ira chez toi et non ici !

– Oui, c'est vrai. En tout cas, essaie de ne pas le laisser rôder autour d'ici, OK ? Tu ne m'avais pas dit que Sylvain avait terminé sa cure ?

– C'est un retour graduel, il sera suivi durant les prochains mois, mais oui, il revient ce soir.

– Dis-lui de me téléphoner, ordonne Anna. Il a oublié de le faire toute la semaine. Qu'il utilise mon numéro de cellulaire.

🍒🍒🍒

Bernise s'affaire à préparer le café lorsque Julia fait son entrée dans la cuisine, les yeux bouffis et la robe de chambre ouverte sur un pyjama bleu clair, décoré de nuages blancs et de lapins à lunettes, les pieds traînant dans ses pantoufles géantes à l'effigie des Canadiens de Montréal.

– Ça t'a fait du bien de retrouver ton frère ?

– Je me sens mieux, en tout cas, dit Julia en prenant une gorgée de la boisson chaude. C'est de la dynamite ton café ce matin, Bernise !

– J'ai eu peur que ton frère me prenne pour une mauviette.

– Dis-moi ce que tu as pensé de lui.

– Non.

– *Bern*, tu n'es pas *cool*.

– *Bern* s'en fiche d'être *cool* ou non.

– Allez !

– Il a un brin de ressemblance avec toi, mais en plus poli.

– Poli ? C'est tout ?

– Laisse-moi plus de temps, fatigante ! Je l'ai à peine vu pendant une heure !

Les deux comparses marquent une pause silencieuse entrecoupée de gorgées de café.

– Il paraît que Sylvain revient.

– Max va le chercher aujourd'hui, alors j'imagine qu'il sera là ce soir.

– Jeannette aussi.

– Oui, je sais, confirme Bernise.

– Annie est invitée.

– Je sais ça également.

– Je ne pense pas qu'elle vienne, poursuit Julia. C'est tout juste si elle m'a regardée, lors du souper de Jeannette. Je soupçonne que c'est parce que je vis avec toi, la voleuse de *chum*.

– Hé, je n'ai rien volé ! Ça fait des mois qu'ils ne sont plus ensemble.

– Pour elle, c'est pareil. Tu existes, elle capote. Elle veut Max, c'est son Dieu.

– Tu sais quoi, Julia ? J'espère qu'elle va venir. J'en ai pardessus la tête d'entendre parler de ces histoires. Je n'ai rien à voir avec son *bad trip*.

– Effectivement.

– Et Sophie ?

– Sophie sera là, assure Julia.

– *Cool*.

Chapitre 32
ZE machine

Dans sa maison d'Outremont, Jeannette fait les cent pas, soulevant un vase pour le déplacer d'une table à un bureau, du bureau à une tablette, pour le rapporter à son endroit d'origine sur la table de la salle à manger. Elle a arrosé toutes les plantes, passé l'aspirateur, vidé et nettoyé le réfrigérateur, passé la salle de bains à la désinfection complète, trié son courrier. Elle a mis toutes les enveloppes au nom de Sylvain en pile. Celle-ci commence à s'épaissir sérieusement, il est temps qu'il réintègre le circuit de la vie normale. Avec ou sans elle. Non, pas avec elle. *Sans elle.*

Lasse, elle compose le numéro de son beau-frère.

– Max Grondin !

La voix forte résonne comme une musique rassurante à ses oreilles.

– Max, c'est Jeannette. Es-tu avec lui ?

– Je suis avec Philippe, on est en route. Pourquoi ?

– Parce que je tourne en rond, se plaint-elle. Devoir lui faire face m'énerve sans bon sens !

– Tu veux qu'on l'emmène à L'Île-Bizard, au lieu de chez toi ?

Tout en jouant avec une mèche de ses cheveux couleur caramel, Jeannette réfléchit.

– Je pense que j'aimerais mieux ça. Je veux dire, le revoir en terrain neutre, avec plein de monde. Comme ça, nous n'aurons pas à discuter.

– Comme tu veux, c'est toi le boss.

– Merci, Max. Pour tout. Est-ce qu'il se doute de quelque chose ? Je veux dire, Philippe.

– Aucune idée, tu sais comment il est.

– On ne saura donc jamais ! À ce soir, pas avant 18 h chez toi, n'oublie pas !

Elle n'a pas encore reposé le combiné que le numéro d'Annie est déjà composé.

Erick Fiore fait son apparition dans la cuisine de Bernise sur le coup des 10 h. Débraillé, en boxer, ses cheveux noirs en broussaille, son regard toujours aussi sombre. Bernise termine de ranger les bols et assiettes tirés du lave-vaisselle. Comme elle allonge le bras pour porter dans le haut de l'armoire une tasse à mesurer, l'objet disparaît de sa main pour atterrir sur la tablette inaccessible. Elle s'écarte nerveusement de lui, croisant les bras sur sa poitrine.

– Merci ! lance-t-elle sans le regarder.

– De rien.

– Tu veux un café ? Je viens d'en refaire.

– Merci.

Bernise saisit une tasse encore chaude du lave-vaisselle et la pose sur le comptoir d'un geste brusque. Erick s'est assis à la table, impassible.

– Lait et sucre ?

– Noir.

– Tu es un invité facile.

Un petit sourire est presque perceptible sur le visage marqué du jeune homme.

– Je vais aller courir. Tu as besoin de quelque chose avant que je parte ?

– Une serviette pour la douche.

Dès que l'horloge du salon de Max atteint 16 h, la tension commence à monter. Le maître des lieux n'est toujours pas de retour avec le fêté – Philippe – et Sylvain. Dorothée ne tient plus en place ; pour sa part, Anna décoche des sourires entendus à Jeannette qui s'affaire à terminer de placer les hors-d'œuvre dans le réfrigérateur, même si elle a encore son manteau sur le dos.

Vers 16 h 30, Maïté pointe son grand nez et ses longues jambes, flanquée de Dominique de La Durantaye. La jeune Dorothée le regarde de haut en bas avant de décider si elle est contente ou non de cet invité surprise. Incertaine, elle abandonne son examen pour le remettre à plus tard. Bernise et le duo Fiore arrivent chez Max peu après Maïté. Placide, Dominique de La Durantaye est assis dans son coin, une bière dans ses grandes mains maigres. Jeannette accueille tout le monde avec chaleur, mais Maïté reste un peu en retrait, tendant une main polie pour toute salutation. Son regard s'attarde un long moment sur Erick, si bien que Julia s'éclaircit la gorge pour la sortir de sa fixation.

– Il est beau mon frère, hein ? glisse-t-elle à l'oreille de Jeannette en l'entraînant discrètement vers la cuisine.

– Beau n'est pas vraiment le mot. Je dirais plutôt « inhabituel ». Il ne mord pas, j'espère ?

– Il est gentil avec moi, c'est tout ce qui m'importe.

– Il va rester longtemps à Montréal ? s'enquiert Jeannette.

– Je n'en sais rien. J'imagine qu'il restera le temps qui lui plaira.

Jeannette, qui n'avait pas cessé de toiser Erick, détourne soudainement son attention vers la porte.

– Ça sonne encore, ça doit être Sophie.

Blanche Leblanc arrive avec trois sacs. Ses cheveux d'un blanc bleuté s'accordent à son nom. Sœur d'Anna Grondin, née Leblanc, Blanche est la vieille fille de la famille. Jamais mariée, mais la mère de tous, elle fait office de matriarche depuis la mort de leurs parents. Donc, jamais Blanche n'arrive quelque part les mains vides, et son cœur est toujours à la bonne place.

– Un des sacs est pour toi, chuchote-t-elle à Dorothée en lui glissant le plus petit au poignet. Ne le dis pas à ton père, c'est du maquillage.

– Mais, ma tante, c'est difficile à cacher, il va me voir ! ricane la préadolescente.

– Il ne remarquera pas, il ne voit jamais rien, celui-là. C'est pour ça qu'il n'a pas de blonde.

D'un câlin affectueux pour sa grand-tante, Dorothée regarde l'heure filer en consultant sa liste. Frédéric Legrand a annulé ; Sophie et Guillaume ne sont toujours pas arrivés.

– Ma tante Jeannette, elle est où, Sophie Bertrand ? Est-ce qu'elle va venir ?

– Elle a bien confirmé, pourtant. J'espère qu'elle sera ici à temps pour la surprise.

– Attendons encore un peu, mais l'heure avance, risque Julia.

– Il y a toujours du monde pour faire foirer les surprises, marmonne Dominique de La Durantaye, sans se donner la peine de retirer le goulot de sa bouteille de bière d'entre ses lèvres minces.

Dorothée, Julia et Jeannette le dévisagent.

– Non, mais c'est vrai, quoi. Dans chaque party, il y a toujours une pomme pourrie. Ha, ha, ha !

– Maï ! crie Jeannette sans perdre le regard de Dominique qui avale une nouvelle gorgée de sa bière.

Maïté vient les rejoindre en fronçant les sourcils.

– Oui, Jeannette ?

– Tu peux surveiller ton homme, s'il te plaît ? Il est déjà soûl.

Les mains sur ses hanches maigrichonnes, Maïté fronce les sourcils.

– Ah non, tu te trompes, il n'est pas soûl.

– Tu veux dire que c'est son état naturel ?

Le visage de Maïté passe au rouge. D'un geste brusque, elle tire Dominique par le bras pour l'entraîner dans la cuisine. Elles n'entendent pas la suite.

– Tu as été un peu dure, non ? lui reproche Julia.

Jeannette secoue la tête.

– Ça te tente, toi, de l'entendre râler toute la soirée, cet épais-là ? Moi, non. Bon, où est Sophie ? Tu as son numéro ? Elle doit bien avoir un cellulaire…

– Appelons Sylvain, propose Julia, il doit avoir son numéro.

Les doigts de Jeannette pianotent ses lèvres maquillées d'un rouge à lèvres vermeil qui rehausse la teinte de ses yeux pers.

– Il est avec Philippe, ça sera louche.

– Alors, qui l'aurait ?

– Denise sûrement, reprend Jeannette.

– Tu as le numéro de Denise, toi ?

– Non.

– Où est Sophie ? s'inquiète la voix de Bernise derrière elles.

– En retard ! Tu as son numéro, toi ?

– Non, avoue Bernise. Toi ?

– Non.

À cet instant, la sonnette retentit, mais avant que quiconque ait le temps de répondre, une Sophie essoufflée entre en trombe.

– Ils sont derrière nous ! Cachez-vous ! Fermez les lumières ! Viteeeeeuh ! !

Toutes les lampes sont éteintes à temps, les convives bien cachés derrière les meubles. Dorothée, qui prend la chose très à cœur, force certains invités trop lents à se pencher. Dans le noir presque total, les secondes paraissent plus longues. Des ricanements jaillissent de part et d'autre, puis des pas martèlent le sol. La voix grave de Max, qui ferraille bruyamment dans la serrure avec sa clé, annonce leur présence. Tous retiennent leur souffle. La porte s'ouvre sur les trois hommes, leurs silhouettes révélées par la lumière du porche.

Dorothée est la première à bondir. Un vacarme d'exclamations la suit lorsqu'elle s'élance dans les bras de son père qui, sur le coup, ne semble pas comprendre sa présence dans les lieux sombres.

– Bonne fête, papa ! hurle-t-elle en l'enlaçant, alors qu'il se penche pour la prendre dans ses bras.

– Merci, ma chérie ! dit Philippe. Veux-tu bien me dire ce qui se passe ici ?

Il hausse un sourcil, étonné de la situation.

– J'ai tout organisé ! Tu es content ou pas ?

– Très heureux ! Merci de t'être donné tout ce mal. J'imagine que tu étais responsable de m'occuper aujourd'hui ? demande-t-il à Max.

– C'est évident. J'aurais pu aller chercher Sylvain tout seul.

– Je trouvais que tu étais devenu bien sentimental. Il était là, à insister pour qu'on y aille en famille... J'aurais dû m'en douter !

Toujours en retrait, Bernise, nerveuse et mal à l'aise, s'invente une tâche urgente à la cuisine. *Aider Anna, oui, génial !*

– Excusez-moi, fait Max, alors qu'il la voit disparaître derrière les convives.

– Y a un party ici ou quoi ? Vous m'attendiez, c'est ça ?

– Exactement, Sylvain ! confirme Guillaume en se détachant des autres. Comment ça va, *man* ?

Il lui tend une main amicale.

– Guillaume, je suis content de te voir !

Pressé de savoir qui est présent, Sylvain évalue le groupe.

– Bienvenue dans le monde, Sylvain.

Jeannette le regarde avec prudence.

– Merci, Jeannette. Je pensais te voir à la... hum... maison... mais on a dû venir directement ici...

Le malaise est palpable. A-t-il souvenir de ses méfaits? Elle lui en a voulu à mort! Mais comme toutes les autres fois auparavant, dès qu'il réapparaît avec ses yeux bleus si tristes, elle se réconcilie avec le charme candide de Sylvain. Heureuse et consternée à la fois, elle se résigne à entretenir avec lui une conversation superficielle.

– Do a insisté, je n'ai pas pu refuser.

– Elle peut être un véritable tyran, parfois.

Il se penche pour l'embrasser de manière platonique, sur chaque joue.

– Sophie est ici, annonce-t-elle.

Sylvain ferme les yeux, respirant un grand coup.

– N'en parlons pas d'accord? articule-t-il à voix basse.

Maïté arrive, coiffée de son habituel foulard vert, avec un plateau chargé de verres à cocktail contenant un jus rosé parsemé de cerises et de glaçons.

– Je fais le service! s'exclame-t-elle.

De l'autre bout de la pièce, Sophie contemple Philippe embrasser sa mère, Jeannette, puis serrer la main d'Erick Fiore que Julia lui présente, faire la bise à Julia, serrer la main de Dominique de La Durantaye, hocher patiemment la tête en l'écoutant raconter on ne sait quelle histoire. Elle se raidit plus qu'elle ne l'aurait imaginé lorsque son regard tombe finalement sur elle. Il s'excuse auprès de Dominique, le coupant au milieu d'une phrase pour atteindre Sophie.

– Tu aurais dû m'avertir de ne pas m'approcher de lui, chuchote-t-il en se penchant vers elle.

Cette simple apparition, remplie d'une complicité devenue naturelle entre eux, la touche profondément. Désireuse de retenir un rire nerveux, elle s'éclaircit la gorge.

– Je ne l'ai jamais vu de ma vie, je suis arrivée quelques secondes avant vous. Il a l'air un peu intense, en effet.

Les yeux de Philippe, d'un brun profond, contrastant avec sa chevelure châtain clair, se font rieurs.

– Je t'ai aperçue quand tu es entrée.

– Ah non ! J'ai tout gâché…

– Ne t'en fais pas, je le savais déjà, ma fille s'est trahie plusieurs fois cette semaine, j'ai fait semblant de ne rien entendre. Ce sera notre secret, d'accord ?

– Philippe ! hurle une voix féminine un peu rauque.

Philippe ferme les yeux avec un sourire pincé. Après un rapide clin d'œil à Sophie, il se retourne vers la dame.

– Ma tante Blanche ! Comment ai-je pu vous manquer ?

– Mon petit, bonne fête !

Alors que Philippe se retrouve aux prises avec sa tante, Guillaume se penche vers Sophie.

– Il y a un beau noiraud là-bas… Penses-tu qu'il est gay ?

– Tu parles de qui ? Le gars avec le cache-œil ?

– Il est *ouf* ! Séduisant !

– Je n'ai aucune idée de qui il s'agit.

Sophie sent une main se glisser sous son bras.

– Julia !

– Salut, pinotte. Tu es arrivée trop tard pour qu'on ait le temps de jaser. Viens, je vais te présenter mon frère.

Guillaume fait la moue.

– Tu connais Guillaume…

– On s'est croisés au barbecue, si je ne m'abuse. Salut, Guillaume, dit Julia, lui plaquant une bise sur chaque joue. Dis donc, ce que tu sens bon, toi !

– Merci ! fait-il, tout sourire. Alors, ce frère ?

– Il est hétéro, assure Julia, devinant facilement la question intéressée de Guillaume.

Celui-ci ne se laisse pas décourager pour si peu.

– Je peux le convertir…

– Tu peux toujours essayer, ricane Julia. Mais je crois que c'est une cause perdue, même les femmes n'arrivent pas à le saisir.

– Ah, un misogyne ! murmure Guillaume avant qu'Erick ne soit suffisamment près pour l'entendre.

D'un geste souple, Sophie tend la main à Erick Fiore. Il la prend dans la sienne en inclinant la tête.

– Enchanté.

Sophie lui répond par un sourire.

– Moi, c'est Guillaume Landry !

Erick maintient le regard de Sophie avant de finalement serrer la main tendue de Guillaume.

– Erick Fiore, enchanté.

🍒🍒🍒

À deux pas du salon, Max, dans un état second, se tient devant Bernise, tout heureux qu'elle soit là. Depuis la scène de Tom Turner, depuis qu'il s'est chargé de le faire déguerpir, ils ne se sont pas revus. Pourquoi ? Il a été très occupé. Mensonge ! Il s'est *tenu* très occupé. Pour la première fois de sa vie, il ne sait pas comment s'y prendre. Il se sent maladroit, perdu. De plus, il est conscient que s'il approche cette fille de près, plus rien dans sa vie ne restera intact. L'anticipation, la peur, la hâte, la passion, tout l'habite à la fois.

– Ton nouveau coloc ? dit-il en pointant Erick Fiore demeuré seul dans son coin.

– Il est mignon, tu ne trouves pas ?

Bernise se reprend intérieurement : *On s'en fout d'Erick ! NOUS, on est quoi ?* Depuis cette nuit fatidique, elle attend de ses nouvelles. « Je t'appelle demain », a-t-il dit. Depuis, rien. Elle s'est dit que c'était normal, que la situation s'éclaircirait d'elle-même... Que Max Grondin est comme ça, intense, mais difficile à saisir. Qu'elle mérite probablement un peu qu'il la laisse languir...

– Très *mignon*, marmonne-t-il. Il va rester longtemps ?

– Autant de temps que Julia aura besoin de lui.

– J'espère qu'elle va se remettre rapidement.

Bernise sourit, dévoilant ses dents blanches. Ils jouent avec les secondes, c'est évident. D'un ton doux, elle reprend la parole.

– Max... Je voulais te remercier pour l'autre jour. Sans toi, tout aurait été beaucoup plus compliqué.

Max sourcille, agacé à l'extrême. Il bout d'envie de lui faire comprendre à quel point il n'en a rien à foutre de ses remerciements polis. Il n'a que faire d'être encore le sauveur de la situation. C'est un rôle que tout le monde autour de lui s'acharne à lui donner ! Il n'a accompli que ce qu'il avait à accomplir, au moment où c'était nécessaire, point barre. Il aurait tué son plus vieil ami, s'il avait songé un seul instant que celui-ci avait mis Bernise en réel danger. Oui, il aurait fait ça pour elle. Pourquoi ? Qu'a-t-elle de plus que les autres, cette fille aux yeux verts ? De jolies femmes, Max en voit tous les jours. Annie Simard est même plus « spectaculaire » que Bernise, pourtant, il ne la remarque plus. Alors, quoi ? Est-ce son odeur, son mystère ? Lui a-t-elle jeté un sort ? Quoi qu'il en soit, il doit le découvrir, l'évacuer de son système une fois pour toutes !

– Reste ici ce soir, quand tout le monde sera parti.

La voix de Max s'est étranglée, il a dit cela spontanément, sans réfléchir. Bernise n'a pas le temps de répondre qu'Anna les interrompt.

– Maxime, tu te tiens à l'écart !

Le jeune homme lance un regard éperdu à Bernise, répondant à sa mère, sans cesser de la fixer.

– Est-ce que tu sors *ZE machine* ? demande-t-il.

– Dorothée est en train de tout préparer, justement.

Bernise n'est pas sans remarquer le trouble dans le regard de Max, ce muscle qui trépigne à la ligne de sa mâchoire. L'interruption d'Anna est peut-être une bonne chose.

– Quelle *machine* ? demande Bernise.

Alors qu'elle pose la question, son regard ne quitte pas celui, intense, de Max.

– Tu vas adorer...

Encore déstabilisée par la demande de Max, Bernise est distraite lorsque tous les convives se rassemblent au salon. L'écran mural géant affiche un fond bleu azur, suscitant des questions dans le groupe. Tout à coup, un microphone emplit la pièce d'un bruit strident et le mot *karaoké* apparaît en toutes lettres sur l'écran. Tout le monde se met à crier et à siffler.

– Oh, non ! murmure Bernise.

– Catastrophe... ! chuchote Sophie qui s'est approchée d'elle en lui prenant le bras.

– On s'éclipse en douce, suggère Bernise.

– Bonne idée, viens.

Une fois à la cuisine, les deux fuyardes ricanent.

– Tu crois qu'on va en réchapper ? la questionne Bernise en se passant une main dans les cheveux.

– Non.

– Vous faites quoi, là ? les interpelle une voix masculine.

– Guillaume, non ! Pitié ! s'écrie Sophie.

Le jeune homme plisse les yeux.

– Si tu crois que je vais manquer ça, Sophie Bertrand, tu te mets le doigt dans l'œil. Ça fait si longtemps que j'attends ce moment !

Sans même regarder derrière lui, Guillaume crie à l'aide.

– Max ! Philippe ! On a des déserteuses ! Moi, je propose qu'elles soient les premières ! Et on leur donne les chansons difficiles.

– Bien d'accord ! s'exclame Max en attrapant Bernise, la levant de terre sans effort.

Croisant Max et Bernise suivis de Guillaume qui sortent de la cuisine, Philippe stoppe net en voyant Sophie.

– Tu ne vas pas me faire ça, Philippe ? dit-elle en reculant pendant qu'il s'approche lentement.

– Papa ?

Sophie ravale sa salive et incline la tête vers la petite voix.

– Comme c'est ta fête, c'est toi qui commences.

– Qui commence quoi ? demande-t-il en s'éclaircissant la voix sans se retourner vers sa fille.

– Ben… Chanter !

Il cherche le regard de Sophie.

– Je chante si tu chantes avec moi, décide-t-il en lui offrant sa main.

Docile, elle glisse ses doigts dans la paume offerte et se laisse conduire vers le milieu du salon.

Chapitre 33
Coraline

Tous les yeux sont rivés sur elle et Sophie tremble comme une feuille. Voilà des années qu'elle n'a pas fait face à un public, si petit soit-il. Trop d'événements l'ont écorchée, tant de misère, de honte. Seul Guillaume peut reconnaître son trouble, pourtant, ce soir-là, il la pousse au-delà de ses peurs. *Ah! Guillaume, pourquoi tu me fais ça?* Elle cherche son regard dans le petit groupe, il est là, entre Jeannette et Maïté, ses lèvres semblent mimer des mots encourageants: « T'es capable. »

Dorothée sort un second microphone de sa boîte pour le remettre à son père, qui la remercie d'un clin d'œil.

– Tu n'es pas nerveux de chanter, toi? lui demande-t-elle entre ses dents.

– Pas une miette. Relaxe, Sophie, tout le monde chante faux, ici.

Non, pas tout le monde, si tu savais.

Je pourrais sprinter vers la sortie.

Lorsqu'elle sent la main de Philippe dans son dos, elle ferme les yeux.

Non. Je reste.

– Quelle chanson fait-on? demande-t-elle à Dorothée.

– *Sous le vent!*

Une chanson de Céline en duo avec Garou!

– Tu veux ma mort? marmonne-t-elle.

Dorothée est morte de rire.

– Sophie ! Sophie ! Sophie ! l'encourage Guillaume, secondé par Julia et Bernise.

Max demeure en retrait pour observer la scène avec amusement. Dès que la musique s'engage, Sophie perd la sensibilité de ses mains, s'estimant chanceuse d'être assise. Encore plus heureuse lorsqu'elle constate que le premier couplet est celui de la voix masculine. Souriant de toutes ses dents, Philippe approche le micro de sa bouche pour chanter d'une voix grave, étonnamment mélodieuse.

Sa voix, mêlée à celle de Philippe, sonne encore haut et juste. Aidée par l'alcool, elle gagne de l'assurance pour son propre solo. Elle prend une profonde inspiration, se convainc qu'elle est sous sa douche, seule.

Son interprétation claire jaillit tel un poème à la musique. Elle n'a même pas conscience qu'elle a fermé les paupières pour étendre la dernière syllabe, pendant ces quatre longues secondes où elle tient la note, en un vibrato parfait. Elle se revoit sur scène, ces jours précédant sa décision de mettre le chant au rancart.

La jeune femme ressent un point au cœur lorsque le délire éclate. Bernise et Julia ont besoin d'aide pour remonter leurs mâchoires qui viennent de frapper le plancher. Loin d'être surpris, Guillaume affiche un sourire satisfait. Sylvain siffle son admiration, alors qu'Erick Fiore, les bras croisés, observe la scène, tout à coup bien attentif.

Philippe la serre spontanément dans ses bras. Sa joue enflammée collée à ce torse masculin quelques brèves secondes, elle savoure l'instant jusqu'à ce qu'elle croise le regard stupéfié de Max Grondin. Très clairement, ses lèvres articulent le patronyme qu'elle a presque oublié, *Coraline*.

Elle est démasquée.

Chapitre 34
Et la lumière fut !

Pendant un bref instant, Maxime Grondin cesse de respirer. Ce visage, ces yeux marron en amande, cette bouche ! Dans son souvenir, il y avait du maquillage de scène, du bleu, du rose, de la poudre scintillante, des faux cils. Il a entendu déjà cette voix sur YouTube, le lien Internet d'une vidéo que la jeune femme avait partagée avec lui « en toute confiance », avait-elle précisé. Une chanteuse dans une comédie musicale. Broadway ! Sophie, Coraline. Une seule et même personne. Comment est-ce possible ?

Comment ne l'a-t-il pas reconnue avant ?

Coraline, qu'il retrouve maintenant dans les bras de Philippe. Oh ! pas longtemps, l'espace de quelques secondes, pourtant, la chimie est là. Elle virevolte autour d'eux, elle est dans les yeux de Philippe. La façon qu'a son frère de regarder Sophie, son visage qui s'éclaire, qui fixe comme s'il avait devant lui la huitième merveille du monde. Il est témoin de la renaissance de Philippe. Ce dernier ne le sait pas encore, et il ne lui dira pas trop rapidement à quel point il s'est métamorphosé au contact de Sophie. Toutefois, il ne peut s'empêcher de croire que ce n'est pas un hasard. Coraline qui se disait morte revit enfin, après tout ce temps dans l'ombre. C'est la rencontre de deux âmes égarées. Le cœur de Max s'emballe, un vent nouveau aurait-il soufflé ?

Sophie le regarde intensément, l'air apeuré. Peur de quoi ? De lui ? Il ne la trahira jamais. Il connaît l'enfer par lequel elle est passée, il *sait* pourquoi elle a cessé de chanter. Il comprend. Tout comme elle l'a compris, elle aussi, lorsqu'il lui a déballé la liste de ses déboires. Un lien inaltérable les unit désormais. Une confiance immuable.

Il s'approche d'elle lorsque le chanteur improvisé suivant – Guillaume – s'empare du microphone. Sophie, qui ne baisse pas les yeux, pleure. D'un pouce attendri sur sa joue, Max repousse ses larmes avant de la serrer dans ses bras.

– Coraline. Ma très chère Coraline.

– Tu ne m'en veux pas, alors?

Jeannette s'esquive d'heure en heure pour fumer à l'extérieur. Le vent nocturne d'octobre, qui l'incite à revêtir son manteau, rend son périple compliqué. À force de le chercher sous la pile de vêtements qui gît sur le lit de Max, elle a finalement accroché le sien sur le premier crochet de l'entrée.

– Tu as recommencé à fumer? demande une voix familière derrière elle.

Elle reconnaît Sylvain, lui offre une cigarette qu'il saisit sans se faire prier.

– Tu as récidivé, toi aussi.

– Beaucoup de choses se sont passées au cours du dernier mois.

– Tu vas bien, Sylvain?

– Ça ira mieux avec le temps.

– Tu as la chance de repartir à zéro.

Expirant sa fumée, il grimace un sourire forcé.

– J'ai plutôt l'impression de recommencer à moins vingt.

Elle sourit.

– Je comprends ce que tu veux dire.

Un silence bordé de fumée bleue se faufile entre eux comme un ange.

– Qu'est-ce qui nous est arrivé, Sylvain ? le questionne Jeannette.

– J'ai ressassé ça de long en large.

Elle hausse un sourcil, attendant la suite.

– J'avais juste ça à faire, tu vois ! s'exclame-t-il.

– Je saisis très bien, Sylvain. J'aimerais connaître tes conclusions.

Il jette sa cigarette avant de se tourner vers elle.

– Avoir des enfants, c'était ton *trip*. Ton rêve. La maison, la piscine et tout ce qu'on a ramassé avec les années, c'était pour toi.

– Tu ne peux pas dire que tu n'en as pas profité, Sylvain Grondin.

– Je ne dirai jamais ça. Tu as travaillé si fort. Moi j'ai... suivi.

– Je le voulais pour toi aussi, assure Jeannette.

– Le problème c'est que je n'avais aucune idée de ce que je désirais. Je n'avais même pas idée de ma propre identité !

– Jusqu'à ce que Sophie apparaisse, termine-t-elle à sa place.

Sylvain pince les lèvres, piteux.

– Depuis que je la connais mieux, j'ai bien du mal à t'en vouloir, continue Jeannette.

– Comment ça, tu la connais mieux ?

– Longue histoire. Tu l'aimes toujours ?

– Je suis désolé, Jeannette.

Le silence s'installe de nouveau ; le nuage d'émanation bleue s'étend. Jeannette le dévisage.

– Est-ce que Philippe le sait ?

– Quoi ?

– Que tu aimes toujours Sophie.

– Je n'ai parlé que de ça tout le long du trajet. En quoi est-ce que ça concerne Philippe ?

– Oh ! En rien, laisse faire. Je rentre, j'ai froid.

Max a rejoint Anna près de la fenêtre. Ils observent l'échange entre Jeannette et Sylvain à travers la vitre.

– Sylvain serait bien bête de la laisser aller, celle-là ! soupire Anna.

– Il est trop tard. Il a Sophie dans la tête.

– Et elle ? demande Anna, pensive.

– Elle quoi ? demande une voix douce derrière eux.

Max et Anna se retournent avec un synchronisme parfait.

– Sophie !

– J'ai entendu mon nom…

Max serre les lèvres.

– On parlait de Sylvain, dit-il en faisant tourner le liquide brunâtre de son verre.

– Je m'en doute.

– Alors, tu as conscience qu'il…

Sophie lève promptement la main pour l'arrêter, l'œil sévère.

– Il sait que c'est impossible, Max.

– Nous le savons tous. De toute façon, je ne t'aurais pas laissé faire.

– Ç'aurait été ma décision, pourtant.

– Il est malade, rétorque-t-il.

– Il est amoureux de toi, Sophie, dit Anna.

Sophie serre les poings.

– Arrêtez avec ça ! les supplie-t-elle.

– Arrêtez avec quoi ? demande Sylvain derrière eux.

– Tu empestes la boucane, Sylvain !

– Ne change pas de sujet, maman.

Sophie les dévisage tous les trois. Le visage inquiet d'Anna, celui grave de Max et la mine affolée de Sylvain. Ils ne visent qu'une seule cible, sa petite personne.

– Excusez-moi, je dois rentrer chez moi.

Sophie s'éloigne d'un pas rapide. Elle se rend à la chambre de Max pour récupérer son manteau, avant de chercher Guillaume parmi les invités. Dans sa hâte, elle se heurte à Philippe qui sort de la cuisine avec deux verres.

– Excuse-moi, Philippe, je dois partir. Où est Guillaume ?

– Il chante sa troisième chanson d'affilée... Sophie, qu'est-ce qui se passe ? l'interroge-t-il en lui tendant une des boissons.

– Trop de choses, Philippe. C'est compliqué ! Merci, j'ai déjà un martini sur le comptoir.

– Tu parles de Sylvain ? ... ou de moi ? termine-t-il en baissant la voix.

Elle lève son visage vers lui, les yeux agrandis.

De lui ?

– Je faisais référence à Sylvain.

Philippe pince les lèvres, glissant une main dans ses cheveux. Il est si beau ! Sophie regrette sa réponse âpre au point d'en avoir mal au ventre.

– J'aimerais que tu restes. Vraiment. Il est seulement 22 h, et c'est ma fête...

Sophie sent poindre une larme traîtresse sous sa paupière. Si elle reste, elle s'effondrera en pleurs. Elle doit s'éloigner de Sylvain au plus vite. Si, au moins, Jeannette n'était pas là pour rendre la situation encore plus tordue ! Déjà qu'elle a du mal à regarder Philippe dans les yeux...

– On se voit lundi, Philippe. Le cadeau blanc avec une boucle bleue est de moi. J'espère que tu l'aimeras.

Elle trouve son manteau, alors que la nausée lui monte aux lèvres. Elle est prête à partir, et Guillaume l'attend déjà dans l'entrée.

– Madame Grondin m'a dit que tu me cherchais. T'es prête ?

– Oui, juste une minute.

Elle cherche Jeannette, mais celle-ci est déjà devant elle.

– Jeannette, je m'en vais, je ne me sens pas très bien. Tu peux saluer tout le monde pour moi, s'il te plaît ?

– Bien sûr.

– Je suis vraiment désolée.

– Ce n'est pas ta faute, sourit-elle tristement.

Guillaume embrasse Jeannette aussi, serre quelques mains avant d'entourer les épaules de Sophie pour l'emmener à la voiture.

❦❦❦

Bernise est prise au piège. Elle ne sait plus comment s'en sortir. Sa soirée sera complètement ruinée si personne ne vient à sa rescousse au plus vite. Si une âme charitable l'avait avertie de ne pas poser de question ouverte à Dominique de La Durantaye, elle ne serait pas dans ce pétrin lamentable. Son « Vous faites quoi dans la vie, Dominique ? » coûte cher en écoute passive. Ce soi-disant anarchiste, victime d'une société au mode de vie avare de discipline morale, et protectionniste de l'environnement en a long à dire sur les fausses prétentions du gouvernement dans l'effort de recyclage des matières premières. Sans parler du fait qu'il doit se contenter d'une voiture hybride qui le force à utiliser de l'essence le menant à enrichir les pétrolières !

Lorsque deux mains robustes glissent sur son ventre, elle se retourne pour pouffer de rire dans le cou de Max. Il dépose un baiser sur sa tempe.

– Pardonne-moi, Dominique, je dois t'emprunter ma blonde quelques instants.

Contrarié, le jeune environnementaliste plisse les yeux. Max lui offre un large sourire avant de tirer Bernise par la taille vers le couloir menant aux chambres. Lorsqu'ils se retrouvent dans la pénombre, à l'abri des regards, Bernise s'écarte de lui pour mieux le contempler.

– Ta blonde ?

Son expression pleine d'une tendresse qu'il ne se connaît pas lui-même, Max se rapproche d'elle, saisit ses doigts.

– Je sais, c'était présomptueux. C'était ça, ou je lui mettais mon poing sur la gueule. J'ai été arrogant… Tu me pardonnes ?

Soudainement, il expire tout l'air qu'il retient depuis les dernières secondes. Prenant le visage délicat de Bernise entre ses mains, il plonge son regard dans le sien.

– Max ? Est-ce que ça va ?

Il esquisse un sourire sobre.

– Ce soir, j'ai vu souffrir des gens que j'aime. De voir leur impuissance et leur douleur m'a fait prendre conscience à quel point je n'ai pas envie de perdre mon temps. Bernise... je t'ai posé une question, un peu plus tôt, j'attends ta réponse.

Elle déglutit, figée entre le rêve et la réalité. Il lui a demandé de rester ce soir. Avec lui.

– Je resterai avec toi.

Heureux à en ressentir des papillons dans les tripes, Max se penche pour saisir ses lèvres, pour les goûter pour la seconde fois. Il y a si longtemps qu'il a eu l'occasion de la savourer, de la sentir contre lui. Lorsque, enfin, tel un intermède regrettable, il reprend son souffle pour coller son front au sien, la voix de Bernise lui semble un murmure contre sa joue.

– De qui parlais-tu ? Qui souffrait ?

– Mes frères aiment la même femme et l'un est trop loyal pour tourmenter l'autre. Et l'autre trop centré sur son nombril pour voir autour de lui.

– Tu parles de Sophie.

– C'est un secret de Polichinelle ? sourit-il.

– Je travaille avec Jeannette, souviens-toi.

– Tu as donc une connexion directe avec l'information.

– À peu près, oui !

– Je suis surtout désolé pour Jeannette.

– Elle jure s'être remise de sa séparation d'avec Sylvain.

– Je n'y crois pas vraiment. Jeannette est d'une dignité déroutante devant la situation. Elle n'en est pas à ses premières armes avec les complications des Grondin. Mon cousin Étienne l'a malmenée aussi, en disparaissant subitement de nos vies.

Pensif, il se met tout à coup à raconter l'histoire de Jeannette, tandis qu'un sourire s'anime au coin de ses lèvres.

– Elle est un peu comme la petite sœur que je n'ai jamais eue, tu vois, reprend-il. Je la connais depuis si longtemps. J'aimerais tellement arrêter ce cercle vicieux, la voir heureuse comme elle le mérite. Mon frère Sylvain n'est pas à la hauteur, il ne fait rien de correct.

– Certains ont besoin de plus de temps que d'autres pour trouver leur place, suggère Bernise.

– Certains ne la trouvent jamais ! réplique Max, sarcastique.

– Que fait Sophie maintenant ?

– Elle a dû s'en aller, il y a quelques minutes, elle était trop mal à l'aise pour rester.

– Elle est partie pendant que j'étais prise avec Dominique *de La Barba Truc* ?

– Tu ne m'as pas remercié de t'avoir sauvée.

Elle se lève sur la pointe de pieds pour l'embrasser.

– Merci de m'avoir sauvée, Max.

La voix claire de Dorothée entame le classique *Joyeux Anniversaire* et Anna s'avance lentement vers Philippe, avec un gâteau éclairé de trente-quatre bougies, dont une pour la chance.

Chacun se dirige vers le salon où la fillette a apporté une chaise droite pour son père. Elle lui a confectionné une couronne avec du carton et du papier d'aluminium.

Bernise songe que, curieusement, même un accoutrement ridicule n'arrive pas à l'enlaidir. Son cœur se serre en pensant à Sophie. La pauvre fille est coincée entre l'arbre et l'écorce. Elle touche le bras de Jeannette qui vient de s'installer à ses côtés en jouant du coude.

– Il est beau, hein, mon beau-frère ? souffle Jeannette.

Cette dernière dépose sa tête sur l'épaule de Bernise en regardant Philippe ouvrir les cadeaux que l'adolescente lui distribue avec autorité. Elle trouve curieux qu'il glisse derrière sa chaise le présent au ruban bleu sans le déballer.

Chapitre 35
Les sacoches

Dans le boudoir, à l'écart du brouhaha de la fête, Julia occupe une place de choix, sur un des grands sofas de cuir noir de Max. Elle tire sur la manche d'Erick pour qu'il s'asseye à ses côtés.

– Tu les trouves comment, mes amis ?

Erick incline la tête, se frotte le menton.

– Honnêtement ? Ils sont *cools*.

– *Cools* ?

– Oui.

– Dis-moi tout Erick, est-ce que quelqu'un te plaît ?

– Je pensais qu'on avait passé l'âge de ce genre de conversation.

Julia plisse les yeux.

– Erick, j'ai le cœur en compote. Je me retiens de pleurer chaque fois que je vois Max fixer Bernise comme si c'était la prunelle de ses yeux. Juste à voir un couple marcher main dans la main en pleine rue, je risque de m'effondrer. Alors, si je te demande de me changer les idées avec une conversation puérile, tu me changes les idées avec une conversation puérile, compris ?

– Tu as bu combien de verres ?

Julia se renfrogne.

– Je ne sais pas, quatre ou cinq ! C'est toi-même qui me les as servis.

– Sophie.

– Quoi, Sophie ?

– Je réponds à ta question. Sophie.

Julia se relève sur son siège, le visage épouvanté.

– Erick, tu ne peux pas… Pas Sophie.

– Je n'ai pas dit que je ferais quelque chose, tu m'as demandé qui me plaisait. Je te réponds.

– Oh ! Tu m'as fait peur.

– Peur pour quoi ?

– C'est compliqué. La vie de Sophie est compliquée.

– Tu m'intrigues.

Erick sourit. Pour la première fois depuis son arrivée à Montréal, son visage s'est éclairé. Julia connaît cette expression, toutefois, elle n'est pas certaine que ce soit de bon augure.

– Erick, mon chéri…, tu m'inquiètes.

– De toute façon, elle est partie, alors tu n'as rien à craindre.

– Quand est-elle partie ? Elle ne m'a même pas saluée !

– Tu l'appelleras demain, on pourrait aller la voir.

– Erick !

Faisant mine d'être agacée, elle se cale contre l'épais dossier, observant Maïté et Jeannette qui discutent à quelques mètres.

– J'aurais cru que Bernise serait plus ton genre, dit-elle en mordillant le bâtonnet de plastique qui flotte dans son verre.

– Non. Bernise est belle, mais elle est trop… rigide.

– Alors que Sophie te semble souple ?

– J'ai d'autres idées concernant Sophie. Rien à voir avec ma vie personnelle.

Guillaume et Sophie roulent sur l'autoroute 40, direction est. Lorsqu'ils arrivent à la fourche vers Décarie Sud, il prend la voie de gauche de façon à ne pas manquer l'embranchement. Le virage est fort accentué et, sous la force centrifuge, la tête de son amie s'incline vers lui. Elle somnole. Après toute l'attention dont elle a été l'objet, comment a-t-elle pu s'assoupir ?

– Tu dors ?

– Mmmm, non.

– Grosse soirée.

Elle ouvre les yeux et se redresse, laissant son regard errer sur les lampadaires qui découpent le ciel noir de leur éclat lumineux.

– J'ai trop bu, j'ai la nausée.

– Mais non, à peine trois verres. C'est la pression sociale que tu ne digères pas, je te connais.

– Tu dors chez moi ?

– Oui, je dors chez toi.

Elle détaille son ami qui se concentre sur la route. Ses cheveux châtain clair descendent sur son front, rehaussant ses beaux traits. Elle tend les doigts vers sa nuque, l'effleure doucement.

– Mon prince des collines. Il n'y a que toi qui sois du solide dans ma vie. Tu es ma pierre angulaire, tu le sais, ça ?

Il change de vitesse, puis repose sa main droite sur le volant.

– J'étais heureux de t'entendre chanter. J'avais même oublié le son de ta voix. Tu m'as mis la larme à l'œil et je ne pleure pas souvent.

– Je chante tout le temps, pourtant.

– Pas devant moi.

– C'est parce que tu n'es pas sous la douche avec moi.

– Alors, on va ignorer l'éléphant blanc qui danse sur le siège arrière longtemps ?

Sophie soupire. Guillaume revient encore à la charge. Il fait référence à Philippe, pourtant, elle détourne le sujet.

– Oui.

– Sophie…, est-ce que tu as des sentiments pour lui ?

– Tu sais que Sylvain est important pour moi.

– Tu sais que je ne parle pas de Sylvain, mais de Philippe.

Sophie se crispe aussitôt, les bras croisés sur sa poitrine.

– Je ne peux même pas envisager de commencer à évaluer la question.

– Bon. Tant pis.

– Guillaume ! Tu sais que ça ne se fait pas !

– Alors, tu l'avoues.

– Je n'admets rien. Arrête au dépanneur avant d'arriver, j'ai faim.

– Justement, moi aussi. Des chips ?

– Au ketchup.

– Cool.

🍒🍒🍒

Un profond silence vient de tomber sur la maison. Max passe de pièce en pièce pour éteindre pendant que Bernise marche doucement vers la salle de bains. Son cœur bat à tout rompre. Ivre de bonheur, elle ferme les yeux pour contrôler sa respiration, prête plus que jamais à saisir le moment. Il y a si longtemps qu'elle l'attend que rien ne pourra briser la bulle qui les entoure. Alors qu'elle expire lentement, elle perçoit la présence de Max derrière elle, ses mains viennent s'enrouler autour de sa taille, elle sent la chaleur de son haleine dans son cou. Elle ferme les paupières, comblée. Jamais elle ne s'est sentie en sécurité comme maintenant.

– Ton cœur bat vite, murmure-t-il en la retournant lentement vers lui.

Il place un index sous son menton, l'invitant à lever les yeux.

– Pourquoi trembles-tu ? Personne ne t'a fait de mal, j'espère...

Son allusion à Tom noue sa gorge. Non, rien ne viendra gâcher ce moment magique !

– Je ne tremble pas, j'ai juste un peu froid, ment-elle, retenant l'élan de son désir.

Un bouton, deux boutons, six boutons. Les doigts tièdes de l'homme atteignent le creux de ses reins, glissent jusqu'à la peau nue de sa taille, puis vers le bas de son dos. Elle frémit lorsque, de sa paume, il la tire à lui.

– Je n'ai que de bonnes intentions, Bernise. Vraiment, souffle-t-il à son oreille.

Elle rit doucement, le front contre la poitrine de son compagnon.

– Tu trouves ça drôle?

– Tous les hommes ont déjà dit ça au moins une fois dans leur vie.

Les lèvres masculines passent de son cou à sa tempe, un frôlement léger. Le souffle court, Bernise savoure chaque seconde, portant une main timide à son torse. Les doigts de Max tiennent fermement son corps contre le sien.

– Je suis sérieux, Bernise. Je veux te protéger, même de moi, si c'est nécessaire. J'essaie de tout faire correctement. Depuis que Tom t'a fait du mal...

Elle caresse les joues rudes de barbe naissante de Max, troublée par ses paroles.

– Max, tu n'es pas responsable de moi. Tom n'est qu'un imbécile.

– S'il t'était arrivé quelque chose, je ne me serais jamais pardonné de l'avoir laissé là!

– Max, regarde-moi.

Ses yeux, insistants, trouvent finalement ceux, peinés, de Max.

– Tu étais là quand j'ai eu besoin de toi, tu as pris les choses en main, tu as tout fait pour moi, dit-elle. Ce que je vis avec toi ici, maintenant, c'est un rêve. Je me pince chaque minute à l'idée même qu'un homme comme toi, vivant, chaud, sensuel, confiant, puisse s'intéresser à moi. Maintenant, laisse-moi être à la hauteur.

Il entrouvre les lèvres pour protester, elle le fait taire d'un baiser. Les doigts de Max chatouillent la peau de son ventre, elle se contracte sous la sensation. Un émoi encore jamais éprouvé monte en elle, provoquant un feu d'artifice au fond de sa poitrine. Max en profite pour défaire le premier bouton de ses jeans. Étrangement détendue, elle se laisse soulever de terre lorsque les mains vigoureuses la saisissent par les aisselles. D'instinct, elle entoure la taille de son compagnon de ses jambes, répondant à son étreinte, à sa bouche résolument gourmande.

– Il est trop tard désormais, annonce-t-il en la déposant sur le lit, se maintenant au-dessus d'elle à bout de bras.

– Trop tard pour quoi ? murmure-t-elle.

Sans répondre, il repousse les pans de soie qui couvraient encore la jeune femme. D'une main habile, il détache le soutien-gorge de dentelle pour découvrir la poitrine à la fois délicate et pulpeuse.

– Je suis fou de toi.

Il ne peut la voir clairement. La pénombre dans laquelle est plongée la chambre ne permet qu'un vague reflet sur la peau blanche de sa compagne. Pas question d'hésiter, il peut maintenant toucher, palper, l'avoir à lui tout entière… Il s'arrête brusquement, se forçant à paralyser son élan. De mémoire d'homme, il n'a jamais fait tant appel à sa volonté. *Tout entière.* En est-il certain ? Du bout des doigts, il retire une mèche de cheveux presque noirs du visage de Bernise.

– Max ?

– Bernise, je veux que tu saches... Tu n'es pas comme les autres, je ne voudrais pas que tu croies…

Le cœur plein d'une émotion nouvelle, elle approche son visage du sien.

– Chhhhh !

Sept heures, le dimanche matin. Jeannette a déjà les yeux ouverts. Ce qui lui restait d'espoir – ou d'idée folle – de rebâtir son couple s'est envolé avec la nuit. Sylvain a dormi sur le divan du salon. Il l'a laissée monter à l'étage sans protester.

Elle a vu les heures défiler pour finalement s'endormir un peu avant trois heures. Après à peine quatre heures d'un sommeil tourmenté, elle voit le jour se lever sur une journée qui s'annonce terne et désagréable. Par où débuter? S'asseoir pour négocier la séparation des biens ou engager un avocat? Elle est tellement lasse que la tentation de tout laisser tomber pour recommencer à zéro lui effleure l'esprit.

En passant devant le miroir, elle ébouriffe ses cheveux châtains. Une visite chez le coiffeur ne serait pas de trop, ses repousses commencent à paraître. Cette fois-ci, elle demandera des mèches encore plus blondes, histoire de se donner un peu de charme, comme si ça allait changer quelque chose. Elle enfile ses pantoufles, sa robe de chambre, cherche son iPhone sans le trouver, puis entreprend de descendre à la cuisine.

Elle découvre Sylvain assoupi sur le divan, un bras derrière la tête, un pied sur le plancher. Elle ne s'attarde pas à l'observer, ce temps-là est révolu.

Son appareil traîne sur le comptoir. Aucun message. Annie a dû se coucher tôt, elle n'est peut-être pas encore réveillée... comme le reste du monde.

Elle empoigne sa cafetière pour la placer sur le feu.

– Salut.

– Sylvain, tu m'as fait peur! Je pensais que tu dormais.

– Je dormais.

– Je t'ai réveillé?

– À force de cogner la cafetière dans l'évier, oui.

– Désolée, ment-elle.

Elle l'a fait exprès, évidemment. *Ba-ding*.

– Tu aurais quelques minutes aujourd'hui pour qu'on discute? demande-t-il.

– Oui. Il faut régler nos affaires.

– Ça ne sera pas compliqué, Jeannette. La maison est à ton nom, les meubles... Tu as tout payé de toute façon. Je louerai un appartement et garderai le strict minimum.

– Si vite ?

– Tu veux que je prenne mon temps ?

– Non. Si c'est pour en finir là, aussi bien le faire comme on arrache un pansement.

Les mots sont douloureux à prononcer malgré une sensation de soulagement qui l'envahit. Forte de ses résolutions, Jeannette garde le sourire.

– C'était mon idée également. En attendant, j'habiterai dans ma famille.

– Chez ta mère ?

Il ouvre les yeux grands.

– Es-tu folle ? Non, ma mère s'inquiète trop. Je verrai avec Philippe.

Jeannette se désole, Sylvain est vraiment aveugle.

– Pourquoi pas chez Max ?

– Non, Max et Bernise ont besoin de leur intimité... tu sais bien ! Tout nouveau tout beau..., ajoute-t-il en roulant les yeux.

Lasse de cette discussion, elle ne renchérit pas.

– Comment va Annie ? demande-t-il.

Elle lui est reconnaissante de son changement de sujet.

– Justement, j'attends qu'elle me réponde. Je m'inquiète beaucoup pour elle.

– Elle devrait consulter, ça fait du bien, dit-il avec un clin d'œil.

– Elle refuse. La dernière fois qu'on a fait un souper de filles...

– Vous en faites encore ?

– Oui, bien sûr, pourquoi pas ?

– Non rien... continue.

– Sophie a dû la consoler.

Il se lève de son siège.

– Sophie était à votre souper de folles ?

– Sylvain, écoute… Beaucoup de choses se sont produites depuis ton départ. La terre n'a pas cessé de tourner !

– Attends une minute. Pourquoi est-ce qu'elle y était ? Elle n'appartient pas à votre univers de sacoches !

Jeannette pince les lèvres. Elle a les pupilles dilatées et les narines frémissantes.

– Notre *quoi* ?

– Excuse-moi, ce n'est pas ce que je voulais dire.

– Alors, c'est ça que tu penses de mes amies ? Et tu crois que *ta Sophie* est trop bien pour nous ?

– Jeannette…

– Si tu t'en allais maintenant, je t'en serais reconnaissante, Sylvain.

– Je n'ai même pas parlé à Philippe…

– Ils sont tous dans le même coin, commence donc par aller voir ta mère, elle s'inquiète de son bébé. Tu n'as pas encore défait tes valises, tu n'as pas à traîner ici.

– Tu n'es pas sérieuse, Jeannette…

– Va-t'en ! s'écrie-t-elle, alors qu'elle retient ses larmes.

Chapitre 36
Sauvez les innocents !

Jeannette se calme en faisant claquer ses portes d'armoires de cuisine. Puis, du bout des doigts, elle ramasse les morceaux de la tasse de porcelaine qu'elle a cassée dans son élan de rage dès que Sylvain a été hors de sa vue. Sans tenir compte de l'heure, elle compose le seul numéro qui lui vient à l'esprit.

Elle tente de contacter Annie à quatre reprises, encore et toujours la satanée messagerie vocale qui l'accueille ! Anormal. Annie est assurément chez elle, où pourrait-elle être d'autre ?

Tant pis, elle réveillera Maïté. Elle aura peut-être des nouvelles.

– Allo…, fait une voix rauque.

– Maïté !

– C'est moi…, ajoute encore la voix faible. C'est qui ? Quelle heure est-il ?

– C'est Jeannette, il est presque huit heures. Maï, je cherche Annie, elle ne répond pas au téléphone.

– C'est qu'elle est plus intelligente que moi. Va te coucher.

– Maï…

Sa voix se brise.

– Jeannette, est-ce que tu pleures ?

– Nnnon…

– Attends, je me lève, je te rappelle tout de suite, OK ?

– …

– Jeannette, je te rappelle, OK ?

Jeannette émet un petit «oui» avant de raccrocher. Tout son corps est secoué de spasmes, elle a du mal à reprendre sa respiration. Elle marche jusqu'au divan du salon, téléphone sans fil en main. L'appareil sonne au moment où elle s'assoit.

– Maï?

– Oui. Je suis en train de m'habiller.

– Ben non, tu ne vas pas faire toute la route depuis la Rive-Sud si tôt un dimanche de lendemain de veille, quand même.

– Je te dis que je m'en viens!

– J'ai une meilleure solution, on se rencontre chez Annie. Je veux en avoir le cœur net, et ça va me changer les idées de sortir.

– Je veux savoir pourquoi tu pleures.

– Longue histoire. Je m'habille et on se voit chez Annie, OK?

Julia trouve bizarre de se lever un dimanche matin sans trouver son amie déjà à table avec un café tout chaud pour elle. Elle sort de la salle de bains en se frottant les yeux, un mal de tête lui serre les tempes. Le pire est qu'elle n'a plus de Tylenol.

Erick est déjà habillé, rasé de près, il sent bon la lotion après-rasage lorsqu'elle le trouve dans la cuisine.

– Salut. Beau pyjama, dit-il en pointant l'imprimé de verres de martini.

– Merci! Un cadeau de Bernise.

– Ah.

– Tu es bien matinal... Toi, tu as des plans.

– J'ai besoin de toi.

Elle s'assied, posant les deux coudes sur la table pour tenir son visage entre ses mains.

– Tu n'as pas fait de café, je ne peux pas t'aider.

– Ça s'en vient! Tu vois, l'eau siffle déjà. Où est ton bodum? demande Erick de sa voix grave et calme.

– L'armoire du haut, dit-elle en pointant l'endroit.

En glissant la tasse brûlante devant sa sœur, Erick la couvre de son regard sombre.

– Je veux que tu m'emmènes chez Sophie.

Elle écarquille les yeux.

– Oui, bien sûr, et puis quoi encore ?

– Ce n'est pas ce que tu penses. Je veux lui offrir de passer des auditions.

– Quoi ? Où ça ? Pas à Toronto ?

– Oui.

– Elle n'acceptera jamais. Il a fallu lui tordre un bras pour la faire chanter, ce n'est pas une pro, Erick !

– J'ai fait une recherche sur elle, c'est une pro. Pourquoi elle se cache, je n'en ai aucune idée, mais il faut la sortir de son trou. Elle a un talent naturel, un phénomène rare, elle a une sensibilité et une espèce de magie indéniables. Tu as juste à penser à la façon dont tout le monde réagit à son contact.

– Erick, c'est un univers de requins. Elle est trop…

– Innocente ?

– Oui.

– Elle ne l'est pas tant que ça. Elle vous a tous roulés, si tu veux mon avis.

– Erick…, insiste Julia d'un ton pleurnichard.

Il soupire.

– Je veillerai sur elle.

– Voilà le chat qui protège le bol de lait. Et qui *te* surveillera ?

– Julia, cette fille a du talent et c'est mon boulot. Peux-tu la contacter, s'il te plaît ?

– Il est trop tôt.

– Il est presque dix heures.

– Appelle-la toi-même, puisque tu y tiens tant que ça.

– Pas de problème, donne-moi son numéro.

– OK, je vais l'appeler. Mais si elle accepte de te rencontrer, je viens avec toi.

❦ ❦ ❦

Bernise cligne des yeux à plusieurs reprises lorsqu'elle prend conscience de la présence d'un bras musclé à la peau lisse et bronzée à quelques centimètres du sien. C'est la première fois qu'elle voit Max dormir. Sa respiration est régulière, rassurante. Après une nuit de folie, elle revient lentement sur terre. Elle devrait savourer le moment, se lover contre lui pour se rendormir ou, mieux, le réveiller pour recommencer.

Mais elle n'est pas bâtie ainsi. Il vaut mieux stresser, se faire du souci sur les conséquences de son coup de tête plutôt que d'en jouir. Elle l'imagine déjà lui annoncer la fin de leur relation, qu'ils resteront des amis. Elle se voit pleurer en mangeant du chocolat avec Julia, le samedi soir. Elle s'est donnée corps et âme à cet homme. La bulle éclatera bientôt, il faut sauver les innocents au passage !

Elle sent son cœur s'accélérer, ses mains s'engourdir momentanément. La sensation ne dure que trois secondes à peine. Le temps de voir les yeux de l'homme s'ouvrir. Elle scrute son expression avec inquiétude, comme si elle cherchait à y lire son avenir. Il ne lui sourit pas, ça y est, c'est fini.

Le film de ses pensées horribles s'arrête d'un coup sec. Elle fuit son regard, se retourne, pressant la couverture contre son cou.

– Tu ne dors pas ? demande la voix profonde.

Trop belle, trop tendre, elle lui manquera ! S'il n'avait pas été éveillé, elle se serait donné une claque pour se raisonner.

– Je viens d'ouvrir les yeux. Tu as bien dormi ?

Il ne répond pas, il l'attire plutôt contre lui, en cuillère, leurs nudités se moulant l'une à l'autre. À son contact, Bernise se calme, son cœur reprend un rythme normal. L'énergie de Max neutralise son anxiété. Dès qu'elle part dans ses divagations mentales, il la ramène vers la paix au premier toucher.

Comme s'il savait. À la seule pensée qu'il puisse un jour deviner la litanie d'insécurités qui coule dans son esprit, un goût de soufre salé envahit sa bouche.

🍒🍒🍒

Jeannette arrive chez Annie la première. Elle tape le code pour entrer à l'intérieur de l'édifice. Elle presse quatre fois sur le bouton de l'ascenseur, mais ce dernier prend du temps à s'ouvrir. Finalement, la porte glisse devant elle. Elle vient d'appuyer sur le numéro quatre lorsqu'une main bloque la porte coulissante.

– Maï !

Maïté entre dans la cabine, essoufflée, les joues rosies par le vent. Son béret repose sur ses boucles rousses. Des collants rouges dans des souliers blancs, pourquoi pas ? Sur elle, grande et effilée, le *look* est beau. Jeannette n'ose imaginer de quoi elle aurait l'air si elle osait un jour se pavaner ainsi affublée !

– Je te dis, toi, quand tu es distraite, ce n'est pas de la tarte ! Je t'ai vue dans la rue et je criais ton nom comme une damnée ! J'ai même couru pour te rejoindre !

– J'ai eu un matin pénible. J'ai hâte de m'asseoir avec mes copines devant un bon café.

Jeannette cogne à la porte 43. Maïté, adossée au mur, contemple ses ongles vermeils. Une minute passe, sans réponse. Jeannette cogne de nouveau, beaucoup plus fort. La porte 45 s'ouvre. Une femme dans la trentaine à la physionomie réservée sort la tête.

– Vous êtes des amies d'Annie ?

Jeannette tend la main pour empoigner l'avant-bras de Maïté, sa gorge se serre.

– Oui ! Vous savez où elle est ?

La femme rentre chez elle, puis revient avec un papier jaune.

– Chambre 232, à l'hôpital Saint-Luc. Elle a pris des médicaments. Elle s'est effondrée après avoir frappé à ma porte. J'ai appelé une ambulance.

Elle pointe le bout du couloir du menton.

– Robert Tardif est avec elle... C'est notre voisin du 46. Nous nous sommes relayés depuis hier.

Jeannette est prise de vertiges, elle perd l'équilibre. Maïté la rattrape de justesse.

– Merci, dit Maïté à la voisine. Nous partons tout de suite.

– Je m'appelle Janelle. Voici mon numéro de téléphone, ajoute la femme en reprenant le papier jaune pour y griffonner ses coordonnées. Elle le tend à Maïté. Donnez-moi des nouvelles, d'accord ?

– Sans faute ! fait Maïté, entraînant Jeannette avec elle.

Ce même dimanche matin, Guillaume tourne en rond dans la cuisine de Sophie.

– Ils s'en viennent ici ? Tous les deux ?

– Oui. Julia et Erick.

– Prendre un petit café ? Socialiser ? Jouer aux cartes ?

– Je n'ai pas tenté de découvrir leurs raisons.

Guillaume se fige.

– Je le savais qu'il tripait sur ton cas ! dit-il en plissant le nez.

– Ça n'aurait pas de sens, Guillaume. Attendons de voir de quoi il retourne.

– Cette Julia, c'est une fille bien ?

– Je n'ai aucune raison de me méfier d'elle.

– Et lui ? Il sort d'où ?

– C'est son frère. Cesse de tourner en rond, tu m'étourdis, Guillaume.

– OK, dit-il en prenant place sur une des chaises droites de la cuisine.

Il croise les bras, soufflant sur la mèche de cheveux châtain clair qui tombe sur ses yeux. Il se relève.

– Désolé, je ne peux pas rester assis.

Excédée, Sophie se lève d'un pas décidé, puis sort le balai du placard.

– Au moins, rends-toi utile ! Je suis à la veille de donner des noms à mes moutons de poussière.

– Tu n'as pas encore d'aspirateur ?

– Non.

– Il va falloir t'en acheter un !

– Quand j'aurai de l'argent. Pour l'instant…

– Je vais t'en trouver un moi-même alors, l'interrompt-il en maniant le balai.Où est ton porte-poussière ?

– J'adore quand tu es nerveux, mon appartement se remet à briller, ajoute-t-elle quelques minutes plus tard alors que Guillaume s'affaire à savonner sa minuscule baignoire.

– Sophie, tu la nettoies à quelle fréquence ?

– Euh…

– C'est bien ce que je pensais ! Où est ton Windex ? Je vais essuyer tes miroirs. Tu as fait ton lavage ?

– Va donc chercher du lait au dépanneur, on va en manquer pour le café.

Après avoir fait la grasse matinée dans les bras l'un de l'autre et s'être découverts pour les quatrième et cinquième fois depuis la veille, Bernise et Max s'apprêtent à sortir pour bruncher lorsque la sonnette retentit. Bernise est la première à la porte. Une femme dans la trentaine, visiblement enceinte malgré son grand coupe-vent, la dévisage.

– Je peux vous aider ?

– Je cherche Maxime Grondin.

Perplexe, Bernise recule, laissant la future maman pénétrer dans la demeure.

– Asseyez-vous, je vais lui dire que vous êtes là.

Bernise se dirige vers la cuisine, mais Max est déjà devant elle. Elle parle tout bas.

– Il y a une femme enceinte jusqu'aux yeux dans ton salon.

– C'est Chantal. La femme de Tom, annonce Max.

Bernise écarquille les yeux.

– Ce n'est pas vrai !

– Oh oui.

Bernise le suit et demeure quelques pas derrière.

– Chantal ! Comment vas-tu ?

À cette question, la future maman se met à pleurer.

– Tom est parti, Max, il m'a laissée ! Encore une fois !

Max laisse échapper un juron.

– Vous étiez sur le point de sortir, je suis désolée, on en reparlera une autre fois...

– Non, reste.

– Je ne savais plus où aller, dit-elle en reniflant.

Bernise lui apporte des mouchoirs.

– Voulez-vous un café ? demande-t-elle.

– Oui, merci.

– Chantal, je te présente Bernise, ma compagne.

À ce mot, Bernise frémit de nouveau. C'est si... touchant de s'entendre désigner ainsi par Max. Si soudain ! *Vis dans l'instant présent, Berny... Ne regarde pas en bas, ni devant ni derrière.*

Live now. Carpe diem.

– Bernise, voici la femme de Tom.

Chantal regarde le plancher, visiblement embarrassée. Ses longs cheveux bruns et raides sont repliés dans un chouchou blanc. Au *yable* la mode, Julia perdrait connaissance.

– Vous connaissez Tom ?

Bernise vient s'asseoir auprès d'elle.

– Je l'ai hébergé. Je vis avec Julia, c'est mon amie.

Chantal a un mouvement de recul.

– Cette *putain* est ton amie ?

Le visage défait, elle se retourne vers Max.

– Je n'aurais pas dû venir ici, c'était une grosse erreur. Excusez-moi, je vais vous laisser.

– Chantal…, tente Max.

– Non, Max, l'interrompt-elle en levant une main pour le bloquer. Je ne savais pas que tu avais des fréquentations aussi… Ah ! Y a pas de mot ! Après la longue amitié et le respect que je te porte depuis toutes ces années, je n'aurais jamais cru que tu me décevrais autant un jour !

Elle se lève lentement en grimaçant, tentant de ne pas faire voir sa souffrance. Elle a visiblement des douleurs dorsales.

Max bloque la porte.

– Chantal, assieds-toi, tu ne peux pas partir comme ça. On ne te laissera pas.

– Ôte-toi de mon chemin, Max, grince-t-elle, furieuse.

– Non, Chantal. On doit discuter, tu avais besoin de moi, alors je suis là. Retournons au salon.

Elle ne peut répondre que par un sanglot profond. Bernise, qui se tient derrière elle, remarque soudain un liquide translucide sur le plancher.

– Tu perds les eaux, Chantal. Il faut t'emmener à l'hôpital tout de suite, annonce Bernise, abandonnant, elle aussi, le vouvoiement.

❦ ❦ ❦

Maïté décide qu'elles prendront sa voiture, son amie n'étant pas en état de conduire. Elle l'a traînée à l'extérieur de l'immeuble, lui a ouvert la portière, l'a poussée sur le siège du passager, puis elle a démarré en trombe.

– Elle va s'en sortir, ils l'ont prise à temps, commence Maïté pour briser le silence.

– Je l'espère, dit Jeannette.

– Elle ne voulait pas vraiment mourir. Si c'était le cas, elle n'aurait pas alerté les voisins!

– C'est vrai, ça!

– Tu te sens aussi coupable que moi?

– Plus encore.

– On ne pouvait pas deviner.

– On pouvait savoir, tous les signes étaient là depuis longtemps.

Chagrinée, Maïté a du mal à se concentrer sur la route.

– Tu as raison.

– On l'a laissée tomber.

– Jeannette, il ne faut pas dire ça. On est seulement allées à une fête.

– Peu importe. Maintenant qu'elle a commis un acte clair, j'espère qu'on la convaincra de se faire suivre par un psy.

– Tu vas me dire ce qui s'est passé ce matin? Pourquoi tu pleurais?

– Sylvain nous a traitées de sacoches.

Maïté la regarde avec incrédulité avant de laisser éclater son rire cristallin.

Chapitre 37
Matière à réflexion...

Julia et Erick gravissent les escaliers lorsque Guillaume revient avec son litre de lait sous le bras. Sophie ouvre la porte dès qu'elle entend des voix. Julia porte des verres en carton remplis de café dans un sac brun.

– Je suis contente de te voir, Julia ! Bonjour, Erick, dit Sophie en se levant sur la pointe des pieds pour l'embrasser poliment sur chaque joue.

– C'est mignon chez vous ! s'exclame Julia en regardant autour d'elle.

– Ouais, petit, mais mignon j'en conviens, dit Sophie. Ne restez pas là, venez vous asseoir à la cuisine. J'ai fait des muffins, ils sont encore chauds.

– J'en prends un volontiers. Erick, tu en veux ? demande Julia à son frère qui est demeuré derrière, appuyé au cadre de la porte.

Sophie ouvre le sac que Julia lui tend pour en sortir les cafés.

– Je dois avouer être curieuse de ce que vous avez en tête...

– Ce n'est pas moi, c'est plutôt Erick, dit Julia en faisant un mouvement de tête vers le colosse aux cheveux noirs.

Sophie s'installe sur sa chaise, une jambe sous elle, appuyant ses coudes sur la table pour porter son verre à ses lèvres. Ses mèches brunes sont tenues par une pince de laquelle plusieurs boucles se sont échappées et tombent sur son cou gracile.

– Sophie, je n'irai pas par quatre chemins, je suis agent d'artistes.

Soudain nerveuse, Sophie se redresse, glissant sa jambe sous la table pour s'asseoir de façon plus élégante.

– As-tu pensé à passer des auditions ?

– Non.

– Menteuse ! Elle a fait Broadway ! s'écrie Guillaume en se retournant vers Erick.

Sophie lance un regard meurtrier à son ami.

– C'était dans une autre vie. J'ai mis tout ça de côté depuis des années. Ce n'était qu'un rôle de soutien, précise-t-elle comme s'il s'agissait d'avoir balayé le plancher.

– Pourquoi ? demande Erick.

– Pourquoi, quoi ?

Sophie se rappelle très bien pourquoi.

– Cet abandon !

– Disons qu'on m'a cavalièrement invitée à utiliser ma bouche d'une autre façon que pour chanter, dit-elle en regardant ailleurs. Entre autres choses… En bref, on m'a détruite à l'usure.

– Je vois, dit-il.

– Oh ! Sophie…, la plaint Julia en lui tendant la main.

– Ce n'est rien, Julia, je n'ai pas perdu de temps, je suis partie pour gagner ma vie autrement. À la sueur de mon front. De toute façon, j'avais besoin de m'éloigner de plusieurs personnes à l'époque.

– Si je te garantissais la protection nécessaire contre ce genre de merde, tu serais prête à réessayer ? demande Erick.

– Je n'en sais rien. On m'a déjà servi ce baratin… Je ne dis pas que tu es comme les autres…, hum, comment dire…, rougit-elle.

– Je vais repartir pour Toronto dans une semaine, ça te laisse le temps d'y penser. Je peux te faire travailler, Sophie.

– Sept jours ?

– Si tu acceptes, tu viendras avec moi. À Toronto.

Sophie avance la tête, bouche bée. Elle regarde Guillaume.

– Soph, c'est le temps, murmure son ami.

– Mon frère est un homme bien, Sophie, tu n'aurais rien à craindre, il va s'occuper de tout, l'assure Julia.

– Je dois y réfléchir, dit-elle en se levant.

En réalité, sa réflexion est déjà faite, la réponse sera catégorique. Rien qu'à imaginer un microphone devant ses lèvres, avoir à produire une note, un vibrato qui lui fendra l'âme, non ! Elle l'a fait la veille, devant des amis, et ç'a été déjà énorme. Pourtant, elle se ressaisit, le temps de leur faire croire, de SE faire croire que ce rêve est encore possible.

– Ce serait quelle sorte d'audition ? demande-t-elle d'une voix rauque.

– Lecture de texte appris et interactions, tests de voix, ce genre de truc. Publicité, doublage…, tu pourrais participer à des concours. Y a justement une nouvelle téléréalité qui débute bientôt, j'ai des contacts…

Il dit cela comme s'il s'agissait d'aller jouer dans un carré de sable. Le cœur matraqué, elle s'impatiente.

– Pourquoi te donnes-tu ce mal, Erick ? Ce n'est pas comme s'il manquait de candidates ! Tu ne sais même pas si je parle anglais !

– Sa mère est anglophone, affirme Guillaume, avec un sourire en coin.

Sophie fait signe à son ami de la boucler.

– C'est mon travail de reconnaître le talent, Sophie, et tu l'as. Reste à savoir si tu es prête à bouger de ton petit appartement qui sent la cannelle.

Il sort une carte de sa poche.

– Je te laisse mes coordonnées.

– Je serais là combien de temps ?

– Dès que tu me réponds, je donne ton nom à mes contacts pour les prochaines auditions. On commencera par un mois, ensuite tu pourras voir si tu veux continuer ou revenir à ta vie normale.

– Je vais y penser.

– Tu sais où me trouver, dit-il.

Son regard noir de borgne est aussi intense que s'il avait ses deux yeux. Julia lui a assuré qu'il était un homme bien, elle ne la lancerait pas dans la gueule du loup quand même ? Elle fera une recherche sur lui dès qu'il partira. Première chose.

En partant, Julia serre Sophie dans ses bras.

– Ne sois pas si effrayée, c'est le meilleur, souffle-t-elle à son oreille.

Chapitre 38
Un héros malgré lui

Dimanche à peu près à la même heure, Stella Beaulieu-Simard est au chevet de sa fille lorsque Maïté et Jeannette pénètrent dans la chambre d'hôpital. Elles sont encore une fois frappées par la prestance de cette femme qui frôle la soixantaine avec grâce, fraîchement sortie de chez le coiffeur, même le jour du Seigneur.

À leur vue, Stella pose des doigts manucurés à la française sur sa bouche, les larmes inondant ses yeux bleus soigneusement maquillés.

– Salut, les filles.

– Madame Simard…

– Beaulieu-Simard, la corrige la dame.

– Désolée, madame Beaulieu-Simard, comment va-t-elle ?

– Ils lui ont fait un lavage gastrique dans la nuit. Elle s'en remettra, dit-elle un peu sèchement.

– Je peux parler, maman, murmure Annie, sans bouger. Je me sens comme si j'étais passée sous un train.

– Oh ! Annie, pourquoi as-tu fait une chose pareille ? s'écrie Jeannette.

– J'ai vu noir.

– C'est la dernière fois que tu fais ça, hein ? la gronde Maïté en se glissant près d'elle pour lui caresser les cheveux.

Annie hoche la tête, mais sa lèvre inférieure tremble.

– Elle a besoin de se reposer, vous pourrez aller la voir chez elle, elle aura son congé demain.

– Maman…, j'aimerais voir mes amies un moment. Tu peux nous laisser ?

La bouche de Stella s'ouvre pour rétorquer, pourtant, elle se ravise. Elle saisit son sac en levant le nez.

– Je serai à la cafétéria, tu veux quelque chose, ma chérie ?

– Non, ça va, merci, maman.

Les talons de Stella martèlent le terrazzo de la chambre jusqu'à la porte. Une fois la mère sortie, Jeannette et Maïté se remettent à respirer librement. Annie leur tend une main, de chaque côté du lit.

– Je vais être suivie par un psy à partir d'aujourd'hui.

– Un psy… *chologue* ?

– Oui, un psy… *chologue*. C'est vrai que je vais devoir rencontrer un psy… *chiatre*, mais c'est seulement pour une évaluation médicale. Il paraît que je suis peut-être folle.

– Si quiconque ose prononcer ce mot en parlant de toi, je l'assomme sur-le-champ, fait Maïté.

La jeune femme laisse échapper un rire triste.

– Pourquoi est-ce que vous ne me racontez pas ce que j'ai manqué, au lieu de vous apitoyer sur mon sort ? Il doit bien y avoir des potins juteux…

Jeannette lance un regard à Maïté.

– Ben…, euh… Si ça peut te consoler, Dorothée a sorti son machin à karaoké et Bernise chante aussi mal qu'une poule espagnole.

– Continue, je me sens déjà mieux !

– Il n'y a pas que du bon. Sophie chante comme un colibri, elle a jeté tout le monde à terre, se renfrogne Jeannette.

Annie serre la main de Jeannette en guise de sollicitude.

– Désolée, ma vieille.

– Je ne peux même pas lui en vouloir, elle ne voulait pas chanter, ils l'ont traquée.

– Qui l'a traquée ?

– Guillaume et... Philippe.

– Philippe ? Depuis quand est-ce qu'il traque Sophie ? Oh !

Les trois filles agrandissent les yeux en même temps.

– Tu comprends vite, pour une fille qui a avalé une surdose de somnifères, dit Jeannette.

– J'ai toujours dit que 1 + 1 ça faisait 3 ! Sylvain, Sophie et... Philippe ! répond-elle. Ça ne prend pas un ingénieur pour faire le calcul.

🍒🍒🍒

– À quel hôpital dois-tu accoucher, Chantal ? demande Max en enfilant son manteau.

– Saint-Luc.

Bernise revient avec deux serviettes de plage.

– As-tu des contractions ?

– J'en ai de fausses depuis hier soir, je n'en ai pas fait de cas. Ce matin, quand *l'écœurant* m'a larguée, j'ai pensé que c'était le stress.

– Peu importe, s'impatiente Bernise, allons-y !

– Est-ce que ta valise est prête ? Je pourrai passer la chercher quand tu seras installée à l'hôpital.

– Ce n'est pas la peine, je la garde dans le coffre de ma voiture depuis une semaine déjà.

Elle lance son trousseau de clés à Bernise. Celle-ci prend le nécessaire avant de les rejoindre à la Volvo.

Mis à part les phrases d'excuses incessantes de Chantal qui se désole de souiller les sièges de cuir de Max, le trajet se fait en silence. Le jeune homme les dépose à l'entrée principale avant d'aller se garer.

– Quel bordel ! grogne Chantal. Je n'aurais jamais cru me retrouver dans une situation pareille.

– Ça va aller, la rassure Bernise en faisant signe au gardien de sécurité de glisser vers elles un fauteuil roulant.

Chantal tombe lourdement dans le fauteuil. Bernise la pousse d'un pas pressé là où on indique la section de la maternité.

– On n'attend pas Max? s'enquiert Chantal.

– Il nous retrouvera! Pour l'instant, l'important, c'est toi.

– Bernise…

– Oui, Chantal?

– Tu as de la chance. J'aurais dû choisir Max quand j'en ai eu l'occasion.

Google parle d'Erick Fiore comme d'un agent multidisciplinaire spécialisé en recherche de talents. Il est même reconnu comme producteur exécutif et acteur. Ce que Guillaume cherche surtout est un quelconque passé louche qui mettrait un terme à la discussion. Il ne trouve rien de compromettant.

– Rien n'explique le cache-œil, dit Guillaume en étendant ses jambes devant lui.

– Veux-tu bien relaxer un peu? Tu me rends nerveuse.

Il se moque d'elle.

– Ce n'est pas rien, ce qu'il te demande de faire. Laisser *tout* derrière toi pour suivre un inconnu dans la province d'à côté, c'est *big!*

– Il n'y aura rien de *big*. C'est déjà décidé, c'est non.

Guillaume, qui ne considère pas cette réponse comme étant une avenue sérieuse à la situation, ignore son ton pourtant décisif.

– Tu aurais beaucoup de succès, pourtant.

– Tu n'es pas objectif, Guillaume.

Sophie marche vers lui pour l'enlacer, elle pose son menton sur sa poitrine. Il saisit le visage de Sophie entre ses mains. Même s'il tente de faire fi de son refus, il ne peut pas passer à côté. Il se doit de la convaincre. Il faudra la pousser au-delà de ses limites.

– Tu sais, ça te permettrait de faire une pause, loin de tout ce qui se passe ici. Je crois que de te faire oublier un peu ne te fera pas de mal, argumente-t-il.

– De Sylvain…

– Entre autres. De Philippe aussi.

Sophie rougit, Guillaume sourit.

– J'ai visé juste ?

– Je ne veux pas du rôle de la fille qui a brisé l'harmonie des Grondin. Tu penses que c'est la Providence qui a amené Erick vers moi ? Serait-ce un signe du ciel que je devrais saisir ?

– C'est une belle occasion.

– Je ne sais pas. Cette vie, je l'ai fuie une fois déjà. Je n'avais pas prévu faire un retour en arrière.

– Tu dis cela, mais je n'ai pas l'impression que c'est vrai.

– Guillaume ! supplie-t-elle.

– Écoute, Sophie, quand tu as chanté avec Philippe, une certaine magie s'est installée dans la pièce, ta voix m'a troublé, nous avons tous été touchés. Erick l'a bien vu et il a raison. Tu as quelque chose d'unique. Que tu veuilles te cacher derrière un ordinateur pour vivre comme une fille qui n'a rien à offrir au monde, ça me met hors de moi ! Est-ce que tu comprends ?

Devant la passion qui anime le discours de son ami, Sophie ferme les yeux pour se ressaisir. Elle s'écarte de lui.

– Ne parle pas comme ça. Ma vie est sécurisante jusqu'ici. C'est exactement ce que je veux.

Guillaume est exaspéré.

– Ton scénario parfait n'aura duré que quelques semaines. La vie t'envoie de sérieux messages que tu dois considérer, Sophie. Tu ne peux pas faire la sourde oreille. Va à Toronto.

Elle lève des yeux humides vers lui.

– Et Philippe ? J'abandonne tout espoir, alors ?

– Écoute. S'il avait voulu être avec toi, il aurait dit quelque chose depuis longtemps. Tu le vois tous les jours, votre relation demeure « *business* ». Il t'a déjà dit qu'il ne mêlait pas les relations personnelles et le travail, alors tu dois quitter cet emploi. Je crois que t'éloigner aidera. S'il est pour toi, il sera avec toi coûte que coûte.

– Depuis quand es-tu aussi sage, Guillaume Landry ? demande-t-elle entre ses larmes.

– Depuis que je te connais.

Au même moment, un long bruit sourd retentit. Dans la cour de triage toute proche, deux wagons de train ont été accrochés l'un à l'autre.

– C'est un signe ! sourit Guillaume en levant l'index.

Bernise lâche les poignées du fauteuil roulant comme si celles-ci étaient devenues bouillantes. « J'aurais dû choisir Max quand j'en ai eu l'occasion. » *Non, mais ! Quelle arrogance !*

– Tu peux rouler jusqu'au bureau d'accueil, Chantal. Ils te prendront en charge.

– Bernise… c'était il y a des années, ne le prends pas comme ça !

Chantal grimace, les contractions s'amplifient. Bernise croise les bras sur sa poitrine.

– J'ai besoin de toi. Je suis toute seule. S'il te plaît…

– Max s'en vient, il t'accompagnera.

– Non, Bernise, prends ce que j'ai dit pour une folie de femme qui accouche.

Sa mâchoire se tend visiblement sous la douleur.

– Je veux que ce soit toi qui m'accompagnes. Tu m'inspires confiance, Bernise, même si tu es l'amie de… l'autre folle.

– Ne l'appelle pas comme ça. C'est une victime de Tom, tout comme toi.

Prise d'une nouvelle contraction, Chantal ne l'écoute pas. Le visage crispé, elle continue sur sa lancée.

– C'est aussi à cause de toi que c'est fini entre eux, je te dois ça.

– Qu'est-ce que tu racontes, Chantal ? Je n'ai rien à voir avec leur séparation !

– Il est revenu vers moi, un dimanche...

Cette fois, un cri suit sa grimace.

– Sous quel prétexte ?

– Que tu lui avais fait des avances. Qu'il n'en pouvait plus de vivre avec toi.

– L'écœurant.

– Il a menti, n'est-ce pas ? Comment pourrais-tu faire des avances à Tom quand tu as Max ? Dire que j'ai failli le croire...

– On en reparlera plus tard, tu es en plein travail, Chantal. Où sont les infirmières ? Tu devrais être dans un lit.

– Non, parlons encore, ça me change les idées, ça commence à faire *mahaahal*. Voilà une autre contractiooooon !

– Je te trouve une infirmière. Une fois que tu seras installée dans un lit, on parlera.

– Chantal ? fait une voix familière derrière Bernise.

– Jeannette !

– Jeannette ! répète Bernise, incrédule.

– Bernise ! recommence Jeannette.

Les trois femmes se dévisagent.

– Ouch ! s'écrie Chantal. OK, j'ai besoin qu'une infirmière apparaisse MAINTENANT !

Max arrive avec une femme replète dans la cinquantaine avancée, affublée d'une blouse à col en V, imprimée d'étoiles et de lunes, chaussée de souliers blancs.

– Venez par ici, madame. Avez-vous votre carte d'assurance maladie ?

Pendant que Chantal échange les informations d'usage en lançant son sac sur le comptoir sans ménagement, Jeannette se demande si c'est une bonne idée ou non de mentionner la raison de sa présence dans l'établissement. Elle se trouve au pied du mur lorsque Bernise a la chance de s'esquiver pour l'approcher.

– Tu… fais quoi ici ? demande celle-ci.

– Je… bien… euh… Annie est ici, avoue-t-elle finalement à voix basse en serrant les lèvres.

Bernise remarque son regard qui bifurque vers Max qui aide Chantal.

– Oh… Elle est malade ?

– Pas exactement.

– Jeannette, tu peux me le dire…

– Elle a fait une sacrée connerie.

– Qui a fait une connerie ? demande Max qui s'est approché.

– Merde…, dit Jeannette.

– Jeannette, qu'est-ce qui se passe ? Qu'est-ce que tu fais ici ?

– J'ai eu une faiblesse, je voulais voir les bébés à la pouponnière.

Max plisse les yeux, sceptique, alors que Jeannette regarde le plancher, pleine d'espoir que son mensonge passe pour la vérité.

– Tu as encore des idées de maternité, Jeannette ? la taquine-t-il.

– Quelle femme n'en a pas ?

Max jette un bref coup d'œil à Bernise qui voudrait se fondre sous le carrelage.

– Bernise ! appelle Chantal.

– J'arrive, dit-elle sans se retourner vers Chantal qui se fait maintenant pousser par l'infirmière vers sa chambre.

– Où est Tom ? questionne Jeannette.

– Il a disparu du paysage, répond Max.

– Typique, reprend Jeannette, peu surprise de voir la condition de la future maman. Pauvre Chantal. Est-ce que Julia est au courant ?

– J'espère que non.

– Elle le saura tôt ou tard.

– Il faut qu'elle voie la réalité en face, affirme Max.

– Je ne suis pas sûre qu'elle soit prête à ça... elle en parle encore, parfois.

– Qu'est-ce que vous avez, vous les femmes, à jongler avec des histoires sans issue ?

– Je n'en sais rien, Max. On aime l'interdit, j'imagine.

– Il arrive quoi, entre Sylvain et toi ?

Jeannette hausse un sourcil.

– Je suis désolé, ce n'est pas de mes affaires. Oublie ça.

– Que tu le veuilles ou non, tout est de « tes affaires », Max Grondin. Tu es partout, dans toutes nos vies, dans nos décisions, dans nos malheurs. On a tous désespérément besoin de toi.

Max la dévisage, surpris. Il passe une main dans sa tignasse sombre.

– Je vais voir comment va Chantal. Si Bernise peut rester avec elle, nous irons prendre un café, d'accord ?

– D'accord, Max. Je t'attends.

Chapitre 39
Un ange passe

Julia et Erick sont de retour dans l'appartement de la rue de Lanaudière, chacun enfermé dans ses pensées. Julia observe son frère. Celui qui a naguère été un adolescent enjoué et malicieux, défiant l'autorité, est maintenant un homme blessé, grave et réfléchi. Il lui a révélé sans détour que Sophie lui plaît, pourquoi ne l'approche-t-il pas directement comme il sait très bien le faire avec toutes celles qu'il a convoitées auparavant ? Ça lui aurait paru beaucoup plus simple que de l'embarquer dans un espoir de carrière peu probable.

– Erick…

– Quoi.

– J'aime beaucoup Sophie.

Il la regarde sans commenter. Dieu qu'il peut être déroutant, parfois !

– Si elle accepte, tu vas vraiment faire ce que tu as dit ? Rien de plus, rien de moins ?

– Tu veux savoir si je vais coucher avec elle ?

Elle remarque qu'il n'a pas dit « tenter de coucher avec elle », comme si ça allait de soi, pour peu qu'il le décide. Tous les hommes pensent-ils donc ainsi ?

– Je veux savoir ce que tu as vraiment derrière la tête.

Ils sont maintenant assis dans le salon, Julia les jambes étendues sur le divan, Erick sur le fauteuil en face d'elle, la télévision en sourdine à la chaîne des nouvelles.

– C'est mon boulot, Julia.

– Ah oui ? Elle va vivre où, pendant tout ce temps ? Chez toi ? Vraiment ?

– Oui.

Elle ne peut s'empêcher de rire.

– Je te ferai remarquer qu'elle n'a même pas posé cette question. Je ne crois pas qu'elle viendra. Je lui fais peur, dit-il.

– Pourquoi parles-tu comme ça, Erick ?

– Les gens ont tendance à me craindre. Ce n'est pas nouveau, je suis habitué.

– C'est parce qu'ils ne te connaissent pas.

– Mon visage effraie.

– Non. Ta grandeur, ton air grave, ta confiance tranquille, ton physique complètement hors-norme intimident. Ta blessure témoigne d'une expérience malheureuse. Tu n'as vraiment pas idée à quel point tu es beau, Erick.

Erick croise ses mains derrière sa nuque, le regard au loin.

– Ne t'en fais pas, quand je décide que je veux une femme, je l'obtiens. Je ne ferai rien avec Sophie, ne me pose plus de questions à ce sujet, s'il te plaît.

Julia se mord la lèvre inférieure, son frère la surprendra toujours. Une question simple mais audacieuse la tourmente, elle doit la poser.

– As-tu fait une croix sur l'amour, Erick ?

Pour la première fois depuis longtemps, Julia voit son frère éclater d'un grand rire, dévoilant ses dents blanches.

– Dire que tu es ici pour voler à mon secours. Je suis pathétique.

– Tu as l'air de très bien t'en tirer. Heureusement, Tom Pouce a disparu de la carte, c'est déjà ça de gagné.

Julia hoche la tête en ramenant ses jambes à sa poitrine, elle appuie son menton sur ses genoux. Elle est en accord avec son frère, Tom aura au moins eu le tact de se tenir à l'écart.

Il l'aura laissée en paix jusqu'à la minute suivante à tout le moins, puisqu'il cogne maintenant à sa porte comme un fou furieux.

Ratatata!!!!!! Puis une voix étouffée venue du balcon. *Juliaaaa!*

À l'hôpital, section de la maternité, Bernise rassure Max : elle n'a pas besoin de lui auprès de Chantal. Elles seront mieux seules dans les heures suivantes. « Tu peux me ramener un Pepsi diète, c'est tout ce que tu peux faire. »

Max considère Chantal, perplexe. Les pupilles de la future maman sont dilatées, son air est mauvais. Elle ne lui donne qu'une envie, celle de déguerpir au plus vite.

– Écoute ta blonde, Max. Je lui raconte ma misérable vie entre deux contractions, ça me fait du bien.

– Alors, si on me chasse…

– Exactement ! s'écrient-elles en chœur.

Quelques pas plus loin, Max trouve Jeannette dans le corridor, elle n'a pas osé entrer. Il l'attrape sous le bras.

– Viens, ma belle-sœur, on se sauve.

Le duo improvisé n'a pas à aller pas bien loin, la cafétéria de l'hôpital est située quelques étages plus bas. Max règle la note des deux cafés gris. Ils prennent place à une table bancale de mélamine.

– Ça fait drôle d'être là avec toi, dit Jeannette.

– Ça fait trop longtemps. Je voulais t'assurer, Jeannette, que peu importe ce qu'il advient de ta relation avec Sylvain, tu seras toujours de la famille, d'accord ?

Elle renifle en regardant ailleurs.

– Maintenant, peux-tu me mettre au parfum de ce qui se passe ? reprend-il. Je n'ai pas vraiment gobé l'histoire de la pouponnière. Est-ce que ta santé va bien, Jeannette ?

– Oui.

– Alors, quoi ?

Jeannette tortille ses doigts, souffle sur une mèche de sa frange.

– C'est Annie.

– Elle est malade ?

– Elle a avalé une surdose de médicaments.

Max se renfonce dans sa chaise.

– Encore ?

– Comment ça, *encore* ? demande Jeannette, surprise.

Sans se redresser, Max tapote le bout de ses doigts les uns contre les autres.

– Elle l'a fait dans le passé. Tu ne l'as jamais su parce que je m'étais occupé d'elle.

– Et tu l'as larguée tout de suite après ?

Même si Jeannette monte le ton, il secoue la tête calmement.

– Non. Elle l'a fait après que je l'ai quittée, le soir même, dit-il en saisissant sa tasse.

– Impossible, quand tu l'as laissée, elle est venue me voir ! Dans la minute qui a suivi, elle avait pris un taxi pour ne pas conduire en pleurant !

– Faux, elle est venue te voir en sortant de l'hôpital, c'est moi qui l'ai déposée chez toi.

Jeannette laisse tomber ses bras le long de son corps.

– Eh bien, ça alors ! Je n'en reviens pas !

Max la jauge avec un mince sourire.

– Ne lui mentionne pas que tu le sais. Raviver ces vieilles histoires ne l'aidera pas.

– Je n'aime pas le mensonge, Max.

– Appelons ça de la délicatesse.

– Tu la défends…

– Je te protège de toi-même, je te conseille d'éviter de chercher le trouble.

– Je suis d'avis que c'est en faisant face au passé qu'elle pourra guérir, proteste Jeannette.

– C'est une façon de penser très théorique, ce n'est pourtant pas la mienne. Elle a besoin de ses amis et de temps.

Jeannette grimace en avalant une gorgée du café infect, assimilant les conseils de son beau-frère par la même occasion.

– T'as raison.

– Toi, tu vas comment, Jeannette ?

Ses iris parsemés d'or la fixent comme si elle était la personne la plus importante au monde.

– Bof, tu sais…

– Tu voudrais sauver ton couple ? demande Max.

– C'est l'inquisition Grondin ?

– Mon frère a fait des conneries, mais c'est encore ton mari. Je m'inquiète pour vous deux.

– *Nous deux*, je ne sais pas si on pourra redire ça un jour, lâche-t-elle en jetant sa cuillère de plastique devant elle.

Elle tape la table de ses deux mains en se redressant.

– Bon, tu me déprimes ! Y a pas un nouvel humain qui va voir le jour bientôt ? Où est Tom ? demande-t-elle.

– Parti, à ce qu'il semble. Chantal ne veut pas qu'on le joigne.

– Sacré Tom, il n'a jamais été capable de faire les choses comme du monde. Comment Chantal a-t-elle pu tomber dans le panneau, après tout ce qui s'est passé !

– Grossesse surprise. Quand elle a découvert la relation de Tom et Julia, il était déjà trop tard pour reculer.

– Pauvre elle. Je me demande ce que j'aurais fait.

– Sûrement comme elle.

Jeannette fixe son beau-frère, une question lui brûle les lèvres.

– Tu veux des enfants, toi, Max ?

– Un jour, peut-être.

Jeannette secoue la tête.

– Maudits hommes, jamais capables de répondre clairement à cette foutue question. Allez, on remonte. Je veux voir si Tom Junior est arrivé.

– Et Annie ?

– Quand je l'ai laissée, il y avait un beau Robert Tardif à son chevet. Je n'ose pas les déranger, dit-elle avec un clin d'œil.

Max sourit comme s'il était franchement heureux que Robert Tardif existe. Jeannette ne manque pas de le remarquer.

Un martèlement de pas fait vibrer la porte arrière. Levant une main rassurante vers Julia, prise de panique, Erick se dirige dans cette direction. En voyant apparaître ce colosse qui le dépasse de plus d'une tête, Tom Turner recule.

– Je cherche Julia ! dit-il, les yeux fous.

– Elle n'est pas là, répond Erick, impassible.

– Julia ! crie Tom sans s'occuper de son interlocuteur. Je dois absolument te parler ! Laisse-moi entrer comme une personne civilisée.

– C'est toi qui parles de civilité, Tom ? Tu n'as rien à faire ici.

– Je n'ai jamais cessé de t'aimer, Julia, je voulais que tu le saches. Je n'ai jamais eu la chance de te donner ma version… Allons prendre un café, ajoute-t-il d'une voix qu'il tente de faire paraître calme et posée. S'il te plaît…

– Tom, va-t'en… je t'en prie.

– Julia… juste quelques minutes. Laisse-moi t'expliquer et ensuite, je te jure que si tu le désires vraiment, je te fiche la paix pour toujours.

Le silence que Julia laisse en suspens se fait lourd. Ravalant sa salive, elle cesse de combattre, son regard fond sur Tom qui lui offre son meilleur spectacle d'homme amoureux.

Erick remarque rapidement que sa sœur tend le bras vers son manteau qu'elle avait laissé sur le dossier d'une des chaises de la cuisine. Dès qu'elle enfile le vêtement, il fronce les sourcils.

– Tu fais quoi, là, Julia ?

– Je vais aller lui parler, sinon il va camper sur mon balcon.

Erick esquisse un geste impatient.

– Je peux le lancer en bas d'une seule main.

– Laisse faire, Goliath, c'est vrai qu'on ne s'est pas tout dit. Je lui dois au moins ça.

– Tu ne lui dois rien du tout !

– Je reviens dans dix minutes.

Avec rage et regret, Erick la laisse partir, les poings serrés.

Toujours alitée dans sa chambre de l'hôpital Saint-Luc, Annie se sent un peu mieux. Elle voit encore des étoiles, en plus de cette impression d'avoir une chandelle allumée dans l'estomac, mais malgré tout, son moral est bon. Du moins, autant qu'un moral puisse l'être après une tentative de suicide ! Dès qu'elle a vu entrer ses amies, et que sa mère est finalement sortie de la chambre, elle a été libérée d'un poids énorme.

Tout ce qu'elle souhaite, c'est rentrer dans son condo douillet pour regarder une comédie musicale des années 60. Elvis avec les cheveux gras chantant la pomme à une starlette sera le bienvenu. N'importe quoi pour ne pas avoir à penser, à réfléchir, à analyser le pourquoi, le comment, le futur, le passé, le présent. Toutes les questions auxquelles elle devra répondre… Ils voudront tout savoir, essayer de comprendre ce qui lui est passé par la tête. Certains diront qu'elle est malade, qu'elle a besoin d'un psy, de médicaments, d'un coup sur la tête ! Ce qu'elle désire, par-dessus tout, c'est éviter de faire de ses armoires une pharmacie. Le moins de comprimés blancs, rouges, bleus, elle prendra, le mieux elle se portera. Elle ne veut pas finir comme sa mère.

Robert Tardif, son nouveau voisin, a veillé sur elle une partie de la nuit. Évidemment, il s'est enfui à l'approche de Stella, sa très peu chaleureuse mère. L'espace d'un instant, elle se permet de l'envier, le chanceux, il peut fuir.

Le voilà de retour avec des victuailles. Dommage que le chocolat soit un irritant pour le système digestif, une certaine fille alitée en aurait bien profité ! Tant pis, elle le gardera pour Jeannette.

– Merci de t'être occupé de moi, Robert, vraiment ! Je ne sais pas ce que j'aurais fait sans Janelle et toi.

– Ç'aurait été triste de perdre une voisine aussi paisible. On ne peut prévoir qui achètera ton condo si jamais tu disparais. Il ne faut pas courir de risque, répond-il en souriant.

Annie ne peut que rire à cette répartie. Robert Tardif est mignon en son genre. Il ne doit pas mesurer plus d'un mètre soixante-dix, ses traits sont réguliers et ses yeux brun sombre un peu enfoncés dans leurs orbites lui donnent un air mystérieux. Sa mâchoire carrée et son nez très droit égaient ses pommettes hautes et définies. De plus, il porte les jeans de façon sublime. Ses jambes sont courtes, mais musclées et bien proportionnées. Annie sourit à ces pensées. Elle l'a remarqué, même s'il est loin de son genre habituel. Les Max Grondin de ce monde ne sont finalement pas les seuls à mériter son attention.

– Oui, mais grâce à toi, je vais me taper des séances interminables avec un psy.

– Ainsi qu'un congé de maladie forcé.

– Oh ! Mon Dieu ! Le bureau ! Il ne faut pas que ça se sache ! Ma réputation !

D'un geste doux, il lui prend la main. Il l'a tellement tenue longtemps durant les heures difficiles que c'est déjà un geste naturel entre eux, aussi étrangers qu'ils soient encore.

– Personne n'a à connaître les détails. Le rapport médical sera discret. Il indiquera que tu es en surmenage sévère.

Elle le dévisage, perplexe.

– J'ai parlé au médecin, je lui ai posé la question, je t'assure.

– Tu as pensé à faire ça?

– Oui.

– Merci, Robert. Vraiment, je ne sais plus comment te remercier.

– Je trouverai bien! dit-il d'un air espiègle.

Lorsqu'on cogne discrètement, Annie rit encore. Robert va ouvrir, laissant passer ce qui semble à la malade n'être qu'une vision. Ces cheveux presque noirs, ces yeux pers, en amande, le souvenir de cette femme avec Max la renversent. Elle ne peut pas imaginer que, parmi tous les endroits du monde, elle ose se montrer ici, dans sa chambre d'hôpital, alors qu'elle est partie prenante du geste désespéré qu'elle a commis.

Comme si un film, passé au ralenti, ne jouait que pour elle, Bernise Tousignant, sans sourire, s'avance vers Annie.

Bernise a le trac. Elle a eu un instant de folie, quelque chose de plus fort qu'elle l'a poussée à s'éclipser de la chambre de Chantal. Elle est descendue pour un café dès que Max et Jeannette sont remontés. Elle a suffisamment entendu de détails sordides sur le passé de Tom. Chantal s'est vidé le cœur entre deux contractions. Elle a su qu'Annie était là, impuissante et vulnérable, au bas-fond de son désarroi. Elle ne peut pas l'ignorer, c'est plus fort qu'elle.

Lorsqu'elle voit le visage défait de celle qui est d'ordinaire époustouflante, une boule se forme dans sa gorge. À voir son expression, elle sait qu'Annie l'a reconnue. Par quoi commencer?

– Bonjour, Annie.

Robert Tardif sent immédiatement qu'il est de trop dans la pièce. Il embrasse Annie sur le front, indiquant d'un signe de tête à l'attention de Bernise qu'il lui cède la place.

Annie, soudainement nerveuse, balbutie.

– Je dois admettre que c'est une surprise…

Le sourire de Bernise se fait timide.

– Pour moi aussi. Tu préfères que je m'en aille?

Bien qu'elle cligne des paupières plusieurs fois, comme si elle avait besoin de faire le focus sur l'objet de son attention, Annie finit par secouer la tête.

– Non, reste.

Un silence gênant s'installe.

– Comment va Max ? demande Annie.

– Bien. Il ne sait pas que je suis venue.

– Pourquoi es-tu ici ?

– Pour briser la glace… hum, si tu veux bien…

Incertaine, déchirée entre le désir de se laisser charmer, elle aussi, par cette fille si adorable, et la haine qui la consume depuis des semaines pour celle qui lui a ravi l'homme qu'elle voulait pour elle, Annie hésite.

– Sais-tu pourquoi je suis hospitalisée ?

Bernise porte son regard sur les mains crispées de la convalescente.

– Oui, souffle-t-elle. En fait, je m'en doute. Je suis désolée.

– Ça n'a rien à voir avec toi, je te rassure, se défend Annie.

– Avec Max, alors ?

Annie prend plusieurs secondes avant de répondre. Puis, elle laisse les mots défiler entre ses lèvres, comme si elle se parlait à elle-même.

– Aucun homme ne devrait avoir le pouvoir de nous détruire simplement en nous ignorant.

– Bien dit.

Annie roule les yeux.

– Ça fait plus d'un an que je rumine ça.

– Ça fonctionne ?

Elle fait un geste de la main autour d'elle.

– Qu'est-ce que tu en penses ?

Bernise sourit au sarcasme.

– Je pense que tu vas très bien aller, Annie. Je te laisse te reposer. Merci d'avoir accepté ma visite.

Annie prend une profonde inspiration.

– Chantal vient d'accoucher, il paraît ?

Bernise fronce les sourcils, alors qu'Annie pose sa main sur sa bouche, honteuse.

– Je savais que Chantal était enceinte, je l'ai croisée cet été. Tom m'a empêchée d'en parler. J'aurais cru que Julia l'apprendrait tôt ou tard. Je ne connais pas vraiment Julia, après tout, ce n'était pas ma place…

Elle regarde Bernise avec tristesse.

– Mais j'aurais tellement pu avertir Jeannette, qui, elle, aurait informé Julia. Je me sens si mal, tu n'as pas idée. Le pire, c'est que ça ne m'a même pas effleuré l'esprit.

– Qu'elle l'ait su avant ou après, le résultat est le même. Elle l'a quitté de toute façon. Je ne lui ai pas tout dit non plus. Tom Turner est le coupable dans tout ça.

La discussion entre les deux femmes s'anime d'elle-même, les minutes s'écoulent au sablier jusqu'à ce que Stella refasse son apparition. À sa vue, Bernise quitte sa chaise. Annie lui tend la main pour la serrer dans la sienne.

– Merci d'être passée, Bernise.

– Et toi de m'avoir accueillie.

🍒🍒🍒

Au même moment, c'est Jeannette, qui a remplacé Bernise, qui tient la main de Chantal. La naissance est proche, le col utérin est finalement dilaté. Une dernière poussée, des pleurs, un cri de douleur, de joie.

Jeannette, les yeux inondés de larmes, assiste, touchée et envieuse, à l'entrée de Gabriel dans le monde.

– C'est un beau garçon, félicitations.

Chapitre 40
La huitième merveille du monde

Il fait déjà noir lorsque Bernise revient chez elle, complètement vidée. Elle a tenu le petit Gabriel dans ses bras pendant plus d'une heure, Jeannette à ses côtés. Max a servi de commissionnaire, Chantal n'ayant pas apporté suffisamment d'effets pour ce séjour à l'étage des naissances.

Elle n'arrive rue de Lanaudière qu'en début de soirée. Dès qu'elle glisse la clé dans la serrure, la porte s'ouvre d'un coup sec.

– Erick ! Tu m'as fait peur ! Ça va ? demande-t-elle en déposant son sac.

L'homme lâche un soupir exaspéré.

– Je croyais que c'était Julia.

– Tu as l'air énervé !

– Tom est passé, elle est partie avec lui supposément pour dix minutes, le temps de mettre les choses au clair. Ça fait des heures que je l'attends.

Le cœur de Bernise manque un battement. Elle se racle la gorge.

– Tu as essayé son cellulaire ?

– Évidemment ! siffle-t-il.

– Question idiote, désolée.

– J'espère qu'elle ne s'est pas enfuie avec cet imbécile...

– Voyons, Erick, Julia est une adulte, elle ne partirait pas comme ça, sur un coup de tête. De plus, ça ne serait vraiment pas comique parce que la femme de Tom vient d'accoucher aujourd'hui même.

– Quoi ? s'écrie-t-il en la prenant par les épaules.

– Erick ! Tu me fais mal !

Il desserre son emprise, frottant doucement les bras de Bernise.

– Je suis désolé, je suis inquiet !

– Ce n'est pas grave. J'étais avec sa femme toute la journée, à l'hôpital. Longue histoire ! ajoute-t-elle en levant la main. Il faut absolument les trouver. On doit lui apprendre la nouvelle !

– Personne ne lui a dit ?

– Personne n'était au courant. Sauf Max et Tom lui-même. Et Sophie.

– Sophie ?

– Oui, celle qui a chanté hier…

– Je sais qui est Sophie, la coupe-t-il.

– Elle travaille pour Max. Retrouvons ta sœur au plus vite avant qu'elle ne s'enlise à nouveau à cause du charme malsain de Tom Turner !

Erick pousse le rideau pour regarder à la fenêtre. Il prend les clés que Julia a oubliées sur la table.

– Elle a laissé sa voiture, reste ici au cas où elle reviendrait. Tu as mon numéro de cellulaire, Bernise ?

– Non. Donne-le-moi.

– As-tu un crayon ?

– Je n'en trouve pas ! s'énerve-t-elle.

– Calme-toi, j'en ai un. Du papier…

– Où iras-tu ?

Sans répondre, il disparaît dans la nuit.

Prise d'un mal de tête, Sophie est étendue dans son lit, incapable de fermer l'œil. Le téléphone sonne de nouveau, la troisième fois depuis que Guillaume est parti. Elle scrute l'afficheur.

Sylvain.

C'est le coup de massue. Guillaume a raison, il faut qu'elle parte, qu'elle change de vie. Au diable son attirance pour Philippe. Il ne fera rien pour améliorer la situation, elle doit se rendre à l'évidence. Fuir Sylvain est sa priorité.

Les Grondin viennent en bloc, aucune distribution au détail. Si elle pouvait découper un petit morceau de cette machine infernale sans toucher au reste, elle se serait lancée dans les bras de l'homme qu'elle aurait pu aimer. En y repensant, elle aurait dû partir bien avant.

Malgré le doute sur la justesse de cette avenue, Erick est apparu en lui offrant une belle porte de sortie. Même si ses intentions sont autres, elle n'aura qu'à mettre les choses au clair. Elle lui téléphonera demain, juste avant de donner sa démission à Max.

La sonnette retentit. Enfin, le souper qu'elle a commandé arrive. Elle colle son front à la fenêtre, une voiture jaune, une enseigne rouge sur le dessus, super! Elle salive déjà. Elle met la main sur le billet de vingt dollars qu'elle a laissé sur la table près de la porte, puis descend ouvrir au livreur. Un homme dans la jeune vingtaine affublé d'une casquette tient une boîte jaune et un petit sac brun, sûrement son 7Up et sa salade de chou.

– Bon appétit, madame! bredouille-t-il en acceptant son pourboire.

Elle remonte en chantonnant. Rien d'autre n'existe plus que l'odeur délicieuse du poulet émanant du carton qui lui réchauffe les doigts. De retour dans son appartement, elle se dirige vers sa chambre pour déposer le contenant odorant sur son lit. Elle court à la cuisine pour prendre une fourchette, puis revient en rattachant la ceinture de sa robe de chambre blanche. Elle s'assure qu'au moins trois oreillers soient prêts à l'accueillir avant de s'installer pour manger. Même le bruit que fait la cannette en la décapsulant est charmant à ses oreilles. Au fond, elle n'a besoin de personne. Elle a tout ce qu'elle peut désirer à l'instant présent, sur son lit !

Au moment où elle s'installe pour manger, la sonnette retentit de nouveau.

– Il n'y a personne ! crie-t-elle pour elle-même.

On sonne encore. Puis on cogne. Fort.

Contrariée, Sophie soupire, mais finit par abdiquer.

– Câââline, murmure-t-elle. Il n'y a plus de journée normale dans ma vie !

Elle aperçoit Tom Turner debout sur la dernière marche de l'escalier extérieur menant au premier étage. Que fait-il donc ici ? Sûrement pas une visite de courtoisie ! Et comment connaît-il son adresse ? Il a dû faire des recherches. Elle se rue d'une main sur la carte qu'Erick lui a laissée et qu'elle a posée sur sa table de chevet et saisit son téléphone de l'autre.

Elle compose le numéro en tremblant.

🍒🍒🍒

– Je ne vois pas pourquoi tu veux venir ici, grogne Tom entre ses dents, alors que Julia frappe à coups redoublés la porte blanche de l'immeuble de la rue Rozel, à Pointe-Saint-Charles.

Julia scrute son compagnon. Ses traits sont creusés, ses cheveux sont trop longs, frisottant autour de ses oreilles d'une façon négligée qui ne lui ressemble pas. Normalement, Tom est tiré à quatre épingles. Quelques fils blancs qu'elle n'a jamais vus se dessinent sur ses tempes. Ses yeux bruns sont toujours aussi beaux, malgré la grisaille qui les assombrit alors qu'ils sont sur le balcon de Sophie à frapper à répétition.

– J'ai besoin de savoir quelque chose, Tom.

– Qu'essaies-tu de découvrir ? Je t'ai tout dit, Julia !

– Ce qu'elle a failli me montrer, chez Max, ça ne m'est jamais sorti de la tête.

Julia ferme le poing et cogne encore en serrant les lèvres. La porte s'ouvre.

– Salut. Entre, Julia.

Tom lui emboîte le pas, mais Sophie le bloque.

– Tut ! Tut ! Il y a un café rue Charlevoix, va lire un journal.

Elle tire sur la manche de son amie avant de claquer la porte au nez de Tom Turner.

– Décidément, tu sais comment t'y prendre avec les hommes, fait Julia, avec un demi-sourire.

Julia entend à rire, mais son cœur a mal. Le malaise d'un dilemme difficile à résoudre la hante depuis des jours. Laisser Tom à la rue, comme ça, sans lui dire au revoir, la rend nerveuse. Si Tom décide qu'il déteste Sophie, ce sera une roue sans fin. L'avocat est rancunier et imprévisible. Pour avoir entendu des histoires dont elle croyait la teneur fortement exagérée, elle sait qu'il ne faut pas jouer avec ses nerfs… ou pire, avec son orgueil. Sophie vient de le balancer comme une vieille chaussette. Tom s'en souviendra !

– Vous avez repris votre relation ?

– Non, hum… pas vraiment. Je suis venue pour savoir ce que tu allais me révéler, l'autre jour, chez Max.

Un bruit de crissement de pneus dans la rue les fait tressaillir. Sophie verrouille la porte et boucle la chaîne de sûreté. Elle aide Julia à retirer son manteau qu'elle lance sur un fauteuil.

– Tu allais reprendre ta relation avec lui, c'est ça ?

– Je dois aller jusqu'au bout de notre histoire.

– Je crois que le bout est là, Julia. Que t'a-t-il raconté ?

– Que sais-tu, Sophie ?

– Toi d'abord, mais attends, je reviens.

Julia s'assied sur le divan. Sophie va chercher son repas qu'elle a laissé en plan dans sa chambre. Elle éteint sa télévision.

– As-tu mangé, Julia ?

– Nous sommes allés au restaurant pour discuter. Ne te gêne pas pour moi.

– Je t'écoute.

– Il n'aime plus Chantal depuis des années. Quand il m'a connue, ç'a été le coup de foudre, tu sais, celui qui nous prend ici, dit-elle en mettant un poing sur sa poitrine.

– Je vois, oui.

– Ç'a été la même chose pour moi. Quand j'ai rencontré Tom, il était celui que j'avais toujours cherché. C'était il y a deux ans, lors d'un souper d'amis auquel Jeannette m'avait invitée. C'était un an avant que Bernise revienne dans ma vie, qu'on décide de partager un appart. J'arrivais de quelques années passées en France, Jeannette était ma seule vie sociale au Québec à cette époque. Bref, c'est dans un moment de solitude que j'ai rencontré Tom.

– Laisse-moi deviner… Il a fait de toi sa princesse ?

– Exactement, Sophie. Y a pas d'autre mot.

– Sauf qu'il était marié.

Les cheveux noirs de Julia forment une cascade soyeuse alors qu'elle baisse la tête tristement.

– Oui, à mon plus grand malheur.

– De toute évidence, il t'a dit qu'il était en procédure de séparation quand tu l'as rencontré ?

Julia plisse les yeux en soupirant.

– Bernise Tousignant, sors de ce corps !

– Elle t'a dit la même chose ?

– Pas dans les mêmes mots, mais, oui, la même maudite affaire.

Soucieuse de comprendre, Sophie ne sourit pas lorsqu'elle hausse les sourcils pour insister.

– Alors, j'ai raison ou pas ?

Julia se lève, les poings serrés.

– Oui ! Il était pour la laisser !

– Qu'est-ce qui s'est passé ?

– Sa femme présentait des signes de maladie mentale – il ne m'a jamais dit quoi, évidemment – et il a décidé de rester pour éviter de la tourmenter avec un divorce.

– Je vois, c'est une grande âme. Donc là, tu lui pardonnes ce qu'il a fait à Bernise.

– Je n'ai jamais vraiment su ce qu'il a fait à Bernise ! Elle peut être très *drama queen*, parfois ! De plus, elle l'accuse de m'avoir trompée, alors qu'elle n'en a aucune preuve.

– Et si moi, j'en avais ? demande Sophie.

– Quoi ?

– Une preuve.

– C'est pour ça que je suis venue te voir avant de lui accorder sa chance. Tu as essayé de me montrer quelque chose chez Max. J'ai besoin de savoir.

Sophie court chercher son portable.

– J'avais conservé ceci au cas où tu voudrais le voir un jour. Tom l'a effacé d'Internet.

Sophie allume l'ordinateur. Les secondes passent lentement tant les deux femmes sont fébriles.

– Si tu savais comme je suis désolée, Julia, mais au moins tu seras au courant de tout.

Lorsque Windows laisse Sophie accéder à ses documents, elle ouvre la fiche de Tom qu'elle avait copiée. Elle tourne l'écran vers Julia.

Julia fixe l'image en clignant les paupières. Elle repousse l'ordinateur d'un geste brusque.

– Pourquoi ne m'as-tu pas montré ça avant, Sophie ?

– Je ne pensais pas qu'il allait revenir. Et puis... on ne se connaît pas tant que ça. J'avais peur que tu croies que j'essayais de me mêler de ta vie.

– Alors, ça explique ses sorties, chuchote-t-elle en se rasseyant sur le divan, sa tête entre ses jambes. Oh mon Dieu ! J'espère qu'il se protégeait. Si j'ai attrapé une quelconque cochonnerie à cause de lui, je vais le tuer !

Impuissante, Sophie lui flatte le dos. On sonne à la porte.

– Ne réponds pas ! Je ne veux pas le voir.

– Je ne pense pas que ce soit lui, Julia. J'ai appelé Erick quand tu es arrivée…

– Pourquoi ?

– Quand j'ai vu Tom, j'ai eu peur, ç'a été mon premier réflexe.

Elle descend pour ouvrir.

– *Is he here** ? grogne-t-il.

– Bien sûr que non ! Je l'ai chassé.

Montant les marches deux par deux, Erick arrive à l'étage rapidement. Il trouve Julia assise au fond du divan, un coussin serré contre sa poitrine, les yeux hagards. Il s'installe à côté d'elle pour la tirer vers lui.

– Sophie t'a dit, pour le bébé ?

– Quel bébé ? s'écrie-t-elle en le repoussant.

– Chantal a accouché aujourd'hui, de l'enfant de Tom.

Sophie retient son souffle, médusée. Décidément, cet homme taciturne n'y va pas par quatre chemins lorsqu'il s'agit d'annoncer une nouvelle déroutante !

– Tu le savais, ça, Sophie ?

Sophie se racle la gorge avant de confirmer les dires d'Erick.

– J'ai appris qu'elle était enceinte, mais pas que le petit était né.

– Pourquoi ne me l'as-tu pas dit ?

La voix de Julia est stridente.

– Julia, j'ai voulu t'épargner… Je ne pouvais pas t'assommer avec deux nouvelles en même temps ! Je sais que c'est déjà beaucoup pour toi, tout ça…

– Y a-t-il autre chose que tout le monde me cache ?

Simultanément, Erick et Sophie se regardent. Les deux secouent la tête.

---

* Est-ce qu'il est là ?

– Êtes-vous certains ? Parce que c'est maintenant ou jamais ! *Kick me while I'm down** !

– Rien d'autre, Julia, c'est promis, chuchote Sophie.

Julia enfile sa veste, puis ouvre la porte.

– J'ai besoin de prendre l'air.

Sophie l'arrête.

– Tom sera de retour Julia, tu ferais mieux de redescendre avec ton frère.

– Il n'est pas dangereux !

– Julia, je n'en suis pas si sûre.

– Tu ne pars pas sans moi, intervient la voix grave d'Erick.

Les deux femmes le dévisagent. Julia finit par baisser les bras, découragée.

– Tu as raison, Erick. De plus, s'il doit revenir ici, Sophie ne peut pas être seule. Surtout après la façon dont elle l'a mis à la porte… et ce qu'elle m'a montré. Il le sait, c'est sûr !

Julia regarde Sophie.

– Fais ton sac, on t'emmène.

– Mais…

Erick n'a qu'à faire un signe de la tête pour que Sophie abdique. Elle ne dormira pas ce soir, de toute façon.

Sophie a l'impression qu'elle vient de s'endormir lorsqu'elle entend des voix et des bruits inhabituels en provenance de la pièce d'à côté. Elle ouvre un œil, elle ne reconnaît rien, ni la couleur des murs, ni les rideaux bleus, ni les draps qui la couvrent. Elle se redresse rapidement, en proie à la panique. Elle secoue la tête et se frotte les yeux. D'un seul coup, elle se souvient, elle est chez Julia.

---

* Achevez-moi pendant que je suis à terre.

– Café? fait une voix masculine, alors qu'une odeur de cappuccino flotte vers ses narines.

Erick est dans sa chambre. Elle a dormi avec lui! Elle a son odeur partout sur sa peau, ses mains, son chandail, ses cheveux. Dieu qu'il sent bon! Elle se frotte les yeux. Non, bien sûr, Erick a pris le divan du salon, plié en quatre comme un géant dans un berceau.

Elle ne peut s'empêcher de rire d'elle-même. À le voir à la lumière du jour, il est évident que si elle avait passé une nuit avec lui, le souvenir ne pourrait pas être comparé à une simple rêverie.

Elle ne se souvient plus de la dernière fois qu'un homme autre que Guillaume lui a offert un café à la sortie du lit. Même si elle n'a aucune relation avec lui, le personnage qui se trouve devant elle est fascinant. Un œil noir la regarde, elle baisse les yeux par réflexe.

– Merci, Erick. Tu peux le laisser sur la commode, je me lève tout de suite.

Il dépose la tasse. Après un bref signe de tête, il tourne les talons. Sophie serre la couverture contre elle.

Tout lui indique qu'il est temps de mettre les voiles. Sylvain et Jeannette ont besoin qu'elle parte. Max trouvera à la remplacer assez facilement et Philippe… Elle soupire en pensant à l'homme pour lequel elle ouvre les yeux chaque matin. Celui qui veille sur elle de loin: toujours le bon geste ou le bon mot pour l'orienter dans la bonne direction. L'intouchable Philippe qui l'a fait chanter après tout ce temps de silence. Celui qui habite par sa seule existence le coin le mieux dissimulé de son esprit. Il doit bien l'aimer à sa façon, elle peut le sentir. Lui aussi, il a besoin qu'elle parte. S'il n'a rien fait depuis tout ce temps et toutes ces heures en sa présence pour l'attirer dans ses bras, alors il est évident que ce n'est pas sa place.

Elle doit également se rappeler qu'elle n'est que la subalterne, la personne qu'il a engagée malgré son manque d'expérience, celle à qui il a donné une chance. Elle lui doit déjà beaucoup.

Sortir de la vie de la famille Grondin avec grâce est la meilleure chose à faire. Elle préservera sa dignité.

De plus, attendra-t-elle que la vie la dessèche avant de se réaliser et d'atteindre son plein potentiel ? Sur cette pensée, elle prend son café dont la première gorgée lui chauffe le gosier. Dans la cuisine, trois têtes se tournent vers elle.

– Bon matin, lance-t-elle, un peu timide.

Elle s'approche de Julia pour entourer ses épaules.

– Tu tiens le coup ?

– Pas vraiment, dit Julia dont la lèvre inférieure tremble. Je l'ai appelé ce matin pour lui dire adieu.Il n'a pas été très tendre.

Sophie lui serre la main.

– Je suis désolée, Julia.

– Pas autant que moi.

– Bon. Je vais m'habiller, je dois aller au bureau.

La situation est si bizarre que Sophie n'ose pas demander à Bernise comment se portent la nouvelle maman et le poupon. Surtout pas devant Julia.

Jeannette est émotionnellement épuisée. Non seulement Annie l'a-t-elle inquiétée au plus haut point, mais la naissance ainsi que les heures qu'elle vient de passer à câliner le bébé l'ont bouleversée. Plus que jamais, son désir de maternité est vivant, amplifiant la douleur d'avoir à accepter de nouveau les détours que la vie présente.

Malgré tout, elle doit reconnaître que Sylvain la traite avec le respect qui lui revient. Il s'est excusé de l'avoir froissée au sujet de Sophie, de façon à ce qu'elle lui permette de rester quelque temps. Il est distant, poli, mais présent. Sans rechigner, il a fait toutes les tâches ménagères qu'elle avait mises de côté pour aller voir Annie à l'hôpital.

Max lui a donné espoir. Sottement, elle avait cru que le soutien de Max aiderait à sauver son couple. Il est si facile d'accorder du pouvoir à cet homme. Avec lui, on a l'impression que tout peut s'arranger comme par magie. *Max à la rescousse!* Elle secoue la tête. Si Sylvain avait hérité du dixième de la nature robuste de son aîné, ils n'en seraient pas là aujourd'hui.

Au moment de déposer le sac noir contenant son ordinateur dans sa voiture, elle voit son mari sortir de la maison à son tour, les épaules un peu plus voûtées qu'à l'ordinaire. Il fonctionne sur le mode pilotage automatique, elle reconnaît bien les indices. Le regard un peu dans le vide, la tête vers l'avant, les gestes rapides, toutes les actions prescrites par la loi du civisme sont respectées, Sylvain survit. Envolés, son rire coquin et ses manières un peu maladroites. Il ne passera la journée qu'à respirer et à faire ce qu'on attend de lui, ni plus ni moins.

Elle se dépêche de partir, sa vue lui fait mal au cœur.

Jeannette sait que Sylvain s'en va dans son purgatoire, travailler avec ses frères qui doivent le surveiller pour son propre bien. Il verra Sophie, souffrira comme il la fait souffrir elle-même. *Si elle pouvait disparaître.* Elle s'en veut immédiatement d'avoir cette pensée. Cette fille est une perle parmi les perles, personne ne peut lui en vouloir.

Erick maintient le cap comme s'ils fendaient l'air. Sophie s'en veut d'avoir imaginé une seconde que cet homme pourrait avoir du mal à conduire à cause de son œil. Il semble pouvoir calculer les distances avec un flair ahurissant.

– Ça va, Sophie?

– Oui.

– Tu as pensé à ma proposition? demande-t-il en changeant de voie sur l'autoroute.

– J'ai quelques questions.

– Je t'écoute.

– Où habiterais-je ?

Il sourit.

– J'ai un grand appartement, pas loin du centre-ville dans les *Beaches*, tu connais ?

– Oh... mais... je ne veux pas t'imposer ma...

Elle se tait.

– Ta quoi ? Ta présence ?

Elle rougit.

– Oui. Tu aurais une inconnue chez toi, comme une tache !

– Une quoi ? demande-t-il en riant.

Son rire dévoile ses dents blanches, bien droites.

– Une tache ! C'est une expression qui signifie que je serai dans tes jambes.

Il hausse un sourcil.

– Dans mes jambes ?

Elle ne peut s'empêcher de ricaner nerveusement.

– *I'll be in your way !* Je veux dire que je dépendrais de toi pour tout. Tu as sûrement autre chose à faire que de jouer au guide touristique ou de t'occuper d'une starlette.

– Ne redis jamais ça de toi, Sophie. Tu n'as rien à voir avec les starlettes que je croise toutes les semaines. Et non, ta présence ne me dérangera pas.

Elle contemple la grande main brune qui tient le volant, la jambe musclée un peu pliée sous ses jeans qui appuie sur l'accélérateur. Elle ravale sa salive, les yeux fermés.

– D'accord, souffle-t-elle.

Il sourit en accélérant. Ils arrivent sur le site de Grondin Transport en un temps record.

Sophie pousse la porte vitrée pour entrer dans le bureau, Denise la dévisage aussitôt. La jeune femme lui offre son sourire habituel en se retournant vers Erick qu'elle a invité à la suivre.

– Denise, je te présente Erick, le frère de Julia.

– Julia ?

– La colocataire de Bernise, la copine de Max.

– Ah. Enchantée, Erick.

Denise s'est levée sans vraiment se déplier pour tendre une main sèche à Erick. Celui-ci incline la tête en guise de réponse.

– J'aimerais parler à Maxime Grondin, dit Erick à Denise.

Sophie se fige sur place.

– Erick, non...

Trop tard, Max est devant eux. Il va lui annoncer la nouvelle ! Elle n'est pas prête ! Non, mais quel cul...

– Bonjour, Max, on peut discuter ?

– Bien sûr, consent Max dont le regard voyage de Sophie à Erick.

Sophie tente d'attraper la main d'Erick, mais celui-ci suit déjà Max dans le couloir.

– Tu viens, Sophie ? l'encourage Max.

– J'arrive...

Elle est cramoisie de colère. Elle lui en fera voir, à cet impudent, de prendre sa place pour annoncer *sa* décision.

Max les invite à s'asseoir dans les chaises face à son bureau.

– Heureux de te revoir aussi vite ! Que se passe-t-il, Erick ?

– Tom est revenu.

Sophie le regarde, éberluée. *Ah..., oui, Tom ! Naturellement.*

Max se cale contre son dossier, refermant la main sur son menton.

– Je voulais que tu le saches. Il est venu voir Julia, ils sont partis ensemble, ils ont cogné chez Sophie.

– Je ne savais pas que vous vous connaissiez, tous les deux ! intervient Sophie, surprise de la tournure de la conversation.

Max sourit.

– Erick et moi avons eu le temps de discuter, lors de la soirée pour Philippe. Nous avons parlé de Tom, surtout !

– Tu t'inquiètes pour ta sœur...

– Depuis la première fois que je l'ai vu, confirme Erick, d'un ton grave. Tom Turner est un serpent !

– J'ai foutu Tom à la porte de façon plutôt brutale, dit Sophie à Max. Je ne lui ai pas permis d'entrer avec Julia.

– Bien, dit Max.

– Julia sait tout, maintenant. Internet, le bébé…, annonce Erick.

– À la bonne heure ! fait Max.

– Turner sait où Sophie habite. *I don't trust him, Max. He's a lunatic**.

Sophie regarde Erick avec une incrédulité empreinte de reconnaissance. Il veille vraiment sur elle. Elle accueille l'attention avec apaisement. Un peu plus, elle se serait collée sur lui pour se cacher sous son manteau de cuir noir. Max la fixe en plissant légèrement les yeux. Non… il n'ira tout de même pas croire que…

– Je l'aurai à l'œil, assure Max.

Sophie se sent obligée d'intervenir.

– Tom Turner ne me fait pas peur. De toute façon, ce n'est pas moi qu'il veut, c'est Julia.

– Tu es celle qui la lui a fait perdre pour de bon, pointe Erick.

– Vu comme ça… c'est vrai qu'il ne doit pas m'aimer tellement…

Puis, elle sourcille.

– D'après vous, il est si fou que ça ?

Ce lundi soir de la mi-octobre, Sophie s'en veut de ne pas avoir été productive au bureau. Elle aurait dû travailler d'arrache-pied pour mieux organiser son départ. Surtout, elle aurait dû leur annoncer sa décision plus tôt pour leur allouer quelques jours, à défaut de quelques semaines, pour trouver une remplaçante. La fin d'année approchant, le moment est mal choisi pour les

* Je n'ai pas confiance en lui, il est fou.

laisser tomber. Elle doit plus que ça aux Grondin. Assurément. Seulement, elle n'a pas le courage ni le luxe de mieux planifier.

Sylvain a été particulièrement triste toute la journée, lui lançant des airs piteux. Philippe, de son côté, est sorti depuis le début de la matinée. Ayant seulement eu le temps de croiser Erick, il a pris une pile de dossiers avant de partir en vitesse.

🍒🍒🍒

Quelques jours plus tard.

Sophie entreprend de se réchauffer un plat congelé lorsqu'elle entend tambouriner à la fenêtre de la porte de sa cuisine.

– C'est pas vrai…, murmure-t-elle.

Le vent d'automne pousse dans la pièce un homme détrempé par la pluie.

– Sylvain ! Entre. Tu vas être malade !

– Ce n'est rien, dit-il en secouant ses cheveux bouclés, du même châtain clair que son frère Philippe.

– J'ai entendu dire que Tom rôde dans les parages.

Elle ne lui montre pas son incrédulité.

– Tout va bien. Guillaume est pratiquement toujours ici, je suis entre de bonnes mains.

Hâtif de s'immiscer chez la jeune femme, Sylvain prend une chaise.

– Ça t'ennuie si je reste un peu ? Tu m'as vraiment manquée, Sophie.

Il est là, assis à sa table de cuisine, avec un air de chien battu.

– Tu veux quelque chose à boire ?

– Non merci, je ne veux pas te déranger. Guillaume n'est pas ici ? Tu viens de dire qu'il est toujours là…

– Il va passer plus tard, ment-elle.

Sylvain lui sourit. Elle n'apprécie pas la transe qui le saisit lorsqu'il pose ses yeux sur elle. Ce regard-là aurait dû aller à sa femme ! *Justement !*

– Comment va Jeannette ?

Sylvain n'aime pas la question, ce que Sophie sait très bien. La mentionner est comme lui rappeler de se tenir à sa place.

– C'est ton amie maintenant ?

– Elle est vraiment bien, ta femme, Sylvain. Ce serait dommage…

Elle ne termine pas sa phrase, car Sylvain a mis ses mains sur son visage, renversant sa tête vers l'arrière. Il est excédé.

– Sophie ! Je ne l'aime plus. Arrête, veux-tu ?

– Non, je n'arrêterai pas, Sylvain. Je crois qu'elle t'aime encore. J'ai de l'amitié pour elle, elle ne mérite pas que tu la rejettes sans même essayer.

Sylvain se lève brusquement. Il empoigne le dossier de la chaise, évitant ainsi de toucher la jeune femme.

– Tu me rends malade, Sophie. Mon cœur se fend en deux chaque fois que je te vois. Je pense à toi tout le temps. Je tiens le coup, seconde par seconde, en me disant qu'un jour je te gagnerai. Tu m'habites, tu m'inspires, je t'aime.

Sophie recule de quelques centimètres à chaque mot qu'il prononce.

– Sylvain, ça ne sert à rien. Tu devrais mettre ton énergie sur ta femme.

Sylvain change d'attitude, emporté par un dédain soudain.

– C'est cet Erick, c'est ça ?

– Quoi ?

– Ou peut-être Philippe ? Le beau, grand et fort Philippe ? Celui qui fait tout comme il faut et qui te regarde comme si t'étais la *fucking* huitième merveille du monde…

– Sylvain, je sais que tu as de la peine, mais ils n'ont rien à voir dans ma réponse en ce qui te concerne. Ni l'un ni l'autre.

Cynique, Sylvain ferme à demi les paupières en levant le menton.

– Oui, c'est ça. Mettons.

– Sylvain…

Il remet son manteau, saisit d'une main ferme la poignée de la porte.

– Toute ma vie a été une suite d'échecs. Mes frères ont toujours pu obtenir ce que moi je n'ai pas pu avoir. Si ça continue avec toi, je fais aussi bien d'abandonner. Je n'ai plus rien à faire ici.

Il sort dans la bourrasque. Paniquée par les propos désespérés du jeune homme, Sophie court vers la porte.

– Sylvain ! Ne t'en va pas comme ça !

Il n'écoute plus.

Dès qu'elle est seule, elle se parle à elle-même en essuyant nerveusement le comptoir avec le premier torchon qui lui tombe sous la main.

– Qui d'autre viendra ici, ce soir ? Tom ? Max ? Bernise ? Anna Grondin, tant qu'à y être ?

Doit-elle appeler Jeannette ? Non. Trop délicat. Elle s'est suffisamment mêlée de la vie d'autrui. Quand elle regarde où ça l'a menée, elle décide de s'en tenir au *statu quo*. Jusqu'à son départ, plus personne ne la remarquera. Elle ne fera que respirer doucement jusqu'à ce que l'avion quitte le sol de Dorval.

Chapitre 41
Le courage de partir

Le vendredi soir, Guillaume fait de nouveau les cent pas dans la cuisine de Sophie. C'est devenu une habitude. La tête inclinée, se tenant le menton, il incarne momentanément Columbo.

– Laisse-moi récapituler ta semaine.

– Même si j'essaie de t'empêcher de me casser les pieds avec la pièce de théâtre qu'est ma vie, tu vas le faire quand même, alors…

Même si Sophie marmonne, Guillaume continue.

– Tu as eu une offre pour aller vivre à Toronto venant d'un parfait étranger, offre que tu as acceptée le jour même. Tu as dévoilé à Julia que son homme la trompait, tu t'es retrouvée à coucher chez Bernise – dans le lit d'Erick – parce que Tom Turner représentait *peut-être* un danger, et là, tu dois partir demain, en avion, et tu ne l'as pas encore annoncé aux Grondin !

Sophie roule les yeux et fait une révérence, comme si elle méritait des applaudissements.

– C'est en plein ça.

Ignorant délibérément l'humour dérisoire de son amie, Guillaume plisse les yeux en se frottant le menton.

– En plus, tu as fait jurer à Erick de ne rien dire.

– Exactement.

– Et tu quittes Montréal demain…

Sa nervosité augmentant au fil des paroles de son ami, Sophie se tord les doigts, le front tendu.

– En principe, c'est ça, oui.

Guillaume fronce les sourcils.

– On peut savoir quand tu penses l'annoncer à tes patrons ? s'écrie-t-il en levant les bras au ciel.

Sophie cache son visage de ses paumes.

– Je suis une froussarde…

– Sophie, ce n'est pas ton genre de te retrouver dans une situation pareille. Qu'est-ce que tu me caches ?

La jeune femme ferme les yeux en soupirant. Elle se sent tellement idiote.

– J'attendais… un signe.

– Un signe de quoi, on peut savoir ?

– Tu veux dire, de qui, plutôt.

– Ah ! Nous y voilà ! Philippe.

Elle rougit.

– C'est terrible de se ridiculiser comme ça…

Guillaume soulève une chaise de cuisine qu'il place à l'envers pour s'asseoir en passant les bras par-dessus le dossier. Il saisit les mains de son amie.

– Sylvain était au bureau cette semaine ?

– Oui.

– Voilà ta réponse. Il est coincé. Il ne peut rien faire tant que son petit frère est là. Il le protège.

– Il ne me reste plus qu'à partir, ajoute-t-elle avec sourire triste.

– Tu vas vraiment me manquer, tu sais, dit-il en lui caressant les cheveux.

– Je dois les voir ce soir.

– Va chercher ton manteau, je viens avec toi. C'est moi qui conduis, déclare-t-il en prenant ses clés.

Malgré l'impatience de Guillaume, Sophie bouge lentement, comme si elle gagnait du temps. Quelques longues minutes plus tard, Guillaume démarre la voiture avec fébrilité, observant de biais Sophie qui frissonne à ses côtés.

– Attends, on se rend chez qui, là ? Max, Philippe ou Sylvain ?

La jeune femme demeure interdite un moment.

– Max ! lancent-ils en même temps.

– Je l'appelle avant, il est peut-être sorti.

Ils roulent sans musique sur la Transcanadienne. Max les attend avec Bernise. Sophie est anxieuse.

– Ne t'en fais pas, il va comprendre, dit Guillaume, comme s'il pouvait lire dans ses pensées.

– Lui, oui !

– Philippe n'avait qu'à agir.

– Qu'est-ce qui te dit qu'il avait une raison d'agir ? Pour le peu que je sache, je vis dans un épisode de *L'île fantastique*. Ils seront surtout dans la merde parce que je ne leur ai pas laissé le temps de me remplacer.

– Sophie, tu dis des conneries.

– Ce n'est pas professionnel de ne pas donner de préavis.

– Tu vas en donner un. Ce soir.

– Tu sais ce que je veux dire !

La nuit est calme dans la banlieue cossue de L'Île-Bizard. Une femme qui marche avec son labrador couleur chocolat dévisage Sophie et Guillaume lorsqu'ils sortent rapidement de la voiture.

La porte s'ouvre sur Philippe, le cœur de Sophie s'arrête. Guillaume porte sur son visage un sourire en coin en lui serrant la main.

– Ça va ?

La voix de la jeune femme tremble de façon à peine perceptible.

– Bien. Bonsoir, Sophie, dit-il en baissant son regard sur elle.

Philippe paraît plus grand, plus solide aussi, ainsi en jeans et T-shirt blanc plutôt qu'en veston et cravate. Ses cheveux châtain clair sont dépeignés, tombant sur son front en mèches folles. Même s'il est soucieux, son visage est tout simplement séduisant. Sophie cherche ses mots, hoche la tête en guise de réponse.

– Est-ce que Max est ici ?

Philippe reste muet, comme s'il était figé dans le temps. Max et Bernise se tiennent debout dans le salon. D'instinct, Sophie s'avance pour embrasser celle-ci. Elle lui sert momentanément de point de repère.

– Est-ce que tout va bien ?

Elle prend une grande inspiration. Elle n'en est pas certaine.

– Voulez-vous quelque chose à boire ? offre Max.

– De l'eau...

La gorge de Sophie est si sèche qu'elle n'a plus de salive pour parler. Philippe obtempère à sa demande, puis dépose la main dans son dos pour l'inciter à s'asseoir.

– Qu'est-ce qui se passe, Sophie ? l'interroge-t-il avec douceur.

– Comment sais-tu qu'il se passe quelque chose ?

– On l'a vu toute la semaine, dit Max. As-tu des problèmes ?

– Non, je n'ai pas de problème... Ah, j'ai peur d'en parler...

– C'est au sujet de Sylvain ? Il a été déplacé avec toi ? demande Philippe en haussant le ton.

– Non ! Non... Sylvain s'est bien tenu depuis son retour. Je n'ai rien à lui reprocher. C'est moi.

Les deux hommes la regardent sans mot dire. Ils attendent.

– Je dois démissionner. Effectif, maintenant.

Philippe devient livide, la mâchoire serrée. Sophie ferme les yeux pour enfoncer le dernier clou.

– Je m'en vais à Toronto.

Max lâche la main de Bernise et se lève brusquement.

– Pourquoi, Sophie ?

Sophie cligne les paupières, cherchant ses mots.

– Le frère de Julia est agent d'artistes, il offre de m'aider à auditionner auprès de ses contacts.

Philippe ébouriffe ses cheveux. Elle ne l'a jamais vu dans cet état, contrarié, nerveux !

– Tu prendras un appartement ?

– Je vivrai chez lui.

– Pas question ! s'écrie Philippe.

– Calvaire ! renchérit Max en même temps.

Le regard de Sophie passe de l'un à l'autre des colosses au visage tourmenté, alors que Guillaume ricane doucement sans se faire remarquer.

– Hé ! Qui suis-je, moi ? La petite sœur Grondin ? J'étais inquiète parce que je ne vous laissais pas le temps de me remplacer. Pas pour vous demander la permission de partir, ni dans quelles conditions !

– Si je peux me permettre, dit Bernise tranquillement. Erick est un homme bien. Sophie sera en sécurité…

Elle cesse de parler en apercevant la prunelle noire de Philippe. Ce dernier se tourne vers Guillaume qui recule d'un pas.

– Tu y vas avec elle ?

– Euh…, non, je dois travailler… genre gagner ma vie…, marmonne-t-il en se grattant la tête.

– Si on assume tes coûts ici et là-bas, tu peux prendre congé ? insiste Philippe.

– Elle s'en va plus d'un mois, et ça, c'est seulement si ça ne fonctionne pas…

Philippe et Max se dévisagent. Max fait un léger signe de tête, la main sur l'épaule de son frère.

– Alors, je répète, on couvre tes dépenses pour un mois, mais tu pars avec elle.

– Euh bien, ouah, je… dois avertir mon patron, me faire remplacer…

Tout en se frottant vigoureusement la nuque, Guillaume consulte silencieusement Sophie, perplexe. Comment refuser un voyage gratuit à Toronto ? La scène gay devrait y être palpitante !

– Je vais m'arranger, dit-il d'un ton décidé. J'ai un collègue qui me doit une faveur ou deux.

– Viens dans mon bureau pour en discuter, suggère Max.

Abasourdie, Sophie regarde Bernise.

– Ils ont perdu la tête ? articule-t-elle sans faire usage de sa voix.

Bernise sourit, à la fois émue et attendrie par la surprise de Sophie alors qu'elle découvre son importance pour les deux frères.

– Tu pensais que tu n'étais qu'une simple employée pour eux ?

– Je ne sais pas, je n'avais pas prévu une réaction pareille.

– Voilà, leur message est clair, ma Sophie, dit-elle en la prenant dans ses bras. Je vais nous faire un bon martini, tu en veux un ?

– Ce n'est pas de refus, soupire-t-elle.

– Philippe ?

Comme ce dernier secoue la tête négativement, Bernise hausse les épaules, puis se dirige vers la cuisine. Sophie est enfin seule avec Philippe qui est toujours figé dans son fauteuil, le visage fermé.

– C'est mieux comme ça..., commence-t-elle en risquant un pas vers lui.

– Ne m'approche pas, Sophie, jette-t-il d'une voix rauque.

– Philippe…

– Sylvain est l'ombre de lui-même depuis lundi, tu as une idée pourquoi ?

Elle secoue la tête.

– S'il faut te perdre pour garder mon frère en vie, j'imagine que je dois te remercier de partir.

Elle lève des yeux remplis de tendresse vers lui, entrouvrant les lèvres pour dire quelque chose, n'importe quoi.

– Ne me regarde pas comme ça, Sophie, s'il te plaît.

– C'est plus fort que moi, c'est comme ça. C'est tout.

Il se redresse avant qu'elle ne puisse reculer. Elle se tient là, devant lui, se sentant ridicule et perdue. Pourtant, à la fois touchée et reconnaissante à la vie d'avoir connu un homme si vrai, si généreux. Elle ne peut s'empêcher de humer son parfum une dernière fois. Elle devrait être déjà loin... Où est Guillaume? Il faut s'éloigner. Elle ne veut plus de son martini, elle veut son fidèle ami pour sa sacro-sainte sécurité.

Pour l'instant, Philippe est à proximité. Au-delà de sa torpeur, une main a saisi sa nuque, un bras robuste a encerclé sa taille, elle se sent attirée comme un aimant sur le coton chaud, elle entend un cœur qui bat sourdement.

Philippe la serre contre lui. Puis, dans un élan qui la surprend, il force délicatement de ses paumes l'inclinaison de son visage, ses lèvres frôlent les siennes. « Ne pars pas. » Les mots, prononcés si faiblement, ravivent ceux, désespérés, de Sylvain. « Mes frères ont toujours pu obtenir ce que moi je n'ai pas pu avoir. Si ça continue avec toi, je suis aussi bien d'abandonner. » Une nouvelle certitude s'empare d'elle. Il lui faut partir avant de tomber et de risquer que Sylvain ne fasse de nouvelles frasques dangereuses.

De la cuisine, Max, Bernise et Guillaume les observent en silence. Sans cesser de fixer la scène, Bernise tend distraitement le martini destiné à Sophie à Guillaume.

Il en avale le contenu cul sec.

Chapitre 42
La misère aime la compagnie

Sophie hisse sa valise sur son lit. Un bâillement lui échappe, la nuit ne lui a pas porté conseil. Son sommeil agité n'a fait qu'embrouiller ses idées. Elle a rêvé de Sylvain. Sylvain qui la suit, la traque, la flatte. Du bout de l'index et du pouce, elle pince le col de son T-shirt pour le lever à son nez une centième fois. Elle n'est pas arrivée à se départir du vêtement de la veille. Elle peut encore y repérer l'odeur de Philippe. Malheureusement, le parfum s'évapore. Comme l'homme qu'elle doit laisser glisser entre ses doigts. Le dernier souvenir tangible qu'elle a de lui devra être abandonné à Montréal. D'un geste sec, elle retire le vêtement, le lance sur son lit, puis se dirige vers la douche.

Elle en est à ravaler ses larmes lorsque le téléphone sonne.

– Guillaume, renifle-t-elle, salut.

– Je n'ai pas pu avoir de billet pour aujourd'hui.

– Tu es sérieux, tu viendras vraiment avec moi ?

– J'ai tout arrangé, et maintenant que j'ai apprivoisé l'idée, j'ai hâte de voir les petits Ontariens. Et si je peux convertir Erick…

– Niaiseux !

Ça, il l'est. Surtout, il la fait rire malgré son tourment.

– Alors, j'irai avec toi jusqu'au quai d'embarquement, mais je ne te rejoindrai que mardi.

– Guillaume…

– Oui, mon amour ?

– Je t'aime.

– Je t'adore aussi.

– À tantôt, dit-elle.

– J'arrive dans une heure, je te conduirai à l'aéroport.

🍒🍒🍒

Rue de Lanaudière, Julia n'est pas surprise de voir Bernise flanquée de Max arriver avant l'heure du déjeuner. Lorsque son frère lui a annoncé la décision de Sophie, elle a sauté de joie. Erick est dans l'ancien bureau de Bernise qui lui sert de chambre, en train de faire sa valise. Spontanément, Bernise marche vers lui.

– Comment as-tu fait pour qu'elle puisse avoir un billet d'avion aussi rapidement, Erick ? Elle est sur le même vol que toi, j'imagine ?

– Je l'ai commandé durant la semaine, *I took a chance*.

Elle plisse les yeux. Il la regarde de travers.

– Qu'est-ce qu'il y a ?

– Je crois qu'elle a des sentiments pour Philippe. Ne l'oublie pas.

Les lèvres d'Erick tracent spontanément un sourire en coin.

– Et il la laisse partir alors… le message est clair.

– C'est plus compliqué que ça. Il y a autre chose que tu dois savoir.

Il croise les bras sur sa poitrine.

– Quoi, Bernise ?

Elle hésite. Ce qu'elle souhaite lui dire relève de la confidence. Elle est coincée entre sa promesse d'être discrète et son désir de prévenir une nouvelle mésaventure à son amie.

– Sophie a vécu des choses difficiles, elle a été victime d'hommes peu scrupuleux. En somme, on a abusé d'elle…

Bernise bégaie. Elle se sent coupable d'avoir parlé. En même temps, c'est trop important !

– Ne la touche pas, d'accord?

Excédé, il regarde en l'air. Son rire grave semble provenir du fond de son cœur. Il secoue la tête sans cesser de rigoler en pliant le dernier chandail noir pour le pousser dans son sac de cuir. Il sourit toujours lorsqu'il se retourne vers elle, valise en main.

Il est encore si tôt en ce samedi matin que la route est entièrement dégagée, comme si elle lui appartenait. Philippe pilote sa voiture comme s'il s'agissait d'une Formule 1, franchissant avec aplomb les lignes blanches de la chaussée qui défile à vive allure. Sa tête, sa poitrine vibrent avec le moteur puissant de la Volvo. Il n'a jamais testé la vélocité de son véhicule auparavant. Voilà l'occasion, alors qu'il file déjà au-delà de toute limite. Devant lui, l'embranchement vers le pont Champlain, celui qui le mènera à Pointe-Saint-Charles, rue Rozel. De là, il décidera.

La descente de la rue Charlevoix vers le sud engourdit ses mains. Plus il s'en rapproche, plus son cœur bat avec frénésie. Il prie tous les saints pour que Sophie ne soit pas encore partie. Longeant la rue tranquille dépourvue d'arbres matures, il se gare devant l'immeuble de briques rouges. L'escalier fragile tremble sous son poids. Étrange! Il ne l'avait pas remarqué lors de ses visites précédentes. Aujourd'hui, tous ses sens sont en alerte.

Fébrile, il sonde la poignée qui s'ouvre au premier contact. Un coup de chance, il l'espère. Décidément, cette fille n'a aucune conscience de la nécessité de voir à sa sécurité. Les poings serrés, il gravit les marches deux par deux.

L'escalier mène à deux appartements, celui de Sophie est sur la droite. Il aurait dû cogner délicatement, annoncer sa présence. Toutefois, à la dernière seconde, il se ravise, déposant à plat sa main sur le bois pour s'y appuyer. Sans un clic, telle une barrière inefficace, la porte n'offre pas de résistance. Il voit le jour apparaître, puis entend un cri de surprise.

Enroulée dans une serviette blanche, Sophie sort de la douche lorsqu'elle entend des pas dans l'escalier. Elle porte la main à son front, elle a encore oublié de verrouiller. Bien qu'elle espère que ce soit Guillaume, il est mathématiquement impossible que ce soit lui. Sylvain serait passé par la porte arrière, de plus, il est bruyant. Quand il monte, on imagine un éléphant. Non, celui-ci était un visiteur inconnu. Elle ravale sa salive, songeant que Tom Turner pourrait très bien apparaître devant elle, ses yeux bruns frondeurs pleins de rancune. Puis, malgré son cœur qui menace de sortir de sa poitrine tellement elle est apeurée, elle attrape la première chose qui lui tombe sous la main. Pour une fois, elle se félicite de n'avoir aucun sens de l'ordre, elle saisit son parapluie qui traîne sur la table, celui avec un bout pointu, elle aura au moins un semblant d'arme.

La porte grince, puis s'ouvre, poussée par une main masculine. Elle crie, c'est plus fort qu'elle. « Sortez ! »

– C'est moi, Sophie.

La voix de Philippe la fait porter une main à son cœur. Il entre. Elle laisse tomber le parapluie qui roule pathétiquement à ses pieds nus. Ce faisant, elle doit retenir la serviette qui menace de choir. Ses cheveux mouillés ruissellent sur ses épaules et son dos. Grand, planté comme un joueur de rugby, il émane tout de même de Philippe une sensibilité émouvante. Bien que son corps délicat soit exposé presque en entier, il la regarde droit dans les yeux, cherchant un indice de ses pensées.

– Je pars dans une demi-heure, dit-elle, à défaut de trouver autre chose.

– Je sais. Je voulais te voir avant.

Malgré leur immobilité mutuelle, il y a, dans l'air, une électricité chargée de mille non-dits.

– Assieds-toi, j'en ai pour une minute, murmure-t-elle.

Elle doit passer près de lui pour se rendre à sa chambre. Soulagée de le savoir là, mais craintive de faire une erreur, Sophie tremble. S'il ne bouge pas, les valises alignées devant la porte la forceront à l'effleurer au passage. Il ne montre aucun signe d'une intention quelconque de prendre place dans le fauteuil du salon. Elle doit avancer vers lui. Consciente de sa nudité sous le court bout de ratine, elle joint ses mains sur sa poitrine. Plus elle s'approche, plus elle se sent dans un état second, attirée, hypnotisée.

– Excuse-moi…

Des mots anodins pour qu'il recule, sans toutefois qu'elle le souhaite vraiment. Elle se glisse entre l'homme et les bagages, pourtant, contre toute attente, il étend le bras, plaquant sa paume sur le mur, juste à la hauteur de son front, l'empêchant de passer. Hébétée, elle lève les yeux vers lui.

– Ne bouge pas, ordonne-t-il.

Il ne souhaite que la regarder de près, éprouver de nouveau ce que les quelques secondes de la veille lui ont révélé. La fascination pour cette petite magicienne modeste qui l'a sorti de sa caverne malgré lui le pousse à provoquer les occasions de l'aborder. Cette fois, il la tient. Pour vingt misérables minutes, mais c'est mieux que rien. Tant qu'elle est là, à quelques centimètres, il se sent vivant, ardent. Même si elle obéit, restant sans bouger, il remarque qu'elle frissonne. Quel goujat de la laisser geler sur place ! Il doit abandonner, ce n'est qu'une question de secondes avant qu'il abdique parce qu'elle a froid, ainsi découverte et ruisselante de gouttelettes. Toutefois, fluide comme l'eau, elle s'abandonne contre sa poitrine. À la fois ému et troublé, il ne résiste plus, il se penche pour saisir ses lèvres, l'entourant de ses bras. Elle goûte la fraise et la fièvre qu'il a d'elle. Il encercle le doux visage de ses mains pour savourer l'aventure intense qu'elle lui offre. Lorsqu'il la soulève de terre pour l'emmener à son lit, elle gémit sans pourtant résister. Il la dépose doucement, la serviette tombe, dévoilant un sein rond et ferme. Le regard qu'il pose sur elle est empreint d'admiration, celui de Sophie, de consentement. « Embrasse-moi, murmure-t-elle, je t'en prie, Philippe. »

Il la caresse du bout des doigts, de sa bouche, il effleure son front, ses paupières, ses lèvres. Sans pudeur, elle ouvre les bras pour saisir à son tour le visage de l'homme qu'elle adore. Émerveillée, elle s'attarde à la ligne de sa mâchoire, déjà rude malgré un rasage récent, puis dans les mèches presque blondes décolorées par le soleil. Il est incliné sur elle, quelque peu sur le côté pour ne pas lui faire mal. Il fait glisser ses lèvres sur l'intérieur de son poignet. D'une main hardie, elle tire sur le bas de son chandail pour sentir sa peau. Sous ses doigts, les muscles fermes se contractent, lui permettant de découvrir un relief troublant sous cet épiderme chaud et convoité.

Sous l'emprise de la caresse, Philippe ferme les yeux, se rappelant de respirer avant de manquer d'oxygène. Il n'a pas prévu agir ainsi, il n'est que venu lui dire au revoir.

Puis, comme si le ciel venait de lui jeter un sort, des pas dans l'escalier accompagnés de la voix enjouée de Guillaume le ramènent promptement à la réalité.

Deux heures plus tôt, presque à l'aube, à L'Île-Bizard, Dorothée n'a jamais vu son père dans un tel état. Il s'est levé de mauvaise humeur, impatient, cerné et franchement fatigant. Jamais il n'est désagréable, mais ce matin-là, c'est un ogre.

Elle pourrait jurer l'avoir entendu parler tout seul en plein milieu de la nuit. Pour couronner le tout, il est venu la border cinq fois. *Cinq fois* ! Non, ça n'augure rien de bon. Il s'est passé quelque chose et elle découvrira le pot aux roses même s'il faudra tricher pour y arriver. Premièrement, elle doit reprendre les événements en ordre pour ensuite enquêter.

La veille. Vers 19 h, il est parti chez son oncle Max pour un problème au bureau. Inintéressant à l'extrême, elle n'a pas été difficile à convaincre, elle est restée devant son film. Pas question d'aller les écouter parler de camions et de commandes, de trajets et d'argent. Pourtant, à l'air qu'il a ce matin, elle en vient à la conclusion qu'elle aurait peut-être dû interrompre son film et le suivre.

Il est rentré à la maison vers 21 h. Elle le sait parce qu'elle venait tout juste d'insérer le second DVD au moment où il passait la porte. Son maïs soufflé était encore chaud. En temps normal, il se serait installé sur le divan pour regarder le long métrage avec elle, même si c'était le dernier sur terre qu'il aurait eu le goût de visionner. Cependant, ce soir-là, il s'est penché pour l'embrasser sur le front. Son parfum était fruité. Son père embaumait les petits fruits des champs. Cela en soi lui a mis la puce à l'oreille.

Elle a interrompu son film pour monter à l'étage. Elle a longé l'escalier de bois massif sur la pointe des pieds, comme si elle avait peur de ce qu'elle trouverait en haut. Elle l'a repéré sur le bout de son lit, retirant ses souliers et secouant ses pieds avec impatience. Encore un geste qui ne lui ressemble pas. Elle s'est accotée au cadre de la porte pour l'observer.

Il est plus beau que n'importe quel autre homme de sa connaissance, oncle Max ne suivant pas loin derrière. Elle se demande parfois si le bon Dieu a décidé que, comme elle a eu le meilleur père au monde, elle pouvait se passer de sa mère et que c'est pour cette raison qu'il la lui a prise si tôt.

Il n'a rien d'ordinaire. Même assis sur son lit, l'air sombre en ôtant ses souliers, il n'est pas dans la norme. Il n'a pas besoin de femme, il ne sort pas, il s'occupe d'elle et de son travail. Ils forment un sacré duo tous les deux.

En de nombreuses occasions, les mères célibataires ou mariées – aucune différence – de ses copines s'attardent dans le hall d'entrée pour jaser avec lui. Il hoche la tête en souriant pour ensuite battre rapidement en retraite. Elle a remarqué la même chose autour d'oncle Max. Sauf que lui, il en profite, répondant par des sourires polis, flirtant au passage. Ce dernier a eu des blondes. *Plusieurs* blondes. Il les quitte souvent au bout de quelques mois, comme il a laissé Annie. Elle regarde sa montre.

L'heure de Bernise arrivera sûrement bientôt, autant ne pas trop s'attacher à elle.

– Do ?

Retour sur terre. Son père est toujours sur le lit, agacé par ses chaussures.

– J'étais distraite…

– J'ai vu ça, a-t-il dit en se levant pour aller vers la salle de bains. Ça va ?

– Moi oui, c'est toi qui m'inquiètes, papa.

– Je suis fatigué et il est tard pour toi aussi.

– Tu sens les fruits, papa.

Il a froncé les sourcils en empoignant sa chemise pour la porter à son nez.

– Tu trouves ?

– Oui, papa. Je reconnais le parfum Dans Un Jardin, fruits des champs.

Il a marché vers elle pour l'embrasser.

– Tu me le dirais s'il se passait quelque chose de spécial ?

– Oui. Non… Peut-être.

– Essaie de dormir.

– Hé, c'est qui, le parent, ici ?

– J'y vais, j'y vais. Juste le temps d'éteindre la télé. Tu viendras me border.

Une dizaine de minutes plus tard, il est passé pour ajuster les couvertures autour d'elle. Il est revenu plusieurs fois…

Au petit matin, Dorothée a presque aussi mal dormi que son père. Elle deviendra aussi irritable que lui s'il ne lui dit pas très vite ce qui le tracasse.

À 7 h, ils prennent leur petit-déjeuner à l'extérieur, comme tous les samedis, mais beaucoup plus tôt que d'ordinaire. Distrait, son père hoche la tête à tout ce qu'elle raconte. Lorsqu'ils sortent finalement du restaurant, il la laisse chez sa grand-mère. « J'ai quelque chose à faire, je ne peux pas t'emmener », dit-il avant de faire crisser ses pneus sur la chaussée.

Il revient près de trois heures plus tard. Elle lui trouve l'air changé, un vague sourire sur les lèvres.

Dès qu'ils entrent, son père monte à l'étage pour prendre une douche froide.

En début d'après-midi, Anna Grondin accueille la visite de Sylvain avec soulagement, comme chaque fois qu'il revient au bercail. Jeannette l'a finalement mis à la porte de façon définitive. Voilà des années qu'elle voit ce moment se préparer, mais sa bru, pourtant toute petite et menue, a eu plus d'endurance que ce que sa belle-maman avait cru.

Lorsque apparaît son fils, elle regarde ses yeux. Elle a appris à y lire les indices avant-coureurs. Il évite son regard. Premier signe. Mauvais signe.

– Où habiteras-tu, Sylvain ?

– Comment sais-tu que je déménage ?

– Les nouvelles voyagent vite. Où iras-tu ? répète-t-elle.

– Motel, chambre 15, j'ai signé tantôt.

– Tu te souviens que ma porte est toujours ouverte ?

– Je sais. Liberté, maman.

– Tu serais libre ici aussi, mon chéri.

– J'ai pensé coucher dans mon char, mais comme il commence à faire froid…

– Sylvain !

Il embrasse sa mère.

– Ne t'en fais pas, m'man. Tout va bien.

– Max est passé, tôt ce matin. Il était avec Bernise.

Sylvain émet rire sarcastique.

– Ouais… le beau petit couple.

– Tu savais que Sophie part vivre à Toronto ?

Sylvain se laisse tomber dans le fauteuil du salon, soudainement énervé.

– Qu'est-ce qu'elle va aller foutre à Toronto?

– Elle y va avec ce grand monsieur qui était chez Max, l'autre soir. Celui avec le cache-œil.

– Erick? Elle part avec Erick Fiore?

– C'est ça, son nom?

Sylvain est paniqué. Il ne peut pas rester en place. Il doit faire la lumière sur cette situation totalement rocambolesque.

– Elle part quand?

– Aujourd'hui, elle doit être déjà dans l'avion à l'heure qu'il est.

– Personne ne m'a averti!

Anna est sur la défensive.

– Ils l'ont appris hier soir, elle est allée chez Max pour lui remettre sa démission. Je pensais que tu étais au courant…

Sylvain n'écoute plus, il voit noir. Ce qu'il constate, surtout, c'est à quel point il ne compte plus. Tel un mécréant, il est chassé de son territoire, de sa propre famille. Ils sont tous conscients que Sophie représente tout pour lui! Voilà que, par hasard, il apprend qu'elle change de vie.

Malgré la douleur qui lui fait flageoler les jambes, il sort en trombe pour courir vers la demeure de Max située à trois coins de rue. Il atteint les marches de pierre hors d'haleine. Il sonne. Aucune réponse. Philippe doit en savoir plus sur la situation, il saura la lui expliquer en termes clairs.

La maison de Philippe est un peu plus loin, près de l'eau. Tout à son affolement, Sylvain ne sent plus sa fatigue. Peut-être est-ce la dose de cocaïne qu'il a prise avant d'arriver chez sa mère qui le rend invincible.

Fort de sa certitude d'être la victime innocente d'un complot, il n'a pas la patience de sonner devant la porte verrouillée. Il fait le détour vers le côté de la maison.

– Mon oncle Sylvain? Ça va?

Dorothée a l'air inquiet. Sylvain n'épargne pas la petite de son ton courroucé.

– Où est ton père ?

Sans un mot de plus pour sa nièce, il parcourt le couloir pour trouver son aîné au salon. Celui-ci regarde dehors, les mains dans les poches. Sylvain va droit au but.

– Pourquoi ne m'as-tu pas dit que Sophie partait avec ce… avec ce… ce…

Philippe se retourne lentement, le visage impassible.

– Avec ce *quoi*, Sylvain ?

– Cet étranger !

– C'est le frère de Julia.

– On ne le connaît pas, ce gars-là.

– J'ai tout arrangé, Guillaume l'accompagnera.

– Elle s'enfuit avec son amant, et tu lui envoies Guillaume en éclaireur ?

– Ce n'est pas son amant ! s'écrie Philippe, plus fort qu'il ne l'aurait voulu. Il baisse le ton. C'est un agent d'artistes, il va lui faire passer des auditions.

Sylvain éclate d'un rire amer.

– Tu as gobé ça ?

– Il n'y avait rien à gober, Sylvain. Sophie est talentueuse, une occasion se présente à elle.

Désarçonné, Sylvain agrandit les yeux, levant les bras en l'air.

– J'ai dû en manquer des bouts. Mes frères sont devenus débiles.

– Sylvain…

– Non, mais c'est vrai ! Vous n'avez pas remarqué comment il la dévisageait samedi dernier. Il la veut dans son lit et il va l'avoir !

– Je ne vois pas en quoi ça te regarde.

– Je l'aime !

Philippe ressent un élan d'exaspération.

– Et elle ne t'aime pas, Sylvain ! Elle te l'a dit en pleine face.

Dans un moment de lucidité, Sylvain se tait pour observer son frère. Quelque chose ne cadre pas. Il n'a pas son air habituel. De plus, jamais Philippe ne se mêle de la vie d'autrui.

– Minute… Pourquoi as-tu envoyé Guillaume avec elle ? Il s'est porté volontaire ? Dis-moi qu'il s'est porté volontaire, Philippe…

– Il ne s'est pas porté volontaire. Je lui ai demandé d'y aller.

– Pourquoi ? Qu'est-ce que t'en as à foutre ?

Philippe se retourne vers la fenêtre, présentant son dos à son frère.

– J'aurais dû m'en douter, grince Sylvain entre ses dents.

Philippe demeure immobile, impassible.

– Tu sais comme moi que c'est une petite manipulatrice, elle a vu sa chance avec quelqu'un de plus puissant et elle a sauté dessus. Elle aura réussi à t'avoir aussi, la petite salope.

Il ne faut pas plus d'une fraction de seconde pour que Philippe se retourne. Sylvain reconnaît le visage dangereux de son frère, celui qu'il affichait le jour où il a acculé leur père à un mur de briques, lorsqu'il en a eu assez. Il accuse le coup qu'il reçoit sur la mâchoire sans surprise, il l'a cherché.

Jamais il n'a vu Sophie comme une manipulatrice, encore moins une salope. Il sait depuis longtemps que Philippe affectionne Sophie autant que lui. Il ne veut – *ne peut* – pas le voir obtenir encore ce que lui-même ne peut pas avoir. Il désire qu'il ait mal lui aussi.

La misère adore avoir de la compagnie.

Chapitre 43

Histoires d'enfant, sagesse de grand

Certaine que Sylvain vient de s'en prendre à son père, Dorothée arrive dans le salon en trombe, dès qu'elle entend le cri de douleur de son oncle.

– Papa !

– Ça va, Dorothée. Retourne dans la cuisine, s'il te plaît, ordonne Philippe d'un ton qui ne laisse place à aucune argumentation.

Le regard de la jeune fille passe de son père à son oncle, incrédule. L'assaillant, c'est son père. *Il* a battu son oncle. Il s'est *enfin* fâché.

– Je ne le pensais pas, Philippe.

– Quoi ?

– Je ne pensais pas ce que j'ai dit de Sophie.

– T'es malade.

– Oui. Peut-être.

– Tu en as encore consommé ?

Sylvain se contente de baisser les yeux.

– Sors de ma maison.

– Philippe…

– J'ai sacrifié beaucoup de choses pour toi, pour ta guérison, pour ton bonheur, pour ton bien. C'est fini, maintenant. Fiche le camp.

– Philippe, *s'il te plaît* !

– Et ce n'est pas la peine de te présenter au bureau, lundi matin. Tu es renvoyé.

Sylvain se relève lentement en frottant sa joue. Il cherche le regard de son frère sans pouvoir le trouver. Il doit voir Max. Tout de suite.

🍒🍒🍒

Chez Bernise, Max répond à la première sonnerie de son cellulaire.

– Il faut que je te parle, Max.

Il reconnaît ce ton. Que voudra Sylvain, cette fois-ci ? Ou plutôt *combien ?*

– Combien ? demande-t-il sans détour.

– Quoi ?

– Donne ton montant, Sylvain. C'est pour ça que tu m'appelles, non ?

– Juste de quoi vivre pour les prochains mois. Je vais partir, Max.

– Où ?

– Ça t'importe vraiment ?

Max soupire d'impatience.

– Sylvain, dis-moi où.

– En Gaspésie. J'ai un ami qui m'offre de m'engager sur son bateau. J'ai besoin de disparaître. De me faire oublier pour un bout de temps.

Max regarde Jeannette entrer dans la pièce au bras de Bernise. Il a de la peine pour sa belle-sœur. Si digne, si fière, elle en a assez enduré. Il aidera Sylvain à partir. Même si l'histoire du navire sonne faux, l'hiver étant à leur porte.

– T'es où ?

– Je sors de chez Philippe.

– Attends-moi chez moi. J'arrive dans une demi-heure.

Il raccroche sans attendre la réponse et se concentre sur l'autoroute. S'il trouve Sylvain comme il pense le découvrir – pupilles dilatées, mâchoire anormalement mobile –, il lui donnera son coup de grâce. La dernière intervention a été sa chance finale. Maintenant, il devra frapper seul son fond de baril. Lors de leur plus récente visite au centre de désintoxication, ils ont été clairs à ce sujet.

Même s'il connaît déjà la conclusion de l'histoire, il espère encore se tromper. Il a voulu joindre Philippe pour en discuter, mais celui-ci ne répond pas à ses appels. Philippe a-t-il perdu patience ? Il en a la nette impression.

Il distingue Sylvain de loin, assis sur son balcon, les bras croisés sur la poitrine. Max sort de sa Volvo lentement, laissant son frère frissonner sur les marches. Il referme la portière brusquement, accélérant le pas vers lui sans sourire.

– Réglons ça rapidement, ordonne-t-il sans autre préambule.

Sylvain sautille, incapable de rester en place.

– Je vais transférer cinq mille dollars dans ton compte tout de suite. Si tu reviens un jour, assure-toi d'être sobre et de le demeurer. N'oublie pas de dire au revoir à maman avant de partir. Si tu te ramasses en prison, tu y pourriras.

Sylvain ouvre la bouche pour parler, mais Max lève la main.

– Si tu tentes de contacter Sophie, tu auras affaire à moi. Tu la laisses tranquille. Compris ?

– Tu ne peux pas me dicter ma conduite avec Sophie ! Et avec cinq mille, je n'irai pas loin…

– Ai-je l'air de négocier ?

– Mais…

– C'est ça ou je te fais enfermer aujourd'hui même. Tu dois bien avoir quelque chose dans les poches qui te ferait condamner facilement…

Sylvain regarde le sol en acquiesçant d'un geste sec.

– J'avertirai Jeannette de ton départ. Si elle veut divorcer, je l'aiderai à tout arranger. Tu ne la troubles pas, tu ne lui demandes rien. Tu signes les papiers que tu recevras sans contester. Clair ?

– Oui, souffle Sylvain.

– Une fois rendu à destination, laisse-moi un numéro pour te joindre en cas d'urgence.

– OK.

Sylvain marche vers la rue, la mine basse.

– Sylvain !

Celui-ci se retourne, la tête dans les épaules, les mains dans les poches.

– Bonne chance.

Ils sont dans la salle de bains. Dorothée désinfecte les jointures égratignées de son père.

– Ne bouge pas, je dois appliquer de l'alcool, ça va piquer un peu.

Apathique, Philippe permet docilement à sa fille de le prendre en charge malgré le fait qu'il n'ait aucun besoin de traitement particulier pour sa main. Comment excuser son comportement ? Comment expliquer à une enfant de douze ans que, parfois, les grandes personnes perdent le contrôle ?

Par deux fois, dans la même journée, il s'est emporté. Chez Sophie, il a toutefois pu se ressaisir. Dès l'apparition de Guillaume, il a levé le camp. Sur le pas de la porte, juste avant de disparaître dans l'escalier, il a fixé Sophie une dernière fois, elle lui a souri. Incapable de lui rendre la pareille, il est descendu en trombe, se maudissant de n'avoir pas su garder ses distances. Il aurait pourtant dû s'en tenir loin. Ce qu'elle vivra bientôt, elle devra le faire libre de toute attache. Il s'est donc évaporé, sans une parole, le cœur serré.

– Papa, est-ce que tu aimes Sophie ?

Surpris par les mots de sa fille, Philippe relève la tête.

– Do, ne t'en fais pas avec Sophie. Elle est partie, maintenant.

L'enfant dépose la bouteille d'alcool avant d'entourer le cou de son père avec affection.

– Tu sais, si tu es amoureux, c'est correct. C'est *correct*, papa. Elle est si sage, même avec ses cheveux blonds en bataille.

– J'ai visé juste ? insiste-t-elle.

– Ce n'est pas si simple.

– Non, moi ça me paraît élémentaire, papa. Si tu es amoureux d'elle, tu l'épouseras, et nous formerons une famille.

Il secoue la tête.

– Do, ça ne marche pas exactement comme ça. Les histoires d'adultes ne sont pas comme celles des adolescents.

– Qu'est-ce que tu sais des histoires d'ados, toi ?

– Do, arrête.

– Non, papa, je n'arrêterai pas. Je te souhaite d'être heureux. Je ne veux pas que tu te réveilles la nuit et dormes le jour. Je ne veux pas te voir casser la gueule à tes frères. Je veux que tu coupes tes cheveux et que tu redeviennes celui que tu étais avant que maman...

Elle s'arrête. Jamais ils ne parlent de Caroline. Son père la regarde, bouche bée.

– Je veux te revoir heureux comme avant que maman tombe malade, reprend-elle malgré la boule d'émotions qui lui étreint la gorge.

Philippe contemple quelques secondes sa fille désormais si grande et sensée. Davantage que lui-même, la plupart du temps.

Chapitre 44
Choc postnatal

Sophie a anticipé le moment du décollage tout le long du trajet vers l'aéroport. Ils sont montés dans l'énorme appareil avec la centaine de voyageurs pour qui traverser cinq cents kilomètres en avion est comme prendre l'autobus. Erick est de ce nombre. Il l'a dirigée à chaque étape du voyage, une main rassurante sur l'épaule, dans le bas de son dos et une fois sur sa taille lorsqu'elle a trébuché sur le tapis roulant. Il est demeuré près d'elle chaque seconde. Ils passent pour un couple en vacances. Il la guide doucement vers son siège, côté hublot.

Il prend sa place, jurant par tous les saints entre ses dents de ne pas pouvoir étendre ses longues jambes dans cet avion fait pour les hobbits. Erick demeure silencieux pendant toute la durée du vol. Ainsi centrée sur elle-même, Sophie ne peut fuir ses propres pensées. Prisonnière du souvenir du visage fermé de Philippe qui apprend la nouvelle de son départ, puis, de leur étreinte fortuite le matin même, de sa tendresse, de sa passion. Elle aurait tout donné pour rester dans ses bras. Tout, sauf cet intermède nécessaire, puisqu'il l'a si facilement laissée partir. Il avait ses raisons, et avec tout le respect qu'elle lui doit, elle ne l'a pas empêché de descendre l'escalier. Le regard presque mauvais qu'il lui a lancé tout juste avant de s'éclipser l'a meurtrie. De plus, il reste le grave sous-entendu de Sylvain. Depuis la tentative d'Annie de mettre fin à ses jours, elle est prudente avec les âmes en détresse.

Guillaume, qui les a vus sortir de la chambre ensemble, échevelés, les joues rouges, n'a pas fait de commentaire autre que la question banale « T'es prête ? » Oui, Guillaume fait la bonne chose en la poussant hors du nid. Il a toujours su ce qui était le mieux pour elle. Pourquoi alors a-t-elle les entrailles déchirées ?

Le moment de l'atterrissage arrive plus rapidement qu'elle ne l'avait anticipé. Elle découvre les lumières de Toronto lorsque l'avion s'incline vers le sol. Erick reprend sa main pour la calmer, fidèle au rôle qu'il assume depuis le décollage. Le geste est déjà familier. Si l'appareil s'écrase, elle ne mourra pas entièrement seule.

🍒 🍒 🍒

Sophie découvre un condo au goût du jour dans les *Beaches*, en banlieue de Toronto. Ils montent les marches de l'immeuble en silence, Erick n'offre aucune réponse à ses yeux ébahis. Il insère la clé dans la serrure. Elle a le souffle coupé par la hauteur des plafonds, les moulures dans chaque coin, les peintures merveilleuses sur les murs couleur crème. Une maison où l'on marche sur la tête ! Telle est sa première pensée en voyant les grandes fenêtres et les meubles de cuir. Tout cet apparat est l'œuvre d'un décorateur, c'est évident. Elle n'a qu'une envie, celle d'avoir Guillaume à ses côtés pour s'exclamer sur la beauté du décor.

– Erick, c'est extraordinaire.

– Tu sembles surprise.

– À vrai dire, un peu. Je t'imaginais dans une espèce de…

– Caverne ? termine-t-il pour elle, un sourcil levé.

– Bah… oui, genre… Je cherche les stalactites !

– Désolé de te décevoir, dit-il en riant. J'ai acheté le condo de mon ex. Décoré par un ami très réputé.

– Gay ? Je veux dire, le décorateur…

– *Oh yeah* !

Elle s'esclaffe avec lui.

– J'ai hâte que Guillaume arrive, tu seras son nouveau Dieu.

Erick sourit.

– Je n'en espère pas tant de sa part. *Idole* suffira.

Il empoigne les valises de la jeune femme pour les porter dans une pièce adjacente au salon. Les murs d'un vert tendre et le couvre-lit crème lui rappellent sa chambre lorsqu'elle vivait chez sa mère.

– Merci encore, Erick, pour tout.

– Tu me remercieras quand tu obtiendras ton premier rôle. Première audition mercredi matin.

Voilà maintenant une semaine que Chantal Perrin est rentrée chez elle. Meurtrie par son accouchement difficile, seule avec son poupon, Chantal a accepté l'offre de Jeannette avec soulagement. À la suite de leur rencontre à l'hôpital, cette dernière se montre particulièrement dévouée depuis son retour.

Jeannette n'a pas hésité à prendre quelques jours de congé, utilisant son portable pour intercepter les affaires urgentes. Son élan de bénévolat n'est pas vain. Ainsi, elle s'imprègne par procuration d'une maternité manquée. Le bébé, si petit et si adorable, représente un rêve en veilleuse qu'elle peut maintenant goûter.

Les deux femmes saisissent l'occasion de se lier à nouveau. Dans une jeunesse désormais lointaine, elles s'étaient côtoyées grâce à leurs amis communs. À une époque où Tom et Max étaient joints comme les deux doigts de la main, Chantal et Jeannette avaient sympathisé par la force des choses. Chantal sortait alors avec Tom, tandis que Jeannette entrevoyait une amitié naissante avec Sylvain. Ils étaient aux études, la vie était simple. Beaucoup d'eau avait coulé sous les ponts depuis ce temps.

Prise entre l'arbre et l'écorce, cette fois, ce n'est pas à Annie que Jeannette doit expliquer son comportement, mais à Julia. « Tout ça pour aller faire quoi ? Aider la mère de l'enfant secret de mon ex ? » La conversation a été lourde. « Va, je m'occupe de tout au bureau », a finalement assuré Julia, bonne joueuse.

🍒🍒🍒

Le samedi suivant le départ de Sophie pour Toronto, Jeannette prend congé. Bernise et Max prennent la relève en se présentant chez Chantal les bras chargés de victuailles.

– J'ai pensé que ça t'aiderait, dit Bernise en déposant les sacs sur le comptoir de la cuisine.

Bouche bée et émue devant tant de sollicitude, Chantal les remercie avec effusion. Ils déjeunent ensemble, le bébé gazouille, ils rient, puis ils se lèvent pour laisser la jeune maman se reposer. Au moment de sortir, avant même qu'ils aient revêtu leur manteau, la porte d'entrée s'ouvre.

Tom Turner entre, la tête haute et le regard inquisiteur.

Exaspéré, Max regarde Chantal.

– Tu n'as pas changé tes serrures ?

De son côté, Bernise, qui n'a aucune envie de voir Tom, se tient en retrait dans un coin. Tom avance à grands pas vers la cuisine, l'index levé.

– Grondin ! Que fais-tu dans ma maison ?

– Ce n'est pas ta maison ! proteste Chantal.

– Je paye encore l'hypothèque.

Max ne se laisse pas démonter, il affiche son air un tantinet désabusé.

– Toi, que viens-tu faire ici ?

– J'ai le droit de voir mon fils !

Bien que le bébé soit dans un moïse que Chantal a placé non loin de la table, Tom ne lui accorde aucune attention.

– Tu auras ma mise en demeure pour la garde de cet enfant d'ici quelques jours, dit-il entre ses dents.

Chantal se redresse lentement, le regard rempli de défi.

– Ton nom n'est même pas sur l'acte de naissance.

– Je suis ton mari, Chantal.

– Peut-être, mais il n'est pas de toi.

Chantal tourne la tête vers Bernise qui a couvert sa bouche de sa main à la suite de cette nouvelle. Sans cesser de fixer la compagne de Max, Chantal prononce les mots qui changeront le cours de leur vie.

– Je suis désolée. C'est un Grondin.

Le rire de Tom résonne du salon à la cuisine, profond, hargneux.

– Tu m'en diras tant !

Il s'approche du moïse orné de dentelle, écarte d'un doigt brusque la petite couverture pour examiner l'enfant. Les bébés naissants se ressemblent tous ! Celui-là autant que les autres. Pourtant, un trait particulier ne ment pas, une fossette au menton, commune à Sylvain, à Max, ainsi qu'à Philippe. Il soulève les épaules, faisant craquer ses vertèbres, comme il le fait souvent lorsqu'il est nerveux.

– Eh ben. Je crois que je vais me contenter de la maison et du compte d'épargnes. Tu auras les papiers cette semaine, trouve-toi un bon avocat, car je me représenterai moi-même.

Sur ce, Tom disparaît, claquant la porte derrière lui.

Furieux, Max ne manque pas d'attaquer Chantal.

– Pourquoi ne m'as-tu rien dit ?

À ces mots, Bernise émet une plainte discrète, puis sort en courant.

Chapitre 45
Temps sombre

Bernise détale hors de la maison, contourne la Volvo métallisée garée dans l'entrée et continue son chemin rue Désilet, en direction de la station de métro Montmorency. De là, elle pourra se perdre dans la foule, s'engouffrer dans le premier wagon et se rendre à Montréal facilement.

Dans sa hâte, elle n'a pas pris son manteau, seulement son sac qui gisait à côté de la porte. La voix de Max, elle l'a perçue en sourdine. « Chérie », a-t-il crié. C'est la première fois qu'il l'appelle ainsi, ça lui brise le cœur. L'air automnal est froid, on atteint déjà novembre, elle aurait dû prendre sa veste.

Tant pis, le métro n'est pas si loin, après tout. Quelques mètres tout au plus, elle peut très bien s'y rendre au trot. C'était sans compter sur les enjambées nettement plus puissantes de l'homme qui la suit. Elle va traverser malgré le feu qui vire au rouge, une voiture file droit sur elle, mais des bras solides la retiennent juste à temps.

– Lâche-moi, Max !

Ils sont tous deux à bout de souffle, tant à cause de la course que des événements.

– Arrête, Bernise. Je n'ai jamais couché avec Chantal.

Comme elle se débat toujours, il desserre son étreinte. Une fois libre, elle lui fait face, tirant nerveusement sur ses manches pour couvrir ses mains.

– Pourquoi m'a-t-elle regardée comme si c'était le cas ? Le message était clair.

– Même si ça l'était, fais le calcul, c'était avant que je te connaisse.

Bernise se sent faible.

– Elle est mariée à Tom. Tu ne vaux pas mieux que lui.

Les mots de Bernise sont durs, implacables. Max la dévisage, interloqué. Tristement, il lui tend son manteau qu'il a ramassé avant de sortir, puis, sans un autre regard vers elle, il fait demi-tour, la laissant en plan au milieu des badauds qui se délectent de la scène.

Le lendemain est un dimanche sombre. Une pluie verglaçante tombe sur Montréal et ses environs, privant les piétons de leur motricité, mettant en danger les automobilistes aventureux. Bernise, blottie sous ses couvertures, ne se lève même pas pour un café. Dans sa tête, les exercices de logique passent en boucle. Si Max a eu une aventure avec Chantal, ç'a été avant de la rencontrer, elle. Ç'a aussi eu lieu alors que Tom trompait déjà Chantal avec Julia. La cocue éplorée et le charmeur. Oui, tout cela est bien facile. De plus, cela implique que Max est père. Non seulement vit-il une paternité surprise, mais dans des circonstances compliquées. Le cas échéant, elle est assez sage pour se retirer, et ainsi peut-être laisser une chance à ce pauvre enfant d'avoir des parents unis... Toutefois, il lui a assuré n'avoir jamais couché avec Chantal. Ah ! Comme elle voudrait le croire sur parole ! Ou plutôt, l'avoir cru avant de l'affronter.

Bernise s'asseoit finalement à la cuisine, café sous le menton, pour raconter du bout des lèvres les derniers événements à une Julia scandalisée. Lorsque, en plus, elle partage avec son amie le cheminement de ses pensées, Julia ne tient plus.

– Tu divagues complètement ! C'est bien ton genre, de tout de suite sauter aux conclusions. De te persuader que Max t'a menti !

Julia lui montre l'index, le majeur et l'annulaire.

– Tu sembles oublier qu'il y a *trois* Grondin, reprend-elle.

– Julia, ça ne peut certainement pas être Philippe.

– Je ne peux pas croire que tu n'as pas un seul instant pensé que ça peut très bien être Sylvain !

Bernise cligne les paupières, comme si elle avait reçu un verre d'eau en plein visage.

– Jeannette vient de passer une semaine avec elle. T'aurais pas été un peu mal à l'aise, toi, à la place de Chantal ? Elle n'aurait jamais accepté son aide ! Ça n'a aucun sens.

– Tout le monde n'a pas autant de scrupules que toi. Chantal peut très bien n'avoir aucune conscience.

Au moment où Julia prononce ces mots, la lumière de la cuisine s'éteint et l'on cogne à leur porte.

– Ah non, pas une panne. On se croirait en 1998, durant la tempête de verglas du siècle !

Bernise, qui espère une apparition *in extremis* de Max, se rue vers l'entrée. La visiteuse aux longs cheveux bruns coiffés en une queue de cheval improvisée porte un poupon dans un siège de sécurité adapté pour la voiture.

– Chantal !

– Je suis contente de ne pas m'être trompée d'adresse. Tu es facile à trouver dans le bottin, heureusement.

– Que fais-tu ici par un temps pareil ?

– Je peux entrer ou non ?

À la fois incertaine de la réaction de Julia, mais sûre qu'elle ne peut pas la laisser poireauter sur le palier avec son bébé, Bernise recule, saisissant la poignée du siège d'enfant.

– Ahben ! j'ai mon puissant voyage !

La voix de Julia retentit depuis le bout du couloir. Sans se laisser démonter, Chantal marmonne entre ses dents.

– Elle est là, celle-là ! Je ne reste pas, je suis venue te parler, Bernise. Je voulais te voir en personne.

Comme Bernise ne dit rien, elle se lance.

– Max n'y est pour rien, c'est l'enfant de Sylvain. Je tenais à ce que tu le saches.

– Alors, pourquoi as-tu tout fait pour qu'elle croie le contraire ? hurle Julia.

Chantal, qui n'est pas de tempérament docile, toise Julia sans timidité.

– Toi, on ne t'a rien demandé, OK ?

– Donc, pendant que tu jouais la pauvre victime, tu trompais ton mari de ton côté ! Drôle comme parfois les rôles s'inversent, hein, Chantal !

Alors que les deux femmes s'échangent des injures, le poupon se met à geindre.

– Vos gueules ! finit par crier Bernise. Vous faites pleurer le petit, avec vos enfantillages ridicules !

Énervée, Chantal reprend le bébé.

– J'ai dit ce que j'avais à dire. Je suis désolée, Bernise. Au revoir.

🍒🍒🍒

Cet après-midi-là, malgré la chaussée glissante et la visibilité restreinte, Tom Turner, mû par des sentiments de vengeance, roule rapidement sur l'autoroute métropolitaine. Se garant en trois coups de volant, il se présente dans les locaux des Grondin, la tête pleine d'idées machiavéliques. Il court vers la porte vitrée qu'il pousse avec force. Évidemment, personne n'est à l'accueil, le dimanche. Seule de la musique en sourdine semblant provenir du bureau de Philippe témoigne d'une présence. En quelques pas, il est devant lui. Dans un coin, une valise noire et un sac sport annoncent un voyage imminent.

– Tu t'en vas quelque part, Philippe ?

– Tom ! Qu'est-ce que tu veux.

– *Come on Buddy*, je pensais qu'au moins, toi, tu serais content de me voir.

Philippe le regarde sans sourciller. Tom ne le prend pas personnellement, Philippe ne s'égaie pas souvent. Comme celui-ci demeure silencieux, Tom se racle la gorge en fermant la porte. Philippe s'adosse à son fauteuil, les bras croisés.

– Pas de cravate aujourd'hui, Phil ? Tu as fait quoi de tes boucles blondes ?

– Que veux-tu, Tom ?

Ce dernier s'installe sur une des chaises placées devant le bureau, il ramène une jambe sur l'autre pour se mettre à son aise. Ce qui va suivre sera plaisant.

– Je dois te parler de Gabriel.

– Le fils que tu as abandonné ?

– Non, le fils que *ton frère* a abandonné. Ha, ha ! Là, j'ai ton attention !

Bien que ce soit dimanche, Sophie commence à réviser le texte qu'Erick lui a remis. Après quelques heures de lecture, relecture et répétition, elle lance la brochure sur la table à café, incapable de maintenir plus longtemps sa concentration. La veille, après l'avoir attendu en vain depuis des jours, elle a reçu une missive de Guillaume, il ne viendra pas. Son père a eu des douleurs inquiétantes à la poitrine, rien n'aurait pu le faire bouger de sa place auprès de lui et de sa mère très inquiète. « Mon père appelle ça une mini crise cardiaque, mais il est branché de partout, je suis désolé, Sophie… » Celle-ci a répondu qu'elle comprenait, qu'elle souhaitait un prompt rétablissement à monsieur Landry. « Ne mentionne pas à Philippe ni à Max que tu restes à Montréal, d'accord ? » Depuis ce temps, Sophie éprouve de l'appréhension, elle se sent loin des siens.

– Je pense que tu vas bien t'en sortir, dit Erick.

– J'espère bien ! Après tout le mal que je t'occasionne, je te dois au moins ça.

– Tu ne me causes pas de trouble, Sophie. Tu as déjà passé la première étape de la série d'auditions, c'est extraordinaire.

– Erick…, commence-t-elle.

Il la regarde de son œil noir, attendant la suite. Elle veut lui dire qu'elle veut rentrer à Montréal, qu'elle n'est pas faite pour cette vie. Pourtant, quelque chose dans l'attitude d'Erick depuis leur arrivée la pousse à faire fi de ses caprices.

Erick lui offre un demi-sourire.

– Tu sais, ma belle, si tu décroches ce rôle, tu seras riche avant même d'avoir le temps de t'en rendre compte !

Sophie ravale sa salive. L'argent. Toujours ce maudit concept qui la force à prendre les chemins les plus tortueux. Il y a tellement longtemps qu'elle gratte ses fonds de tiroirs. Pour une fois, elle désire davantage pour elle-même. La réussite lui ouvrira toutes les portes. Elle ne s'en fera plus avec les factures, avec sa voiture qui tombe en morceaux, avec son avenir. Elle a une chance inouïe.

– Merci, Erick.

– Tu l'aimes vraiment, n'est-ce pas ? demande-t-il.

Sophie lève ses grands yeux bruns vers lui, ahurie.

– Philippe, tu l'aimes ? insiste-t-il.

Elle ouvre la bouche pour parler, mais rien ne sort.

– Tu croyais que je ne le savais pas ? dit-il en souriant.

– Je l'aime de toute mon âme. Il est ici, dit-elle en pointant sa jolie poitrine. Mais je dois penser à mon avenir, saisir la chance qui s'offre à moi.

Elle enroule le bas de sa veste autour de son index en parlant, elle trouve le moyen de sourire en continuant.

– Ce qu'on fait, toi et moi, je veux dire tenter le coup pour ma carrière, cela fait des années que je sais qu'il faudra un jour que je le fasse. Je repoussais le moment, je me cachais, mais c'est en moi. Je dois découvrir jusqu'où je peux aller pour un jour passer outre mes... mauvaises expériences.

Les larmes montent rapidement alors qu'elle parle.

– Il doit être furieux. Au fond, il aurait le droit, je le comprendrais.

– Viens ici, l'interrompt-il en se levant.

Elle le regarde avec tristesse alors qu'il lui tend la main. Elle hésite avant d'y déposer sa paume. Il la tire doucement vers lui. Ils sont debout, l'un en face de l'autre. Il l'enlace, la berçant presque tendrement. Le menton d'Erick frôle son front. Elle aurait pu se sentir troublée ou menacée par ce grand corps si masculin et fort, mais c'est le contraire. Une plénitude l'envahit.

Pour Erick, les jours qui viennent de passer ont été intenses. Malgré le léger doute qui l'habitait lors des premiers essais, Sophie l'a ébloui. À mesure qu'on l'a évaluée, qu'on lui a donné la réplique, qu'on l'a amenée à chanter, rien n'a été à son épreuve. Jamais il n'a vu une artiste apprendre aussi rapidement un texte, jamais non plus a-t-il vu une chanteuse improviser des vocalises avec autant d'aisance. Gustave Shore, celui qui lui a mis entre les mains une partie de sa clientèle, pour jouir d'une retraite précoce, a regardé Erick d'un air de dire « Celle-ci peut aller loin. » Et si Gustave le dit, c'est que c'est vrai.

Ils en sont au point où le téléphone peut sonner à tout instant. Erick ne cesse de consulter ses courriels, ses messages vocaux, et garde son cellulaire ouvert en tout temps. Il y a une éternité qu'il n'a pas été aussi enthousiaste pour un artiste.

Tandis qu'ils dansent lentement sans musique, d'un léger balancement, Erick glisse ses doigts dans les cheveux de Sophie. Elle pleure. Il la soulève de terre pour la recoucher dans son lit. Quand il la dépose, les mains de la jeune femme effleurent sa poitrine, et il sent son cœur s'emballer. Il a promis de ne pas la toucher, certes, mais n'a jamais juré de résister à ses instincts si elle faisait un jour les premiers pas.

– Reste avec moi, Erick, s'il te plaît. Juste un peu.

🍒 🍒 🍒

Philippe songe à ses valises qui l'attendent à la porte de son bureau, il soupire. Sottement, il a gardé un sac de voyage prêt pour un coup de tête. Au moindre signe, il sautera dans un avion pour aller la chercher. Or, les jours passent et rien n'annonce qu'elle changera d'idée. Il décide que c'est mieux ainsi, que Sophie a fait son choix. Il restera dans l'ombre, à l'aimer en silence.

Entre-temps, il a des choses à régler ici. Il jette un regard dégoûté sur Tom Turner. Même si lui l'évite depuis l'adolescence, il comprend pourquoi Max l'a gardé à ses côtés. Il peut être charmant, amusant et toujours prêt à le soutenir. Turner n'a pas que des défauts, pourtant, ce jour-là, il lui est difficile de s'en souvenir.

– Lequel ?

– C'est ça, la drôle de question, Phil. Je n'en suis pas certain non plus, dit-il avec un sourire mesquin.

Philippe se prend la tête à deux mains.

– Laisse-moi faire un appel.

Il contacte Max qu'il n'a pas vu depuis la veille.

– J'ai Tom, ici. Je l'ai sorti de mon bureau, j'avais besoin de te parler.

– De quoi ?

– Le bébé.

– Je n'ai jamais touché à Chantal.

– Je pense qu'il va te causer des problèmes, Max.

Le silence au bout du fil lui en dit long sur l'humeur de son aîné. Philippe serre la mâchoire, la main sur le front.

– Max, tu t'en viens ou pas ? demande-t-il entre ses dents.

– Oui.

Philippe ouvre sa porte. Tom est dans le couloir, impatient, les bras croisés.

– Entre, dit-il.

– Ce n'est pas trop tôt.

– Que sais-tu d'autre, Tom ?

– Pas grand-chose, à part qu'il te ressemble comme deux gouttes d'eau.

– Tom, je ne rigole pas.

L'avocat éclate de rire.

– Nah, je suis convaincu que ce n'est pas toi. Tu étais incapable de regarder une femme il y a neuf mois, encore moins la baiser !

– Tu veux mon poing sur la gueule ?

Tom lève les mains en signe de protestation.

– *Come on,* Phil, tu sais ce que je veux dire.

– Pourquoi t'es ici, Tom ? Si tu n'es pas le père, tu es libre comme l'air. Tu devrais être content de pouvoir déguerpir en vitesse.

– Oh, mais je compte reprendre ma liberté aussitôt que *Saint-Max* aura craché le morceau. Et quand Bernise l'apprendra, bien sûr, je veux être là pour voir sa tête, ajoute-t-il avec une étincelle dans les yeux.

– Tu es bon pour l'asile, gronde Philippe en se frottant le menton.

– Toi aussi, mon vieux ! Comme ça, tu as coupé tes cheveux... Tu essaies d'avoir l'air guéri ? Comment se nommait-elle, déjà ? Caroline ?

Philippe n'a qu'une seule envie, celle de le tuer. Il faut qu'il reste assis, à serrer les bras de son fauteuil.

– Ta gueule, Tom, grince-t-il.

– Comment elle s'appelle, celle que tu veux impressionner ? Je ne savais pas que tu faisais dans les secrétaires, Philippe ? Elle n'est plus là d'ailleurs... Je me demande pourquoi ? Elle était lasse que tu salives sur elle ?

– Si j'étais toi, je me souviendrais que la petite Bernise t'a mis au plancher. Tu devrais imaginer ce que moi, je pourrais te faire.

– Mais, tu ne le feras pas, Philippe, je te connais.

Philippe quitte sa chaise brusquement, l'empoigne par le tissu de sa chemise sous sa gorge pour le coller au mur. Tom peut à peine respirer.

– Tu ne me connais pas, encore moins Sophie. Alors, tu fermes ta grande gueule et tu disparais.

– Pas si vite, fait une voix familière derrière eux.

Philippe lâche Tom qui tombe de toute sa hauteur sur le plancher. Il est maintenant assis sur le sol, dominé par les deux frères.

– Sophie ! C'est ça, son nom… Taches de son !

– Arrivons-en au fait !

– Oh ! C'est moins drôle quand c'est toi qui as le petit bout du bâton, hein, Max ?

– Il n'y a pas de bâton. Il n'y a aucune preuve que tu n'es pas le père de Gabriel.

– Il y a la parole de Chantal et n'importe quel test le prouvera. Le petit te ressemble !

– Je peux passer tous les tests sans crainte.

– Ce sera bon pour ton jeune couple, de faire des tests de paternité. Bernise va trouver ça très… *intéressant !*

Max baisse lentement son regard vers lui, les narines mobiles, l'œil dangereux. Il n'a pas revu ni parlé à Bernise depuis la veille, quand elle l'a regardé comme s'il n'était qu'un vaurien. À cause d'elle, il vient de passer la pire nuit de sa vie. Privé de sommeil, blessé profondément, il est d'une humeur massacrante. Tom Turner n'a pas choisi le bon moment pour le contrarier.

– C'est donc ça, hein ? Tout le mal que tu te donnes, c'est pour Bernise ?

– Oh ! Pour toi aussi, vieux !

– Tu pues, Tom.

– Toi, tu sens le gars au pied du mur.

Alors qu'il se prépare à assommer Max d'une dernière pointe, le cellulaire de Tom sonne.

– Oui, je suis bien Thomas Turner. Quoi ? continue-t-il.

Les frères se dévisagent, inquiets.

– Quel hôpital ? demande Tom dans le combiné. J'arrive.

Il ferme son téléphone, l'air complètement chamboulé. Il est blanc comme un drap.

– C'est Chantal, elle a eu un accident. Je dois y aller tout de suite.

– Nous partons avec toi.

Max au volant, Philippe à ses côtés, Tom filant dans son VUS devant eux, les trois hommes arrivent à l'hôpital de Laval en un temps record, considérant les conditions exécrables de la route. Ils ne connaissent pas la gravité de l'accident, ou s'ils trouveront Chantal capable de parler, ni si Gabriel était avec elle. Tom se rue comme un fou vers l'accueil. Il crie le nom de Chantal à l'employée derrière le comptoir.

Ils sont rapidement dirigés vers le département de traumatologie où une nouvelle salle d'attente les accueille.

Max et Philippe ont pitié de lui. Le coq insolent est en charpie. Chacun des frères garde un silence respectueux.

– Est-ce que quelqu'un peut me dire où est ma femme ? vocifère-t-il à la commis.

– Quel est son nom, s'il vous plaît ?

– Chantal Perrin. Deux R.

La jeune préposée consulte nerveusement les dossiers étalés sur le comptoir. Elle en saisit un avant de pivoter vers un autre bureau. La porte se referme derrière elle.

Tom se prend la tête. Il a un mauvais pressentiment.

Max s'assied sur une des chaises droites, ses longues jambes écartées devant lui, il y appuie ses coudes, reposant son front dans ses paumes, le cœur en vrille.

Philippe demeure debout, les mains dans les poches, les épaules basses. Le visage de Sophie apparaît dès qu'il ferme les paupières. Penser à elle l'aide à se calmer.

La porte s'ouvre finalement sur un homme qui semble être un chirurgien, si on se fie à son costume bleu et à son bonnet de toile assorti.

– Monsieur Turner?

Tom se lève promptement.

– Votre femme a eu de sérieuses contusions à la tête et au thorax. On a fait tout ce qu'on a pu. Je suis désolé, elle est partie.

– Elle est morte, c'est ça, docteur? Vous prenez vos belles phrases pour le dire, mais en fait, elle est *morte*?

– Je suis désolé, monsieur Turner. Oui, elle est morte.

Tom prend une profonde inspiration, court vers le mur qu'il frappe de toutes ses forces.

Lorsqu'il sort, le médecin dévisage Max.

– Vous êtes de la famille?

– Je suis l'oncle du bébé. Où est-il?

– L'enfant était avec elle, mais il a été chanceux. Il n'a pas été blessé. Les poupons sont particuliers parfois, ils se sortent indemnes d'accidents pourtant meurtriers, j'ai cessé d'essayer de comprendre comment, peut-être parce qu'ils ne résistent pas, peut-être parce qu'ils sont protégés par les anges… ou par leur coquille de sécurité. Toujours est-il que nous l'avons placé à la maternité. Une travailleuse sociale s'en occupe.

Chapitre 46
Whisky et black jack

Hormis Tom et Gabriel, on découvre rapidement que Chantal Perrin n'a, pour ainsi dire, pas de famille. Outre sa mère, qui coule des jours flous dans un centre pour personnes atteintes de la maladie d'Alzheimer, elle n'a personne. Son décès prématuré aurait laissé le petit Gabriel dans une position fâcheuse si, dès sa première semaine de vie, alors que Jeannette était sa seule véritable amie, Chantal n'avait pas immédiatement pris une décision importante.

🍒🍒🍒

Ce jour-là, aux environs de 19 h, Chantal et Jeannette discutent au salon, prenant le thé alors que le bébé s'est finalement assoupi. Jasant de leur jeunesse commune, elles se remémorent des souvenirs cocasses. Entre deux rires, Jeannette confie à sa nouvelle amie à quel point elle l'envie, même si elle est célibataire, d'avoir la chance d'être mère.

– J'ai justement besoin d'une marraine. Ça te dirait ?

Cette question est bien légère, puis la conversation dévie rapidement sur des concepts plus graves. Tom, entre autres, puis Sylvain. Subtilement, Chantal demande à Jeannette si leur relation peut se reconstruire un jour. Devant la réponse de Jeannette « Tout est possible », une idée germe dans son esprit. Elle lui confie à quel point elle ne veut pas que le petit soit confié à Tom, advenant un malheur. Dès le lendemain, Chantal rend visite à son notaire, donnant à Jeannette un rôle officiel dans la vie de Gabriel, faisant d'elle sa tutrice légale si elle disparaissait. Évidemment, ce que Chantal sait et que Jeannette ignore est qu'elle vient de tisser un lien entre son enfant et son père biologique, Sylvain.

Avant de s'endormir, ce soir-là, Chantal se félicite de son initiative, même s'il est fort peu probable qu'on ouvre son testament avant la majorité de Gabriel.

Le cercueil demeure fermé, une messe brève est célébrée devant une foule peu nombreuse. Dans l'attente de la lecture officielle du testament, Gabriel est laissé aux bons soins d'une famille d'accueil, loin du brouhaha entourant la mort accidentelle de sa mère.

Ce jour-là, Jeannette marche dans l'allée centrale de l'église comme dans un rêve confus. Depuis l'annonce de l'accident, elle sait qu'elle héritera de la garde du bambin. Cet événement, qui aurait pu, dans d'autres circonstances, signifier que le plus grand des bonheurs était tombé du ciel pour atterrir dans sa vie, est cependant teinté d'amertume. Pour ajouter à la tristesse d'avoir perdu une amie, une nouvelle bouleversante la force à tout remettre en cause.

– C'est l'enfant de Sylvain, a annoncé Max.

Max et Philippe se sont chargés ensemble de l'informer de la nouvelle déconcertante, Sylvain étant déjà hors circuit, à des centaines de kilomètres, noyé dans d'autres problèmes.

– Cela signifie donc que je…, je suis la tutrice légale de l'enfant de mon mari.

Les frères se sont regardés, surpris, alors Jeannette a précisé sa pensée.

– C'était l'idée de Chantal. Elle avait peur que Tom intervienne si jamais il lui arrivait malheur. Elle m'a donc demandé d'être sa tutrice légale. J'étais d'accord, évidemment ! Puisque ce genre de coïncidence n'arrive jamais. Qui refuserait ?

– Bien sûr, j'aurais fait pareil, a répondu Max en serrant sa main.

Les larmes aux yeux, elle s'est levée pour mieux réfléchir.

– Vous savez, il s'agit de la vie d'un enfant, nos tracas et rancœurs d'adultes ne doivent pas compter.

– Écoute, Jeannette, a commencé Philippe, si tout cela est trop difficile pour toi, c'est mon neveu, je peux le prendre.

– Moi aussi, a renchéri Max.

Jeannette leur a adressé un sourire ému. Philippe a regardé son frère, sincèrement surpris de l'offre spontanée.

– Ce n'est pas la peine, j'en assumerai l'entière responsabilité. Seulement, j'ai besoin de vous pour empêcher Sylvain de revendiquer ses droits sur lui.

Bernise s'est rendue aux obsèques toute seule. Évidemment, Julia a refusé d'y assister.

– J'ai cocufié cette femme, je lui ai crié des bêtises quelques minutes avant sa mort. Je ne peux pas assister à ses funérailles !

– Je comprends, a répondu Bernise. Je dois y aller, mais je ne me sens pas en mesure d'affronter Max. Il n'a pas retourné mes appels…

– Pourquoi n'accompagnes-tu pas Jeannette ?

– Elle a bien d'autres chats à fouetter.

Vaincue, Julia a arrondit ses épaules.

– Mouais, en plus, elle est souvent avec Max depuis dimanche dernier. Elle s'est même chargée des arrangements funéraires, tu imagines !

– Où est Turner ? C'est à lui de s'occuper de tout ça !

Julia a pincé les lèvres. Plus les événements s'enchaînent, plus elle devient insensible à son ex-amant.

– Je ne veux même pas le savoir.

Lorsque Bernise entre dans l'église, une trentaine de personnes ont déjà pris place dans les rangées près de l'autel et du cercueil. Intimidée par la présence de Max, révulsée et surprise par celle de Tom, elle garde une distance de quelques bancs. Ainsi isolée, elle se fait discrète. Malgré la nausée qui ne la quitte pas depuis son réveil, elle tente de se tenir droite et de garder la tête haute.

La messe est à peine entamée lorsque Annie survient, accompagnée du jeune homme que Bernise a croisé dans sa chambre d'hôpital, Maïté suivant derrière eux. Contre toute attente, c'est à ses côtés que la blonde demoiselle choisit de s'installer.

– Je peux ? demande-t-elle.

– Bien sûr.

Devant eux, aux premiers rangs, Max et Philippe échangent quelques mots qu'elle ne peut entendre. Tout ce qu'elle peut voir, entre les têtes, est son dos, sa nuque. Il s'est fait couper les cheveux, sa tenue est impeccable. Il porte un habit anthracite, presque noir, une chemise blanche et affiche un air impassible.

– Tu n'es pas avec lui ?

La question, comme sortie d'un cauchemar, trouble profondément Bernise. Malgré sa tristesse, elle sourit dignement, étirant quelque peu les muscles de son cou pour ravaler la boule qui monte dans sa gorge. Annie fronce les sourcils et pose une main amicale sur son épaule.

– Oh ! Ma pauvre chouette ! Pas toi aussi…

Bernise secoue la tête.

– Ça va aller, murmure-t-elle.

Elle est reconnaissante à Annie de ne pas insister. Surtout, de ne pas voir de jubilation sur son visage à l'idée qu'elle et Max, c'est déjà de l'histoire ancienne.

🍒🍒🍒

Après l'enterrement, Tom leur fait la grâce de disparaître. Pour un temps, décide-t-il. En réalité, il est en colère. Contre toute attente, Chantal lui a fait un dernier pied de nez d'outre-tombe. Pendant sa grossesse, elle a modifié son testament ainsi que ses assurances, garantissant que ses biens et redevances, et sa part de la maison, reviendront à Gabriel. En plus de laisser un pourcentage important de ses avoirs à Jeannette qui prendra en charge l'enfant. C'est comme si elle avait connu son destin. Désormais veuf, sans maîtresse, Tom prend un aller simple pour Vegas, s'engouffrant corps et âme dans l'odeur du whisky, et une main de black jack.

Chapitre 47
Hymne à l'amour

Novembre se termine sur une tempête de neige cauchemardesque. Trente-cinq centimètres en douze heures seulement. Les souvenirs du verglas des semaines passées demeurent encore frais dans la mémoire collective du clan Grondin, plusieurs véhicules de leur flotte sont donc détournés de Montréal. Philippe et Max ne comptent pas les heures passées au bureau à remplacer tour à tour, dispatchers et commis, faisant eux-mêmes le service à une clientèle inquiète au téléphone. Sans Sylvain et Sophie pour parer aux imprévus, sans tout un chacun qui évite de prendre la route, ils s'improvisent pieuvres et hommes à tout faire.

Depuis trois semaines que Max dort mal, tournant en rond dès qu'il est désœuvré, s'impatientant à la moindre contrariété. Le jour où la clémence de mère Nature offre une pause aux Québécois, il aide Jeannette pour la préparation de la chambre du bébé, appliquant la peinture bleu ciel avec énergie.

– Max, je peux te parler quelques instants ?

Annie Simard, qui a, elle aussi, passé ce samedi à Outremont pour célébrer avec Jeannette l'arrivée du bébé, se tient dans le cadre de la porte. Il se retourne pour l'écouter, espérant qu'une nouvelle crise ne sera pas au menu de cette discussion.

– Tu peux déposer ton pinceau, s'il te plaît ? C'est important.

Lentement, il s'exécute, méfiant. Cependant, l'attitude de son ex-petite amie a changé. Sa beauté de blonde sulfureuse est toujours intacte, pourtant, quelque chose de plus profond semble l'inspirer. Une sagesse nouvelle? Il ne saurait le dire.

– Que se passe-t-il, Annie?

– Tout et rien à la fois. Cela fait des mois qu'on n'a pas discuté, ça me manque, tu sais.

L'homme pince les lèvres, levant une main réprobatrice. Annie secoue la tête avec un demi-sourire.

– Ne t'inquiète pas, c'est sans arrière-pensée. On se connaît depuis longtemps tous les deux, Max. C'est normal que je tienne à toi.

– Oui, j'imagine...

– Tu n'as pas l'air bien.

– J'irai bien lorsque Noël sera passé.

– Tu aimais Noël, avant, pourtant.

– Pas cette année.

– Pourquoi?

Annie s'avance dans la chambre pour prendre place dans la chaise berçante encore recouverte de son emballage de plastique.

– Tu sais, les nouvelles vont vite. Tout le monde est au courant que tu ne dors pas, que tu travailles trop, que tu n'écoutes personne, que tu as l'air bête...

Il éclate d'un rire contraint.

– Viens-en donc au fait.

– Pourquoi t'entêtes-tu à ne pas retourner ses appels?

À l'allusion se rapportant à Bernise, Max serre les dents, le cœur meurtri.

– Je ne peux pas être avec quelqu'un qui n'a pas confiance en moi.

Elle rit doucement, laissant ses boucles blondes caresser son visage.

– Je t'ai traumatisé tant que ça?

Durant leur courte relation, elle l'a harcelé, a tempêté, fait des crises de larmes.

– Disons que je ne veux pas revivre ça.

– Donc, à la première impression d'un manque de confiance aveugle en ta parole, tu es prêt à tout sacrifier ?

Il va parler, elle le coupe.

– Maxime Grondin, as-tu la moindre idée de ta réputation ? Sais-tu au moins à quoi la pauvre fille fait face lorsqu'elle se mesure à toi ?

Max roule les yeux au plafond, sceptique.

– Laisse-moi finir, ce que j'ai à dire est important. Te voir agir ainsi à cause d'une seule méprise de sa part me porte à croire que je n'ai peut-être pas été si folle, après tout ! Il y a quelque chose en toi qui nous attire tous, nous sommes subjugués, jusqu'à nous laisser influencer par tes moindres opinions. En même temps, tu es un mur de béton. Faire une erreur avec toi, ça coûte cher… On se sent tellement petits, pas à la hauteur du grand Maxime Grondin !

Jeannette apparaît dans la chambre comme une ombre.

– C'est vrai ça, Max.

– Ce qu'on essaie de te dire, c'est qu'elle a le droit de douter ! Tu n'es pas le Saint-Esprit ! Ta divinité n'a pas encore été légitimée ! La confiance, ça se gagne avec le temps.

Au fil de la conversation, il s'est appuyé sur les barreaux de la couchette. Il se redresse.

– OK, les filles, sortez. Si ça ne vous embête pas trop, j'ai un mur à terminer.

🍒 🍒 🍒

Ce samedi soir de décembre, Sophie offre un sourire forcé à l'entourage d'Erick, dans un grand restaurant. À leur côté se pressent un producteur très reconnu pour plusieurs films à caractère psychologique et sa femme Emily, plastifiée comme il se doit pour garder sa jeunesse. Un autre artiste ainsi que sa compagne, l'actrice Jessica Moore, sont assis d'un côté de l'imposante table. Elle est coincée à côté de Gustave Shore flanqué de son *life partner*, Simon Leigh. Parmi eux, une spécialiste des relations publiques qui se trouve là par intérêt, cherchant de toute évidence les faveurs d'Erick. Elle a de longs cheveux caramel, des yeux d'un bleu déconcertant, une poitrine pulpeuse mise en valeur par un chemisier échancré.

– Je suis si heureuse que tu aies accepté notre offre, Sophie, tu seras vite reconnue.

Sophie ravale sa panique. C'est fou comme les relations personnelles au sein du grand monde sont efficaces. Erick a fait marcher ses doigts sur le clavier de son téléphone et, paf ! elle s'est retrouvée à répéter l'hymne national dans les deux langues. Un match des Canadiens contre les Maple Leafs de Toronto en sol québécois, au Centre Bell. Elle a cru à une mauvaise blague. « Nope ! Je n'ai eu qu'à montrer ta vidéo et c'était dans le sac. »

Dire qu'il y a à peine un mois, elle pensait refuser l'aventure.

Max entre dans le bureau de son frère, jetant deux billets, section rouge, pour le match du surlendemain. Concentré sur sa tâche, Philippe ne porte pas attention aux rectangles de carton.

– Merci, qu'est-ce que c'est ? dit-il sans cesser de fixer son écran.

– Pour nous changer les idées.

Philippe saisit les tickets, les agitant de façon à battre l'air du bout des doigts. Il tente de les redonner à son aîné.

– Invite Bernise.

Max referme le couvercle de l'ordinateur brusquement, créant un « clap » au passage qui fait sursauter Philippe.

– C'est toi que j'invite, ne discute pas.

Il tourne les talons, satisfait de son coup.

Max a trouvé la missive le soir précédent. Surpris de découvrir une enveloppe blanche adressée à la main, il l'a retournée dans tous les sens, les sourcils levés. Tout de suite, il a reconnu la calligraphie de Sophie et ses lettres cursives formées avec soin.

Cher Max,

C'est avec émotion que je te fais parvenir cette paire de billets. J'aurai l'immense honneur de chanter l'hymne national et j'aurai grandement besoin de ton soutien moral. Guillaume aura un siège non loin.

Je n'ai pas osé écrire à Philippe, je crois qu'il n'a pas apprécié la façon dont je suis partie. De plus, comme je n'ai aucune nouvelle de sa part, mon imagination saute aux conclusions les plus évidentes. C'était un beau rêve, plus beau encore que le conte de fées que je vis en ce moment. J'apprends à mes dépens que, dans la vie, on ne peut pas tout avoir. Il me restera toujours ton amitié, je l'espère, et des nouvelles de lui de temps à autre, par ton entremise.

Bon, voilà que je pleure encore. J'espère que tu seras là mercredi, je pense que j'aurai besoin d'un clin d'œil amical.

Bien à toi,

Coraline

Ce lundi soir, Max retire une bière froide du réfrigérateur pour la savourer seul devant la télévision, les jambes étendues sur le repose-pied duveteux. Il est demeuré au bureau tous les soirs et il s'est occupé de Jeannette. C'est la première fois depuis des jours qu'il s'ancre dans la solitude.

Évidemment, les mots d'Annie lui sont restés en mémoire. Il a ni plus ni moins été dépeint comme un étant un mur de ciment sans sentiment ni pitié. Il rit en lui-même. Il lui semble qu'il ne fait que ça, vivre de ses émotions. Les souvenirs de Bernise lui transpercent l'esprit toutes les heures. Son toucher, son énergie, sa bouche, son regard lorsqu'elle est timide, son mystère, son indépendance.

Elle l'a appelé deux fois, depuis cet incident maudit. La première, le lendemain, pour s'excuser. La seconde, le jour suivant la mort de Chantal, pour lui offrir ses condoléances. Deux messages sur sa boîte vocale qu'il a écoutés en boucle, sans pourtant réussir à se convaincre de l'appeler.

Quelque chose en lui s'est éteint, ce jour-là. Il a tellement glorifié la vision qu'il s'était faite de Bernise qu'il s'est attendu à une réciprocité sans faille. À force de voguer sur un nuage de bonheur et de passion, il a oublié l'essentiel. Sa douce amie est humaine, et non une fée tirée d'un conte. Dure réalité que de s'enivrer avec une bière déjà tiède en prenant conscience qu'on s'est complètement trompé.

Dire qu'il a voulu, depuis le départ, être son protecteur, son héros! Bernise Tousignant n'a pas besoin d'un sauveur. N'a-t-elle pas elle-même mis Turner au tapis? N'est-elle pas une jeune femme libre de toute attache, entièrement capable de se débrouiller seule dans la vie? Non, si quelqu'un a besoin d'une idole, c'est plutôt lui. Car c'est exactement ce qu'il a fait d'elle en la hissant sur le piédestal d'une perfection impossible à ternir.

Malgré ses trente-cinq printemps, jamais auparavant il ne s'est investi dans une relation stable, en adulte. Il a toujours cherché cette ivresse de la découverte, de la nouveauté. *Superficiel comme vingt,* se dit-il. *Tout le monde me croit si parfait, s'ils savaient à quel point j'ai été puéril.*

Pourtant, tapie au fond de son être, la flamme ne s'éteint pas. Le parfum de Bernise continue à flotter dans l'air ambiant. S'il persiste à se contenir, il suffoquera avant de s'être ouvert à la vraie vie.

De son côté, billets en main, Guillaume ne perd pas deux secondes pour contacter Max.

– Max, penses-tu que je peux inviter Philippe ? C'est l'occasion ou jamais... Tu sais...

Max le rassure, c'est déjà fait. Bon, d'accord, mais pourquoi Bernise n'est-elle pas invitée ? La réponse est brève et sans appel : « C'est compliqué ! »

Compliqué ? Pour Guillaume, ce mot suscite l'intérêt d'une histoire à suivre. Dès qu'il pose le combiné, sa curiosité le mène directement devant son écran. Bingo, Bernise Tousignant est facile à trouver. De ses longs doigts gracieux, il compose rapidement les quelques chiffres qui font sonner l'appareil caché derrière une boîte de céréales dans la cuisine des filles de la rue de Lanaudière.

Julia répond au premier coup. La discussion dure quelques minutes et se conclut sur un plan astucieux.

Chapitre 48
Terre de nos aïeux

La foule pénètre par toutes les entrées. Jeunes et moins jeunes, grands, petits, chauves, bedonnants, certains vêtus de rouge, arborant le symbole du CH avec fierté, les amateurs fourmillent dans les gradins, bière à la main, sourire aux lèvres. Max, qui a l'habitude d'assister aux parties de hockey dans la loge de clients importants, trouve agréable d'être près de la glace. À ses côtés, Philippe prend possession de son siège. Essayant de paraître calme, Max est fébrile, la performance de Sophie commencera dans quelques instants. Son frère, lui, n'en sait absolument rien.

Un peu plus haut derrière eux, Guillaume prend place en compagnie de Julia. Ils doivent se faire discrets, ne pas attirer l'attention de Philippe, sans quoi ils devront prétendre que le « monde est petit » en se tapant sur les cuisses, l'air faux étampé sur leur visage. De plus, comme Guillaume a respecté le désir de Sophie de ne pas dire qu'il est resté à Montréal, Philippe le croit auprès de Sophie à Toronto ! Le but de l'exercice est de préserver la surprise, d'assister à un moment magique qu'ils ne reverront probablement jamais dans leur vie. Tant que l'événement ne vire pas au désastre…

Alors que le quatuor s'installe près de l'action, Bernise, de son côté, est de nouveau piégée par Julia. La veille, cette dernière lui a brandi un billet pour la partie des Canadiens.

– Ah, zut! Erick m'invite à aller voir Sophie chanter l'hymne national, mais j'ai déjà promis à Guillaume que je l'accompagnerais. Tu veux bien prendre ma place? Le siège est mieux situé en plus…

Bernise a paru perplexe.

– Pourquoi ne gardes-tu pas ta place auprès de ton frère? Je pourrais très bien escorter Guillaume…

Julia, qui avait prévu cette répartie, est prête à répliquer. Il faut garder Bernise loin de Max aussi longtemps que possible, tant que les événements ne tourneront pas en leur faveur. Quand l'heure est grave, tout est une question de *timing*.

– J'ai donné ma parole et j'aime bien Guillaume, il me fait rire. Vous serez de l'autre côté de l'entrée qui donne sur la patinoire d'où Sophie chantera. Erick est déjà au courant, il est si content de te voir, ne le déçois pas…

Avec sa moue charmeuse, Julia s'est montrée impossible à contrarier. Donc, Bernise marche ce soir-là au sein d'une foule agitée pour trouver Erick, près de la vitre de sécurité. Elle sera si près des joueurs qu'elle pourra voir leurs expressions faciales.

Sourire mystérieux aux lèvres, Erick l'attend tranquillement, assis, les coudes sur les genoux.

– Salut, Erick.

Il l'embrasse poliment, elle lui demande si Sophie va bien. Nerveuse, mais heureuse, paraît-il. Elle prend place à ses côtés, au moment où le premier athlète est présenté, que les lumières dansent et que la foule applaudit un à un chaque patineur qui saute sur la glace. Puis, lorsque les hockeyeurs sont tous alignés sur leur ligne bleue respective, casque sous le bras, la cohue s'apaise sous la voix posée mais nasillarde du présentateur. «Mesdames et messieurs! *Ladies and Gentlemen*! Notre hymne national, *Our national anthem*, sera interprété, *will be performed by* Sophie Bertraaaaand!»

Quelques minutes auparavant, Sophie était en tête-à-tête avec elle-même. Jacinthe, la fameuse relationniste à qui elle doit ce contrat fabuleux, venait de la laisser seule, à sa propre demande.

– Faites-moi signe lorsque ce sera le temps.

Elle aurait pu demander à avoir ses proches avec elle pour se préparer mentalement. Pourtant, cette situation étant pour elle une source de panique intense, elle a senti le besoin de s'isoler avec ses fantômes. En réalité, la seule personne qu'elle aurait pu tolérer pour passer ce moment important aurait été Philippe.

Sa consolation, si c'en est une, est qu'il la verra sûrement de son salon. Il sera fier d'elle. Un jour, elle pourra le revoir la tête haute. Elle lui prouvera que sa décision n'a pas été vaine.

Pour l'instant, son cœur bondit dans sa poitrine. Elle sautille sur place malgré les chaussures à talons hauts qu'on lui fait porter. Lorsque le signal «Sophie, c'est à toi» retentit à ses oreilles, elle marche, telle une somnambule, derrière Jacinthe. Un homme grisonnant, au sourire courtois, lui tend un microphone.

Philippe entend le nom de Sophie comme dans le creux d'un coquillage qui chante le vent de la mer. C'est impossible. Une autre personne doit porter le même nom... Son raisonnement s'arrête lorsqu'il voit, sur l'écran géant, le visage de la jeune femme, micro à la bouche, entamant les premières paroles de l'hymne.

Max lui lance un regard amusé, puis, constatant les larmes sillonnant les joues, descendant jusqu'à la mâchoire solide mais crispée de son frère, il serre les lèvres, lui-même ému. Touchant son avant-bras pour lui témoigner son soutien, il voit Philippe se tourner vers lui.

– Pourquoi ne m'as-tu rien dit?

Max parle fermement, décidé à bien faire entendre son message à son cadet.

– Parce que tu l'as dans le cœur. Je voulais que tu l'aies en plein visage, dans les oreilles, que tu t'en imprègnes. Que tu n'aies plus le choix de saisir la seule chance que tu as d'être vraiment heureux.

Alors que la voix de Sophie fait toujours vibrer l'audience, Philippe se prend la tête à deux mains, maudissant son frère de le connaître si bien, et ses tripes d'être maîtresses de son jugement.

Subtilement, Max fait signe à Julia et à Guillaume qui les regardent quelques rangées plus haut. « Il est prêt ! ».

La jeune Péruvienne s'excuse au passage lorsqu'elle dérange les quelques amateurs qui la séparent de l'allée. Une fois devant les deux colosses, elle tend la main à Philippe.

– Viens avec moi.

Le chant s'achève sur une note très haute. Ils stoppent leur élan pour apprécier sereinement la prouesse, tout en fixant l'écran géant qui montre un gros plan de Sophie, fraîche et resplendissante.

– Toi aussi, Max.

🍒🍒🍒

Évidemment, grâce à Erick, ils ont facilement accès au couloir des joueurs, là où Sophie est passée pour se rendre à la glace. D'un signe de tête, ce dernier les mène dans une pièce dont les attributs ont tout d'une loge d'artiste, sauf le nom. Toutefois, avant de franchir le pas de la porte, Philippe freine son élan. Derrière lui, Guillaume, Julia, Erick, Max ainsi que Bernise qui se tient en retrait, observent la scène avec émoi. Les mains engourdies par l'espoir, la tête dans un nuage truffé d'illusions et d'égarement, il recule.

– Allez…, fait Max d'un ton faussement nonchalant.

– Elle n'est pas ici, résiste Philippe.

Puis, comme si son instinct le forçait à se retourner, il aperçoit Sophie entamer sa marche vers lui, escortée par deux hommes en complet gris. À sa vue, tout d'abord elle se fige, hésitant à bouger, à reconnaître qu'il est vraiment là. Elle vient de vivre un stress énorme, il se peut fort bien qu'une telle poussée d'adrénaline anime son imagination ! Puis, comme il se distance du groupe pour se diriger vers elle, le regard empreint d'une fragilité qu'il ne cherche pas à dissimuler, sans même en être consciente, Sophie laisse mollement tomber son micro. La haute stature lui paraît encore plus imposante que dans ses rêves. Ses cheveux presque blonds, désormais très courts, semblent plus sombres, découpant davantage les traits masculins de son visage. Encouragée par son sourire ému, elle accélère peu à peu le pas pour finalement courir la dizaine de mètres qui les séparent.

Lorsqu'elle arrive à sa portée, sans tarder une seconde, il entoure la taille de Sophie de ses mains. Elle se jette dans ses bras, humant son odeur, effleurant son cou, la ligne de sa mâchoire, recevant le frôlement de ses lèvres sur ses paupières. D'un élan naturel, il la soulève de terre pour que son visage atteigne le sien.

Elle est si près, il se sent redevenir un être humain en chair et en os, en tripes, en passion et en testostérone. Plus rien ni personne ne pourra désormais le séparer d'elle, ni Sylvain, ni la distance, ni même sa propre bêtise. Poussé par un aimant invisible, il saisit la nuque de la jeune femme d'abord délicatement, puis avec force pour rejoindre sa bouche. Leur baiser est une décharge électrique traversant son crâne jusqu'à la plante de ses pieds. Il doit prendre quelques secondes pour régulariser sa respiration.

– Tu es là ! Tu es vraiment là ! murmure-t-elle contre la commissure de ses lèvres.

Lentement, avec un sourire, il la dépose. Même si elle touche le sol, la main de Philippe tient fermement le bas de son dos, la gardant contre lui, encerclant sa joue de sa paume. Transporté de bien-être, ainsi que par les sages paroles de son frère quelques instants plus tôt, Philippe laisse émerger sans pudeur les véritables mots qui l'habitent.

– Je t'aime, Sophie.

Momentanément, elle croit qu'elle va s'effondrer sans le support du bras solide tellement elle tremble. Sophie se sent ivre, sereine, aimée. Après des années de solitude et d'égarement, elle s'est non seulement présentée au monde telle qu'elle est réellement, avec toute sa voix et son talent, mais en plus, elle est désormais enveloppée d'affection sincère. Tout est donc possible. Comment n'a-t-elle pas reconnu qu'elle pouvait vraiment tout rafler ? Le trésor qu'est Philippe et l'accomplissement de son rêve ! Elle sait qu'ils trouveront un compromis, le contraire est désormais impossible à considérer.

Elle a cru que trop d'eau était passée sous les ponts, que leur attrait s'était évaporé avec les semaines de séparation. Comme si l'incident du jour de son départ avait été un événement isolé, un coup de tête. Au contraire, il lui déclare son amour.

Pour toute réponse, elle l'embrasse de nouveau.

– Hé, Soph ! fait la voix de Guillaume derrière elle, tu étais super ! Si tu peux le lâcher un peu, on pourra te féliciter, nous aussi !

Collant leur front l'un à l'autre, Philippe et Sophie éclatent de rire.

Chapitre 49
Max

La réunion de Philippe et Sophie en plein couloir bondé apporte non seulement des larmes d'émotion aux yeux de Bernise, mais la situation lui permet également de s'esquiver en douce. La vue de Max dans des circonstances pareilles lui est intolérable. Oui, elle est heureuse pour Sophie, elle a même vécu sa joie par procuration ! Par contre, comment être témoin de cette plénitude lorsque la cause de sa tristesse se trouve à quelques mètres ?

Pour Bernise, comme pour d'autres avant elle, Maxime Grondin représente désormais une épine sanglante dans son cœur. Depuis qu'il l'a abandonnée, seule sur le trottoir, le jour affreux où elle a mis sa parole en doute, elle s'est heurtée à son silence. Tel un mur de ciment impossible à briser, Max a placé entre eux un abîme, lui arrachant par le fait même tout pouvoir sur la direction à donner à leur relation.

Dans cette douleur qu'elle porte dignement depuis le début de leur séparation, elle a pris le parti de se laisser transporter par la vague. L'eau n'a-t-elle pas raison des éléments solides à la longue ? Peut-être la clôture d'indifférence s'érodera-t-elle avec le temps ? Malgré l'envie d'aller frapper à sa porte, de s'élancer exactement comme Sophie vient de le faire dans les bras de Philippe, elle s'est tenue tranquillement dans son logis avec devant elle une seule avenue : l'espoir.

Elle retourne la situation dans tous les sens. Était-ce excusable, voire légitime, de sauter aux conclusions en pareilles circonstances ? Oui. Non. Peut-être. À quoi cela sert-il de battre un cheval déjà mort ? Cette dernière semaine, elle s'est forcée à simplement avancer, à vivre comme elle le faisait avant que Maxime Grondin ne vienne ébranler sa douce tranquillité.

Maudit soit-il ! S'il n'avait posé son regard sur elle, s'il ne lui avait jamais adressé la parole, elle n'en serait pas là. Elle secoue la tête. Ce n'est pas la faute de Max. Le premier contact, c'est elle, ou la Providence, qui l'a provoqué ce jour où elle a saisi son bras à défaut d'autre chose, lors de cette soirée interminable sur la terrasse d'un pub de la rue Saint-Denis. N'a-t-il pas été pour elle un preux chevalier dès les premières secondes ? Non, elle n'a rien à lui reprocher. Et puis, dans tout ça, il lui reste un privilège qu'il ne peut pas lui enlever. Celui de continuer à l'aimer malgré tout. C'est encore son droit le plus fondamental.

Surtout si les doutes qui alimentent son imagination depuis quelques jours se révèlent fondés. Ces nausées, ce retard, toute cette émotivité à fleur de peau… Oh oui, elle aura besoin de tout son courage pour faire face aux prochains mois, voire les prochaines années. Elle n'a pas encore trouvé le courage d'ouvrir la boîte rose protégeant un bâtonnet de plastique. Une simple petite ligne, ou son absence, fera basculer sa vie. Bernise porte une main à son ventre, le cœur battant. Demain… ou le jour d'après… mais pas aujourd'hui.

Puis elle secoue la tête, prête à se convaincre que la vie arrangera les choses, que sa bonne étoile brillera, qu'après tout, des mères célibataires, il y en a d'autres ! Elle ferme le robinet, se dirige vers le sèche-mains. Soudain, la porte pivote derrière elle, laissant entendre le brouhaha de la foule, faisant sentir la fraîcheur de la glace.

– Tu vas te cacher longtemps ?

Loin dans ses pensées, certaine d'être tranquille dans ces toilettes pour dames, elle sursaute au son de la voix masculine qu'elle reconnaîtrait entre mille. Fermant les yeux, elle tente de calmer les battements de son cœur avant de se retourner.

– Bernise…, commence Max d'une voix monocorde.

– C'est la salle des dames, ici, Max.

Il est encore près de la porte, immobile.

– Ça fait au moins vingt minutes que tu es là, je… je voulais voir si tu te trouvais mal.

Se trouver mal? Nerveusement, Bernise se met à rire tristement. Quelle ironie! Elle se noie de chagrin depuis des semaines.

Elle s'invente la force de le regarder dans les yeux, de sourire.

– Tout va bien, Max. Merci de t'inquiéter. Toi, ça va?

Malgré sa tentative de paraître désinvolte, ses dents mordent sa lèvre inférieure, dénonçant son trouble évident. Les muscles de son visage sont si crispés qu'elle sent son pouls à ses tempes. Durant toutes ces secondes infernales, sa seule consolation est de constater que Max est blême sous son teint cuivré. Il ne va pas bien non plus.

– Mal… J'aimerais te parler.

S'il est pour lui confirmer la pire de ses craintes – que tout est vraiment fini –, elle n'en a pas la force, pas après avoir assisté au bonheur de Sophie.

– Erick m'attend, la partie est commencée, je dois y aller.

Max ne bouge pas, même si elle avance dans sa direction pour sortir. De sa hauteur, il la regarde sous des paupières presque closes comme lorsqu'elle était contre lui, lors de jours meilleurs. Cette fois, elle ne le touche pas, se contentant d'attendre patiemment qu'il lui cède le passage.

– S'il te plaît. Je veux régler ça une fois pour toutes.

Le cœur de Bernise s'effondre. *Régler ça?* Il veut quoi, son amitié?

– Ce n'est pas l'endroit, Max. Quelqu'un peut entrer…

– J'ai mis une de ces barrières jaunes d'entretien, personne ne viendra. De plus, Erick est là, il sait que je te parle, il ne t'attend pas du tout.

Vaincue, elle dépose son sac sur le comptoir de marbre.

– Bon, tu veux *régler* ça. Alors, réglons ça ! De toute façon, avec toutes les fréquentations que nous avons en commun, il faudra bien se revoir sans que je…

Elle allait dire « sans que je veuille mourir ». Évidemment, elle se tait. Même si elle aime bien Annie, la dernière chose qu'elle souhaite est de lui être comparée. Non, elle veut vivre sereine, sans paniquer à la seule mention de cette tête forte qui l'a séduite. Max représente toujours la figure de chef de bande, le mâle alpha de la meute. Celui qui influence, qui règle tous les problèmes…

– Je t'ai sous-estimée, Bernise.

Sur le ton de la confidence, il suspend le fil de ses pensées. Que vient-il de dire ?

– Tu t'es excusée, je n'ai pas voulu t'entendre, reprend-il.

– J'ai constaté, oui. J'ai eu de la peine, mais maintenant, ça va. Je suis heureuse pour Sophie et Philippe, c'est très émouvant…

Alors qu'elle garde la conversation sur un terrain facile, il hoche la tête lentement d'un air sarcastique.

– Oui, très émouvant. Tu sais ce que j'ai dit à mon frère, juste avant ? Je lui ai dit que c'était sa dernière chance d'être vraiment heureux. Je lui ai parlé comme s'il était trop aveugle pour le constater par lui-même.

Il s'interrompt, passant une main sur son visage, visiblement exaspéré. Puis, contre toute attente, un rire cynique lui échappe.

– En réalité, c'est à moi-même que je parlais. Le pire, c'est qu'il m'a écouté, et qu'il a gagné, alors que je suis incapable de le faire moi-même.

Bernise, qui tente en vain de suivre sa logique, commence à faiblir sous les paroles de Max. Il lui raconte tout ça pour quoi ? Pour confirmer en mots ce qu'elle sait déjà par son silence ?

– Ce que tu es en train de dire, c'est que tu ne sais pas être heureux et tu souhaites que je te console de cet état d'esprit ?

Surpris par l'amertume de sa question, il la coupe en haussant le ton.

– Ce que j'essaie de te dire, c'est que tu es la seule personne qui me déstabilise autant ! Au départ, j'ai cru que tu serais de passage dans ma vie, que le rêve que je me construisais allait s'évaporer comme toutes les fois d'avant. C'est le modèle habituel de ma vie, ça s'est toujours produit ainsi !

– C'est pourtant exactement ce qui est arrivé, Max. Inutile d'en faire tout un plat, tes habitudes sont de retour.

Il secoue la tête.

– Non. Ce n'est pas ce qui est arrivé. Je n'ai pas pu passer à autre chose, tu es déjà ancrée en moi.

De l'autre côté du mur leur parviennent les cris de la foule. Max profite de cet instant de distraction pour lever une main tremblante et caresser doucement la joue de celle qu'il aime.

– Je suis désolée d'avoir troublé tes habitudes, Max.

Elle saisit la main qu'il a portée à son visage. Lorsqu'elle approche les doigts vigoureux de ses lèvres, il ferme les yeux de soulagement. Il l'aime tant qu'il en frémit simplement à l'avoir si près de lui. Si elle est prête à lui pardonner, il lui donnera sa vie.

Quand il sent les lèvres de Bernise effleurer timidement les siennes, il s'empare de sa bouche avec toute la fièvre qui l'habite depuis qu'il est entré dans la pièce. Leur étreinte s'enflamme rapidement, il doit se souvenir qu'ils sont dans un endroit public. Quelques instants plus tard, il lui murmure les mots qu'il avait juré ne jamais prononcer.

– Épouse-moi, Bernise.

Chapitre 50
Taisons-nous à jamais

Les lèvres serrées sur trois épingles, Annie parle entre ses dents pour sommer Bernise de tourner sur elle-même. Lorsque celle-ci est finalement en place, elle pique dans l'ourlet de la robe blanche.

– Ahète de bouver, Bernise !

– Je suis nerveuse et j'ai une autre montée de lait !

– Quelqu'un, apportez-lui Elizabeth pour l'amour ! Elle va mouiller sa robe ! s'écrie Annie.

– J'arrive !

Dorothée place le poupon dans les bras de la mariée.

– C'est quoi, l'idée d'attendre à la dernière minute pour faire les ourlets de ta robe ?

– J'étais enceinte jusque-là quand je l'ai achetée. Je n'ai pas pu l'essayer…

– Du Bernise tout craché, sourit Julia.

– Voilà, dit Annie en se relevant. Va l'ôter, je vais la coudre. Donne-moi ta fille, elle ne va pas mourir de t'attendre un peu pour finir son boire.

Annie a délibérément gardé ses vêtements ordinaires jusqu'à la dernière minute. Avec deux bébés à manipuler pendant les derniers préparatifs, autant être prudente.

Elle regarde la petite Elizabeth. Elle ressemble à sa maman avec ses yeux en amande et ses cheveux déjà fournis pour un bébé naissant. Elle est heureuse pour Max, s'étant elle-même attachée à Bernise avec le temps.

Max arrive en sueur. Sophie rajuste la cravate de Philippe.

– Tu n'es pas encore prêt? Qu'est-ce qu'elle fait encore ici? Elle est censée être chez moi avec les autres. Bernise a besoin d'elle, dit-il en pointant Sophie du menton.

Philippe entoure la taille de Sophie.

– On a été retardés par la nature. Relaxe, Max. La cérémonie est seulement dans trois heures.

Max pointe son pouce par-dessus son épaule.

– Soph! Dehors!

La jeune femme plisse le nez avant d'enlacer son beau-frère.

– Tu es mignon quand tu es nerveux, Max.

Il la serre contre lui, l'embrassant sur le front.

– Va voir ta future belle-sœur, laisse les hommes entre eux.

– OK, j'y vais. J'ai l'air de quoi? demande-t-elle en tournoyant.

– Tu ressembles à Annie, Maïté, Jeannette, Julia et Dorothée. Même robe, même couleur, même modèle, super belle, dit Max.

– Très drôle, allez, j'y vais. J'ai une chanson à répéter!

Elle croise Erick en sortant de la maison.

– Salut, Erick, dit-elle en l'embrassant. Je suis contente que tu sois venu.

– Moi aussi, Sophie. Tu es magnifique.

– Merci! À tantôt!

– Où étais-tu? crie-t-elle à Guillaume qui sort de sa voiture.

– J'ai eu des problèmes avec mon smoking. Je suis beau?

– Très, très beau. Allez, va rejoindre les hommes, ils sont à l'intérieur.

– Ta maison. Ça me fait encore drôle.

– Moi aussi. Allez ouste, je suis attendue.

❦ ❦ ❦

L'arrière-cour de Max et Bernise est décorée d'un arrangement floral couleur ivoire s'agençant aux robes des demoiselles d'honneur. Anna et Dorothée se sont chargées personnellement de surveiller les employés engagés par l'organisatrice du mariage, la grande Maïté. Celle-ci a sorti du lit les futurs mariés à 6 h pile. Une liste à la main, un écouteur à l'oreille pour donner ses ordres, elle prend son rôle très au sérieux.

– Sophie ! Mais qu'est-ce que tu foutais ?

Lorsque la jeune femme rougit, Julia se bouche les oreilles.

– OK, les lapins, je ne veux pas le savoir.

– Savoir quoi ? demande Dorothée.

– Tu es trop jeune, la coupe Julia avec un clin d'œil à Sophie.

Sophie saisit le petit Gabriel qui avance à quatre pattes vers elle.

– Bonjour, monsieur, ici c'est la place des femmes, tu t'es trompé de maison ! dit-elle en frottant son nez sur celui du chérubin. Où est donc ta maman ?

– Je suis ici, s'écrie Jeannette en sortant de la salle de bains. Salut, Sophie, t'es chanceuse, le crème te va bien, moi, ce n'est pas ma couleur.

Jeannette prend Gabriel des bras de Sophie.

– Qui eût cru que l'homme de ma vie serait le fils de mon ex-mari ?

– Je suis tellement contente que tu aies accepté de le prendre, Jeannette. C'est le tien, on le voit tout de suite.

– C'était difficile de refuser, c'était le souhait de Chantal. Je suis conquise. Il n'y a plus de retour en arrière possible.

La robe de Bernise est ajustée juste à temps pour la cérémonie. Anna prend Elizabeth sans se faire prier. Escortée par son père, Bernise marche lentement vers Max, son voile cachant son visage.

– Nous sommes réunis pour célébrer le mariage de Bernise Tousignant ici présente et de Maxime Grondin, ici présent. Si quelqu'un a une quelconque objection à ce que ces deux personnes s'unissent par les liens du mariage, parlez maintenant ou taisez-vous à jamais.

– Ce n'était pas dans ton texte de dire ça, Philippe, dit Max entre ses dents.

– Tu me l'as fait, maintenant on est quittes, sourit-il.

L'assistance rit de longues secondes. Bernise lève les yeux au ciel tandis que Max lui fait un clin d'œil. Philippe n'est plus le même. Maintenant ouvert et souriant, son humour la surprend encore.

Plus tard dans la soirée, lorsque le gâteau est coupé et que les couples s'enlacent sur le plancher de danse, pendant que Julia tournoie avec Frédéric Legrand, Annie se retrouve enlacée par un inconnu aux cheveux noirs. Il n'a qu'un œil pour la regarder.

– C'est donc toi, le fameux Erick ? demande-t-elle en levant la tête.

– Oui.

Il ne sait pas qui est cette femme, ni quel lien elle a avec les Grondin. Il sait par contre qu'à quelques mètres d'eux Sophie les regarde en souriant, et cela suffit pour qu'il la serre de plus près.

Épilogue

Nouveaux départs

Sans y réfléchir, Erick Fiore s'est approché de cette inconnue à la beauté stupéfiante. Même s'il a laissé en plan quelques autres partenaires éclatantes à Toronto, il profitera à plein régime des «ressources naturelles» que Montréal lui offre! Sur cette pensée qu'il trouve tout à fait logique, il se commande un troisième scotch.

Dans sa quête de paix d'esprit, Annie Simard s'est présentée la tête haute, contrôlant chacune de ses inspirations au mariage de l'homme qu'elle aurait voulu pour elle, Maxime Grondin. Depuis déjà des mois, Bernise Tousignant et Max filent le presque parfait bonheur avec, en prime, une petite fille, arrivée bien rapidement nommée Elizabeth. Ce mariage est célébré dans l'opulence et l'enthousiasme émouvant des proches, incluant celle qui, quelques mois plus tôt, a tenté de s'enlever la vie au nom de son amour pour le marié du jour.

Ce soir-là, Annie voit les choses autrement. Elle a échangé l'ombre pour la lumière, elle respire l'amour qui flotte dans l'air. Sophie, Philippe, Max et Bernise sont tous des exemples à suivre. Un jour, elle vivra sur le même nuage.

Une main étrangère, à la fois douce et forte, se pose sur son épaule nue. Elle se retourne, laissant planer autour de ses chevilles le satin de sa robe de demoiselle d'honneur. Un gaillard élégamment vêtu d'un smoking noir, aux cheveux de jais, borgne, au visage basané et dont les traits parfaitement taillés semblent avoir été dessinés par un peintre du Moyen Âge lui sourit. Il s'incline légèrement pour l'observer. Non, pour la dévorer plutôt de son regard noir, intense.

Il ne lui demande rien et empoigne simplement sa taille de ses doigts vigoureux, avant de l'entraîner parmi les danseurs.

– C'est donc toi, le fameux Erick ?

Quelques instants plus tard, alors que la valse se transforme en danse en ligne sur des airs country, Erick saisit sa main délicate pour l'entraîner dans la pénombre. Sur le côté de la maison, près d'une immense haie de cèdres, dans un coin où personne ne les verra, Annie sent la fraîcheur du mur de pierre sur la peau tiède de son échine. Il est si grand qu'il doit se pencher pour approcher sa bouche de la tempe de la jeune femme, une main appuyée sur la pierre près de sa nuque.

– Comment t'appelles-tu ?

– Annie... Je suis l'amie de J...

– Je ne suis que de passage, je ne reviendrai pas, la coupe-t-il en homme pressé qui n'a pas une seconde à perdre en futilités.

Tranquillement, le revers de sa main effleure la joue, puis le menton d'Annie, la sidérant au point de lui faire perdre le contrôle de ses genoux. Par réflexe, et pour se contenir, elle plaque ses paumes sur la poitrine de l'étranger.

– À moins d'avoir une bonne raison..., ajoute-t-il avant de prendre possession de sa bouche.

Toronto, au même moment

Étienne Grondin n'a pas dormi depuis quarante-huit heures. Ce long métrage qu'il vient de terminer aura été l'un des plus ardus de sa carrière de cascadeur. Évidemment, ce saut en moto aurait pu mal se terminer, il a eu de la chance. Jack Brown, son mentor et fidèle associé, a fait appel à une équipe de motocyclistes de premier ordre. « Ils peuvent le faire à ta place », a insisté Jack. Le regard sombre d'Étienne a coupé court aux propos de son vieux coach en une fraction de seconde « Non, c'est mon contrat, j'en ai fait avant, je vais le faire à nouveau! » Jack a tenté de lui dire que la dernière fois, il a failli y laisser sa peau. « C'est NON! » s'est écrié Étienne en lançant sa casquette sur la table avant de claquer la porte derrière lui.

Ça, c'était hier.

Maintenant que tout est fait, qu'il peut passer à autre chose, Jack se dit qu'il en a assez vu. Ce soir, c'est la retraite qui l'accueillera dans son palais.

– Tu ne peux pas faire une chose pareille, Jack! J'ai besoin de toi!

Le vieil homme a levé son regard brun vers l'athlète un peu trop fou qu'est son élève favori. « Élève » étant un mot tendre pour désigner Étienne, puisque celui-ci a depuis longtemps dépassé ce stade. Son fils spirituel, son meilleur ami, voilà ce que le jeune homme est devenu pour lui.

Jack se sent partir à petit feu, surtout depuis le décès de sa femme. Il observe Étienne depuis des semaines, s'inquiète à son sujet. Maintenant qu'il a franchi le cap de la trentaine, qu'il s'est bâti un solide nom dans le milieu, qu'il possède tout ce dont il rêvait lorsqu'il s'est présenté à lui – jeune gaillard au regard frondeur qu'il était dix ans auparavant –, il est temps que le jeune homme envisage une vraie vie. Comme celle qu'il a eue lui-même avec sa douce Émilie, pendant près de quarante-cinq exquises années de bonheur.

Jack connaît le passé de celui qu'il surnomme « Ethan ». Il sait ce qu'Étienne a laissé derrière lui : une famille, des cousins avec qui il a grandi, son père qu'il affectionnait malgré ses revers, une jeune fille dont il a souvent parlé et à qui il a comparé toutes ses conquêtes. Il a vu sa photo, un petit bout de jeune fille aux cheveux châtains, très longs, un visage d'elfe. L'endos du cliché disait « Jeannette », mais Ethan l'appelait « Janie ».

Il est temps qu'il ait une sérieuse conversation avec Ethan.

À peine a-t-il terminé de prononcer les mots «J'ai besoin de toi» qu'Étienne ferme les yeux, les lèvres pincées, les mains sur les hanches.

– Il est temps pour moi de retourner d'où je viens, c'est ça que tu essaies de me dire depuis des jours?

– Tu es fatigué, Ethan, et moi aussi. Tu as des choses à régler.

Étienne secoue la tête, prenant une profonde inspiration. D'un geste nerveux, il empoigne sa casquette qu'il replace sur ses cheveux châtain clair.

– Je vais y penser, dit-il.

– Ne pense pas, fais-le.

À suivre…

Remerciements

La saga des Héros m'a tirée dans son tourbillon ce fameux soir où, d'un coup de tête (ou de cœur !), j'ai fermé ma télé pour écrire la première scène. J'étais loin de me douter dans quelle aventure passionnante je me lançais. Après quatre ans de travail, une bonne dizaine de versions artisanales et une version numérique sous le format d'une série d'épisodes, voici la dernière, toute fraîche, de ce premier tome.

Merci à Marie-Christine Forget et Marie-Isabelle Boucher. Sans votre enthousiasme quasi quotidien, jamais je ne serais arrivée à même croire être capable de terminer ce projet ambitieux.

Merci à Catherine Bourgault pour ta contribution immense dans la réécriture. Tu as beaucoup de talent. C'est un réel cadeau de partager avec toi les joies et misères quotidiennes de nos projets littéraires.

Merci à Jonathan Cayer pour la création de mon site web, pour l'inspiration, pour ton soutien et pour ta merveilleuse salsa.

Merci à Sylvain Hamel et Julie Charbonneau pour les superbes photos, pour le support moral et simplement pour le fait d'être toujours là pour moi.

Je suis reconnaissante à l'équipe de Numerik:)livres pour avoir cru en ce projet et l'avoir lancé dans l'univers du web avec grande conviction. Merci pour votre excellent travail.

Rachel Graveline, Yannick Ollassa, merci !

Ingrid Remazeilles, du super travail, une belle vision, ça vaut de l'or. Corinne De Vailly, merci d'avoir à nouveau accepté de me faire profiter de ton amour de la langue française et de tes connaissances approfondies.

Merci à toute l'équipe des Éditions Goélette.

Enfin, encore et toujours, une montagne d'amour à Jean-Marc, Sandrine et Thierry. Ma mère, ma tante, Mamie, merci. Vous savez pourquoi.

Merci à l'adversité. Sans un brin de misère, les «Héros» n'auraient jamais vu le jour.

On se revoit au prochain tome.

Marie Potvin